CASOS E CASOS

Esther Perel

Casos e casos
Repensando a infidelidade

TRADUÇÃO
Débora Landsberg

Copyright © 2017 by Esther Perel
Publicado mediante acordo com Harper Collins Publishers.

Grafia atualizada segundo o Acordo Ortográfico da Língua Portuguesa de 1990, que entrou em vigor no Brasil em 2009.

Título original
The State of Affairs: Rethinking Infidelity

Capa e foto de capa
Adalis Martinez

Preparação
Diogo Henriques

Índice remissivo
Probo Poletti

Revisão
Carmen T. S. Costa
Luciane Helena Gomide

Dados Internacionais de Catalogação na Publicação (CIP)
(Câmara Brasileira do Livro, SP, Brasil)

Perel, Esther
    Casos e casos : repensando a infidelidade / Esther Perel ; tradução Débora Landsberg. – 1ª ed. – Rio de Janeiro : Objetiva, 2018.

    Título original: The State of Affairs : Rethinking Infidelity.
    ISBN 978-85-470-0061-5

    1. Casais 2. Casamento 3. Convívio social 4. Compromisso (Psicologia) 5. Fidelidade 6. Relações extraconjugais I. Título.

18-13932   CDD-306.736

Índice para catálogo sistemático:
1. Infidelidade conjugal : Aspectos sociais : Sociologia   306.736

[2018]
Todos os direitos desta edição reservados à
EDITORA SCHWARCZ S.A.
Praça Floriano, 19, sala 3001 — Cinelândia
20031-050 — Rio de Janeiro — RJ
Telefone: (21) 3993-7510
www.companhiadasletras.com.br
www.blogdacompanhia.com.br
facebook.com/editoraobjetiva
instagram.com/editora_objetiva
twitter.com/edobjetiva

Para Jack,
que eu amei por três décadas,
e
para qualquer um que já tenha amado.

Sumário

Introdução 9

PARTE I: A PREPARAÇÃO DO TERRENO
1. Uma nova conversa sobre casamento e infidelidade 15
2. A definição de infidelidade: bater papo é trair? 28
3. Os casos não são mais como eram antigamente 43

PARTE II: AS SEQUELAS
4. Por que a traição dói tanto 59
5. Lojinha de horrores 77
6. Ciúme 90
7. Autorrecriminação ou vingança 104
8. Contar ou não contar? 119

PARTE III: SIGNIFICADOS E MOTIVAÇÕES
9. Até pessoas felizes traem 139
10. Um antídoto para o torpor 156
11. Sexo pode ser apenas sexo? 171
12. A mãe de todas as traições? 191
13. O dilema da amante 207

PARTE IV: PARA SEMPRE

14. Monogamia e seus dissabores 225
15. Depois da tempestade 245

Agradecimentos 263
Notas 267
Índice remissivo 275

Introdução

Existe um simples ato transgressivo capaz de acabar com a relação, a felicidade e a identidade de um casal: um caso extraconjugal. Porém, esse ato extremamente comum é pouco compreendido.

Como terapeuta, escritora, instrutora e palestrante, venho investigando há quase três décadas as complexidades do amor e do desejo nas relações dos casais modernos. Meu primeiro livro, *Sexo no cativeiro*, explorava a natureza do desejo erótico em relações duradouras e incluía apenas um capítulo sobre infidelidade. Para a minha surpresa, sempre que eu dava uma palestra ou entrevista a respeito do livro, não importava em qual lugar do mundo, o tema da infidelidade era o que mais despertava a curiosidade de todos. Ele passaria a dominar minhas horas de vigília. Se *Sexo no cativeiro* esquadrinhava os dilemas do desejo em relações com compromisso, *Casos e casos* segue a trajetória do desejo quando ele se volta para outros lados.

Dito isso, este não é apenas um livro sobre infidelidade. *Casos* tem muito o que nos ensinar sobre relacionamentos — o que esperamos, o que acreditamos querer e o que sentimos merecer. São uma janela excepcional para nossas posturas pessoais e culturais em relação ao amor, ao desejo e ao compromisso. Ao examinar o amor ilícito sob diversos ângulos, espero envolvê-lo, leitor, em uma exploração provocadora, inteligente e franca das relações modernas em suas várias vertentes. Eu gostaria de estimular uma conversa entre você e seus entes queridos sobre questões como fidelidade e lealdade, desejo e cobiça, ciúmes e posse, franqueza e perdão. Incentivo você a se questionar, a dizer o indizível e a não ter medo de desafiar a correção sexual e emocional.

Meu papel como terapeuta é criar um espaço seguro em que a diversidade de experiências possa ser explorada com compaixão. Como autora, espero fazer o mesmo. Nesse sentido, este não é um livro prescritivo para a superação da crise provocada por um caso, embora eu espere que seja de alguma serventia àqueles que atualmente estão no meio de uma, seja em que papel for. Na verdade, meu objetivo é apresentar uma conversa mais produtiva sobre o assunto, que no final das contas fortaleça todas as relações ao torná-las mais sinceras e mais resilientes.

A conversa sobre casos hoje em dia tende a ser desagregadora, avaliativa e míope. No âmbito da cultura, somos cada vez mais abertos ao falar de sexo, mas a infidelidade continua envolta em uma nuvem de vergonha e silêncio. Torço para que este livro ajude a romper com esse tabu e inaugure uma nova maneira de pensar e falar de um de nossos mais antigos jeitos de ser. Muito já foi escrito sobre prevenção e cura, mas muito pouco foi dito sobre os significados e motivações dos casos; menos ainda foi dito sobre o que podemos aprender com eles e como eles podem influenciar e transformar nossas relações.

Certas pessoas consideram essas questões irrelevantes. Só os fatos interessam, dizem elas. O avião caiu: pegue os sobreviventes e corra. Mas é cada vez maior o número de pessoas que me procuram porque gostariam de saber o que aconteceu, por que o avião caiu e se poderiam ter feito alguma coisa para evitar a queda. Elas querem entender a situação, aprender com ela e voar de novo. Para todas essas pessoas, eu gostaria de partir de onde a conversa geralmente para e enfrentar algumas das questões mais incômodas que a infidelidade traz à tona.

Nas páginas seguintes, vou examinar as muitas facetas dos casos extraconjugais — abordando a dor e os danos causados pela traição, bem como a emoção e a autodescoberta inerentes à transgressão. Quero analisar a tensão entre as vastas oportunidades de um caso e o perigo iminente fortemente vinculado a ele. O que devemos entender em relação à dualidade entre as dimensões libertadora e empoderadora do amor adúltero e do dano que pode infligir?

Também pretendo incluir os círculos mais amplos da família, da comunidade e da cultura. Espero enraizar essa discussão de nossas relações mais pessoais em um contexto histórico e social mais amplo.

Ao propor outro tipo de visão sobre esse assunto incendiário, sei muito bem dos riscos que assumo. Crenças sobre a infidelidade estão entranhadas na nossa psique cultural, e questioná-las sem dúvida será visto por alguns como irreverência perigosa ou parcialidade moral da minha parte. Embora eu prefira contornar a condenação irrestrita a fim de permitir uma investigação cuidadosa, não aprovo a dissimulação ou acho a traição uma bobagem. Todos os dias me sento com a desolação no consultório. Entender a infidelidade não significa justificá-la. No entanto, em todas as situações, à exceção das mais extremas, ficar nos termos mais simplistas do julgamento não tem serventia alguma.

Eu gostaria de falar um pouco sobre como coletei as informações para este livro. A minha pesquisa não é um estudo científico baseado em evidências nem um estudo sociológico fundamentado em dados coletados em diversos sites para pessoas em busca de casos. Minha abordagem é parecida com a de um antropólogo e de um explorador. Converso com as pessoas e as escuto. A matéria-prima para este livro veio das minhas sessões de terapia, cursos, palestras mundo afora, bate-papos informais e das centenas de pessoas que me mandaram cartas e deixaram comentários no meu site, meu blog, meus TED Talks e minha página no Facebook.

Na minha prática psicoterápica, passei os últimos seis anos concentrada sobretudo em casais que lidavam com a infidelidade. Com essas pessoas, mergulhei a fundo no tema. Como encontro os companheiros tanto sozinhos como juntos, tive acesso privilegiado à experiência do companheiro infiel e não somente à dor do traído. Tenho a sorte de trabalhar com pessoas do mundo inteiro, o que me ajudou a fornecer diferentes perspectivas culturais, mas tenho consciência de que meus pacientes não necessariamente representam um leque de grupos econômicos e sociais, já que estar ali é uma possibilidade e escolha deles.

Casos extraconjugais e segredos caminham de mãos dadas, por isso este livro contém muitos segredos. Em geral, é impossível contar o segredo de alguém sem trair o de outra pessoa. Alguns dos detalhes que dão à história sua pungência inconfundível são exatamente os que tive de esconder em prol da confidencialidade. Todas as pessoas retratadas neste livro foram cuidadosamente encobertas a fim de proteger seu anonimato, mas me esforcei para preservar suas palavras características e a precisão emocional de cada situação.

Por fim, faço um agradecimento. Ao pesquisar e escrever este livro, fui inspirada e instruída por inúmeros pensadores, escritores e especialistas. Mas um livro que supera todos os outros é aquele ao qual devo meu título. O *State of Affairs: Explorations in Infidelity and Commitment* original é um compêndio de perspectivas sociológicas sobre a infidelidade que consolida o tema como digno de pesquisas acadêmicas sérias. Ao ler artigo detalhado atrás de artigo detalhado, me senti instigada a me aprofundar no tema do adultério e sondar suas dimensões psicológicas com uma abordagem inclusiva e multidimensional.

Gostemos ou não, as aventuras amorosas vieram para ficar. E toda a tinta derramada em conselhos que recebemos sobre como tornar nossos relacionamentos "à prova de casos" não conseguiu refrear o número de homens e mulheres que pulam a cerca. A infidelidade acontece em casamentos bons, em casamentos ruins e até quando o adultério é punível com a morte. Acontece em relações abertas em que o sexo extraconjugal é cuidadosamente negociado de antemão. E a liberdade de deixar uma relação ou pedir o divórcio não tornou a traição obsoleta. Depois de mergulhar no assunto, passei a entender que não existe verdade única, não existe tipologia abrangente para descrever essa prova de fogo de paixão e traição. A única coisa que posso lhe dizer com certeza é que nada do que vou dizer é invenção.

Esther Perel, Nova York, janeiro de 2017

Parte I

A preparação do terreno

1. Uma nova conversa sobre casamento e infidelidade

> *Levaria tempo demais para explicar a união íntima de contradições na natureza humana que faz com que o amor em si às vezes assuma a forma desesperada da traição. E talvez não haja explicação possível.*
> Joseph Conrad, *Some Reminiscences* [Algumas reminiscências]

Neste exato momento, em todos os cantos do mundo, alguém está traindo ou sendo traído, pensando em ter um caso, aconselhando alguém que está no meio de um ou completando o triângulo como amante secreto. Nenhum aspecto da vida de um casal causa mais medo, fofoca ou fascínio do que um caso. O adultério existe desde que o casamento foi inventado, assim como o tabu que o cerca. Foi legislado, debatido, politizado e demonizado ao longo da história. Porém, apesar de sua condenação geral, a infidelidade tem uma tenacidade que ao casamento só resta invejar. A tal ponto que é o único pecado que tem dois mandamentos na Bíblia, um por consumá-lo e um só por pensar nele.

Em todas as sociedades, em todos os continentes e em todas as épocas, independentemente das punições e dos impedimentos, homens e mulheres escaparam dos limites do matrimônio. Em quase todos os lugares onde as pessoas se casam, a monogamia é a norma oficial e a infidelidade é a clandestina. Portanto, como devemos entender esse tabu consagrado pelo tempo — universalmente proibido mas universalmente praticado?

Nos últimos seis anos tenho tido essa conversa — não somente entre as paredes enclausuradas do meu consultório terapêutico, mas em aviões, jantares, congressos, na manicure, com colegas, com os caras que consertam a TV a cabo e, é claro, nas redes sociais. De Pittsburgh a Buenos Aires, Nova Délhi a Paris, venho conduzindo minha própria pesquisa aberta sobre casos extraconjugais na atualidade.

No mundo inteiro, as respostas que obtenho quando menciono "infidelidade" vão da condenação amarga à aceitação resignada, da compaixão prudente ao franco entusiasmo. Na Bulgária, um grupo de mulheres considerava o flerte dos maridos lastimável, mas inevitável. Em Paris, o assunto traz frisson imediato à conversa durante um jantar, e percebo quantas pessoas já estiveram dos dois lados da situação. No México, as mulheres se orgulham do crescimento dos casos femininos, pois os consideram uma forma de revolta social contra a cultura chauvinista que sempre criou espaço para que os homens tivessem "duas casas", *la casa grande y la casa chica* — uma para a família e outra para a amante. A infidelidade pode ser onipresente, mas a maneira como a interpretamos — como a definimos, sofremos por ela e falamos dela — no fundo está ligada à época e ao lugar específicos onde o drama se desenrola.

Deixe-me perguntar: quando pensa em infidelidade, quais são as primeiras palavras, associações e imagens que passam pela sua cabeça? Elas mudam se eu usar as expressões "caso amoroso" ou "romance"? Que tal "encontro", ou "aventura", ou "relacionamento", ou "amizade colorida"? Suas reações são enviesadas em direção à reprovação ou à compreensão? Para que lado recai sua empatia — o da pessoa namoradeira, da infiel, da amante, dos filhos? E as respostas mudaram por causa de fatos de sua vida?

Convicções acerca de casos extraconjugais estão profundamente arraigadas na nossa psique cultural. Nos Estados Unidos, onde vivo e trabalho, a conversa tende a ser visceral, carregada e polarizada.

"A infidelidade? É um impeditivo", diz uma pessoa. "Quem trai uma vez trai sempre."

"Poxa", retruca outra, "a monogamia não é natural."

"Que papo mais furado!", replica uma terceira. "Nós não somos gatos no cio, somos seres humanos. Sejamos adultos."

No mercado americano, o adultério é vendido com uma mistura de denúncia e excitação. Capas de revistas promovem a obscenidade enquanto pregam a falsa beatice. Como cultura, nos tornamos tão abertos do ponto de vista sexual, que chegamos ao limite do transbordamento, mas, no que se refere à fidelidade sexual, até as mentes mais liberais podem permanecer intransigentes. O curioso é que nossa insistente censura mantém o vigor da infidelidade sob controle sem revelar como ela é frequente. Não temos como fechar os olhos para o fato de que ela acontece, mas todos podemos concordar que não deveria acontecer. Os eleitores clamam por pedidos públicos de desculpas ao mesmo tempo que examinam os detalhes de péssimo gosto. Dos escalões mais altos das elites política e militar à sua vizinha, a infidelidade indica narcisismo, falsidade, imoralidade e deslealdade. Sob esse ponto de vista, ela nunca será uma simples transgressão, uma aventura sem sentido ou um amor genuíno.

O discurso contemporâneo sobre o tema pode ser resumido da seguinte forma: a infidelidade deve ser um sintoma de que um relacionamento deu errado. Se você tem tudo de que precisa em casa, não deveria ter motivos para pular a cerca. Os homens traem por tédio e medo de intimidade; as mulheres traem por solidão e sede de intimidade. O parceiro fiel é o maduro, comprometido, realista; o infiel é egoísta, imaturo e carece de controle. Casos são sempre danosos e nunca podem socorrer um casamento ou ser aceitos. O único jeito de restabelecer a confiança e a intimidade é pela confissão da verdade, o arrependimento e a absolvição. Por fim, o divórcio gera mais amor-próprio do que perdão.

O tom moralizador da conversa atual tende a atribuir o "problema" a casais ou indivíduos falhos, evitando as questões maiores que o alcance do fenômeno pode incitar. A infidelidade diz muito sobre o casamento — não só o seu casamento, mas o casamento como instituição. Também nos faz mergulhar na cultura do merecimento atual, em que vemos nossos privilégios como ponto pacífico. Será que realmente achamos possível culpar algumas maçãs podres pela proliferação da infidelidade? Não é plausível que todos os milhões de amantes traidores sejam patológicos.

A FAVOR OU CONTRA?

Há poucos termos neutros para descrever o adultério. O opróbrio moral há muito é o principal instrumento de contenção de nossos ímpetos rebeldes, a tal ponto que não temos palavras para falar do assunto sem ele. A linguagem ao nosso alcance aperta contra o peito o tabu e o estigma representados pela infidelidade. Enquanto os poetas falam de amantes e aventureiros, o vocabulário preferido pela maioria das pessoas inclui traidores, traíras, mentirosos, viciados em sexo, mulherengos, ninfomaníacos, galinhas e piranhas. O léxico todo é organizado em torno de um eixo de transgressões que não apenas reflete nosso juízo como o fomenta. O próprio termo "adultério" é derivado da palavra latina que significa corrupção. Ainda que lute para trazer uma perspectiva mais equilibrada a esse tema, tenho consciência da linguagem parcial que em geral usarei.

Entre os terapeutas, também é raro o diálogo equilibrado, isento. Casos extraconjugais são predominantemente descritos em termos de danos causados, com o enfoque ou na prevenção ou na cura. Pegando empréstimos da linguagem da criminalização, os clínicos volta e meia rotulam o cônjuge fiel de "vítima" e o infiel de "culpado". Em geral, existe muita preocupação com os traídos e conselhos minuciosos de reparação para que os infiéis ajudem o parceiro ou a parceira a superar o trauma.

A revelação de um caso pode ser arrasadora; não surpreende que a maioria das pessoas queira tomar partido. Quando falo para alguém que estou escrevendo um livro sobre infidelidade, a reação imediata costuma ser a questão "Você é a favor ou contra?", como se houvesse somente essas duas opções. Minha resposta é "sim". Por trás dessa réplica enigmática há o meu desejo sincero de entabular uma conversa mais nuançada e menos crítica acerca da infidelidade e dos dilemas concomitantes. As complexidades do amor e do desejo não se submetem a categorizações simplistas de bom ou mau, vítima e culpado. Para deixar claro, não condenar não quer dizer aprovar, e existe um mundo de diferença entre compreender e justificar. No entanto, quando reduzimos a conversa a um juízo de valor, não nos resta conversa nenhuma.

Também não nos resta espaço para pessoas como Benjamin, um senhor amável de setenta e poucos anos que me abordou após uma palestra em Los Angeles para perguntar: "Continua sendo traição quando a sua esposa não sabe mais o seu nome? Minha esposa tem Alzheimer", explicou. "Ela está em um asilo há três anos, e eu a visito duas vezes por semana. Faz catorze meses que estou saindo com outra mulher. O marido dela está no mesmo andar. Nós nos reconfortamos." Talvez Benjamin seja um dos "traidores" mais legais que conheci na vida, mas ele não está sozinho. Muitos têm grande interesse no bem-estar do companheiro ainda que mintam para eles, assim como muitos que foram traídos continuam a amar o traidor mentiroso e desejam encontrar uma maneira de continuar juntos.

Em prol de todas essas pessoas, estou empenhada em achar uma abordagem mais compassiva e eficaz da infidelidade. É comum as pessoas verem um caso como um trauma sem volta, e de fato certos casos são um golpe mortal em um relacionamento. Porém, outros podem inspirar mudanças que eram tremendamente necessárias. A traição corta fundo, mas a ferida pode ser curada. Casos podem até se tornar produtivos para o casal.

Como acredito que algum bem possa ser extraído da crise da infidelidade, volta e meia me perguntam: "Então você recomendaria um caso extraconjugal a um casal que esteja em crise?". Minha resposta? Muitas pessoas têm experiências positivas, transformadoras, ao enfrentar doenças terminais. Mas eu não recomendaria ter um caso, assim como não recomendaria ter um câncer.

VOCÊ JÁ FOI AFETADO PELA INFIDELIDADE?

Assim que adquiri o interesse pelo tema da infidelidade, passei a perguntar aos membros da plateia se alguém já tinha tido um caso. Não é surpresa nenhuma que ninguém tenha levantado a mão. Não é muita gente que assume publicamente ter pulado a cerca ou ter sido enganado.

Levando esse fato em conta, mudei a pergunta para "Quantos de vocês já foram afetados pela infidelidade?". Era impressionante o número de mãos levantadas, e isso aconteceu em todas as plateias às quais fiz essa pergunta. Uma mulher viu o marido de uma amiga beijar uma bela desconhecida no trem. Agora a questão de contar ou não a ela pesa sobre a amizade. Uma adolescente descobriu que a mulher com quem o pai levava uma vida dupla tinha a mesma idade que ela. Uma mãe não conseguia entender por que o filho permanecia com "aquela sem-vergonha", como se referia à nora, que não era mais bem-vinda nos almoços de domingo. Os ecos de segredos e mentiras ressoam por várias gerações, deixando para trás amores não correspondidos e corações despedaçados. A infidelidade não é meramente a história de duas ou três pessoas: ela conecta redes inteiras.

Talvez os próprios aventureiros não levantem a mão em público de imediato, mas me contam suas histórias em particular. As pessoas me puxam de lado em festas ou visitam meu consultório para confiar seus segredos e suspeitas, desejos transgressivos e amores proibidos.

A maioria dessas histórias é bem mais banal do que aquelas que ganham as manchetes: não existe filho, DST, perseguição ao ex-amante com extorsões de dinheiro. (Imagino que esses casais recorram a advogados, não a terapeutas.) Claro que já tive minha cota de narcisistas, onívoros sexuais e indivíduos negligentes, egoístas ou vingativos. Já vi atos extremos de falsidade, em que companheiros que não desconfiavam de nada foram surpreendidos pela descoberta de uma segunda família, contas de banco escondidas, promiscuidade temerária e métodos esmerados de duplicidade. Já fiquei cara a cara com homens e mulheres que mentem descaradamente para mim durante todo o tempo de terapia. Porém, são normalmente inúmeros homens e mulheres comprometidos, que partilham histórias e princípios — princípios que em geral incluem a monogamia —, cujas narrativas se desdobram segundo uma trajetória humana mais singela. A solidão, os anos de apatia sexual, o ressentimento, o arrependimento, o desleixo conjugal, a juventude perdida, a atenção almejada, as bebidas além da conta — coisas assim são a essência da infidelidade cotidiana. Muitas dessas pessoas ficam muito confusas quanto à própria conduta e me procuram em busca de ajuda.

As motivações das puladas de cerca variam bastante, assim como as reações e as possíveis consequências. Alguns casos são atos de resistência. Outros acontecem quando não oferecemos nenhuma resistência. Uma pessoa pode cruzar os limites por uma simples aventura enquanto outra está querendo emigrar. Certas infidelidades são rebeldias mesquinhas, suscitadas por uma sensação de tédio, o desejo de novidade ou a necessidade de saber se ainda é uma pessoa atraente. Outros revelam uma sensação antes desconhecida — um sentimento de amor avassalador, que é inegável. Paradoxalmente, muitas pessoas ciscam fora do casamento a fim de preservá-lo. Quando as relações se tornam abusivas, a transgressão pode ser uma força regeneradora. Fazer desvios pode soar o alarme que sinaliza uma necessidade urgente de prestar atenção ou pode ser a sentença de morte que se segue ao último fôlego de uma relação. Os casos são um ato de traição e também uma expressão de anseio e perda.

Portanto, abordo a infidelidade de múltiplas perspectivas. Tento valorizar e ter empatia com o ponto de vista de ambos os lados — o que a infidelidade fez com um e o que significou para o outro. Também considero outros interessados da relação — amante, filhos, amigos —, e às vezes trabalho com eles. Um caso é uma história vivenciada por duas (ou mais) pessoas de modos totalmente diferentes. Portanto, se torna muitas histórias, e precisamos de uma moldura capaz de conter esses relatos extremamente distintos e conflitantes. Discursos dicotômicos não incitam compreensão ou reconciliação. Ver aventuras simplesmente em termos dos estragos que causam não é apenas reducionista como também inútil. Por outro lado, desdenhar o mal que foi feito e apenas glorificar a propensão humana à exploração não é menos reducionista nem mais útil. Uma postura que leve ambos em consideração talvez seja muito mais adequada à maioria das situações. Precisamos de uma narrativa que crie uma ponte para ajudar as pessoas de verdade a lidar com a experiência multifacetada da infidelidade — os motivos, os significados e as consequências. Sempre haverá quem insista que até mesmo a tentativa de entender dá à traição mais dignidade do que ela merece. Mas essa é a função desta terapeuta.

Em um dia típico, meu primeiro paciente é Rupert, um sujeito de 36 anos que saiu do Reino Unido para ir atrás da esposa em Nova York. Ele sabe que ela está tendo um caso, mas resolveu não confrontá-la. "Tenho um casamento para reconstruir e uma família para salvar", ele diz. "Meu foco está em nós. Sei que ela se apaixonou por outra pessoa, mas o que fico me perguntando é: ela pode voltar a se apaixonar por mim?"

Em seguida, recebo Delia e Russell — namorados de faculdade que se reaproximaram por meio do LinkedIn muito tempo depois de terem construído as respectivas famílias. Conforme Delia diz: "A gente não podia passar o resto da vida se perguntando o que poderia ter sido". Agora eles descobriram a resposta, mas ela veio acompanhada de um dilema moral. "Nós dois fizemos terapia suficiente para saber que casos raramente são sustentáveis", Russell me disse. "Mas eu acho que Delia e eu somos diferentes. Não é fogo de palha. É uma história de amor da vida inteira que foi interrompida. Será que devo jogar fora a chance de ficar com a mulher da minha vida, negar tudo o que sinto, para preservar um casamento que nunca foi grande coisa?"

Farrah e Jude, um casal lésbico na faixa dos 35 anos, estão juntas há seis. Jude está tentando entender por que Farrah teve um caso secreto *depois* que as duas concordaram em abrir a relação. "Tínhamos um acordo pelo qual não havia problema em dormir com outras mulheres, desde que uma contasse para a outra", Jude relata. "Imaginei que abrir a relação nos protegeria, mas mesmo assim ela mentiu. O que mais eu posso fazer?" Nem uma relação aberta é garantia contra a dissimulação.

Durante o intervalo de almoço, leio e-mails. Um deles foi enviado por Barbara, uma mulher de 68 anos de Minnesota que enviuvou há pouco tempo. "No meio do meu processo de luto, descobri sinais do caso de longa data do meu marido. Agora estou tendo que lidar com questões que jamais imaginaria — por exemplo, devo contar para a minha filha? E, para piorar a situação, meu marido era muito respeitado na nossa comunidade, e eu continuo sendo convidada para as homenagens a ele, às quais todos os meus amigos comparecem. Me sinto de mãos atadas — uma parte de mim deseja que seu legado permaneça imaculado, e a outra sofre de vontade de contar a verdade." Em nossas conversas, discutimos o poder que uma descoberta tem de mudar uma vida inteira. Como é que alguém consegue reconstruir tanto sua vida como sua identidade após uma dupla perda, da traição e da viuvez?

A mensagem de Susie é tomada de raiva justificada em nome de sua mãe. "Ela foi uma santa que continuou com o meu pai até a morte, apesar do caso antigo que ele mantinha." Fico me perguntando se ela já pensou em contar a história de outro jeito. E se o pai nutria um amor sincero pela outra mulher mas ficou e se sacrificou em prol da família?

Adam, um jovem terapeuta, me enviou uma mensagem no Facebook depois de comparecer a um de meus cursos. "Sempre achei que traidores fossem canalhas", ele escreveu. "Deviam ao menos ter a decência de respeitar as pessoas com que se casaram e não agir pelas costas delas. E, no entanto, presenciando aquela discussão, de repente tive um despertar brutal. A sala onde estávamos era segura e confortável, mas eu não parava de me mexer na cadeira, como se um carvão quente na almofada me acordasse para a realidade. Sempre fiz vista grossa para o fato de que meus pais eram casados quando se conheceram; na verdade, meu pai orientava minha mãe, que tentava largar seu marido abusivo. O caso entre os dois foi como eu vim parar neste mundo. Trinta e quatro anos atrás, o adultério foi o ato que permitiu aos meus pais achar a pessoa com quem queriam passar o resto da vida." O pensamento preto no branco de Adam se embaralhou tanto do ponto de vista pessoal como profissional.

Minha última sessão do dia é com Lily, uma representante publicitária de 37 anos que vem adiando seus ultimatos há quase uma década, esperando o amante se divorciar da esposa. Ele teve mais dois filhos desde que começaram o caso, e Lily sente sua fertilidade diminuir a cada dia que passa. "Congelei meus óvulos no mês passado", ela me confidenciou, "mas não quero contar isso para ele — preciso de todo o poder que me for possível." Ela descarrega sua ambivalência sessão após sessão — uma semana convicta de que é enrolada por ele e na semana seguinte agarrando qualquer migalha de esperança de ser realmente o amor da vida dele.

No meio de um jantar, recebo uma mensagem de texto "urgente". Jackson está fora de si e precisa conversar imediatamente. A esposa acabou de descobrir que faltavam comprimidos demais no frasco de Viagra e o expulsou de casa. "Para ser sincero", ele declara, "me sinto péssimo mentindo para ela, mas não aguentava ver a cara de repulsa que ela fazia sempre que eu tentava dividir minhas necessidades sexuais com ela." A vida fantasiada por Jackson era exuberante, mas a esposa a achava broxante, e disse isso a ele repetidas vezes. Depois de anos de rejeição, ele levou seu leque de fantasias para outro canto. "Eu devia ter sido franco", ele diz, "mas havia coisas demais em jogo. Minhas necessidades sexuais eram importantes, mas não tão importantes a ponto de eu abrir mão de ver meus filhos no café da manhã todos os dias."

Ao escutar as histórias de todas essas pessoas, fico chocada, crítica, compassiva, protetora, curiosa, entusiasmada e indiferente, e às vezes tudo isso em uma hora. Já chorei com eles, me senti esperançosa e desesperançada, e me identifiquei com todos os envolvidos. Por ver, diariamente, o estrago que esse ato pode causar, vejo também como o debate sobre a infidelidade ainda é inadequado.

UMA JANELA PARA O CORAÇÃO HUMANO

Casos extraconjugais têm muito o que nos ensinar sobre relacionamentos. Eles abrem a porta para um exame mais profundo de valores, da natureza humana e do poder do eros; nos forçam a lidar com algumas questões muito inquietantes: o que instiga alguém a cruzar fronteiras estabelecidas com tanto empenho? Por que a traição sexual magoa *tanto*? Casos são sempre atos egoístas e covardes ou em certas situações podem ser compreensíveis, aceitáveis, até mesmo um gesto audacioso e corajoso? E, conhecendo ou não esse drama, o que podemos aprender com a empolgação da infidelidade para revigorar nossas relações?

Um amor secreto tem de ser sempre revelado? A paixão tem prazo de validade? Existem satisfações que um casamento, ainda que bom, jamais consegue saciar? Como atingir o esquivo equilíbrio entre nossas carências emocionais e nossos desejos eróticos? Será que a monogamia já deixou para trás sua utilidade? O que é fidelidade? Somos capazes de amar mais de uma pessoa ao mesmo tempo?

Para mim, essas conversas são partes fundamentais de qualquer relação adulta, íntima. Para a maioria dos casais, infelizmente, a crise gerada por um caso marca a primeira vez em que tais assuntos são debatidos. A catástrofe acaba nos empurrando para a essência das coisas. Recomendo que não se espere a tempestade, mas que se enfrente essas ideias em um clima mais ameno. Falar do que nos leva além de nossa cerca — e do medo da perda que acompanha essa atitude — em uma atmosfera de confiança pode de fato fomentar a intimidade e o compromisso. Nossos desejos, até mesmo os mais ilícitos, são característicos da nossa humanidade.

Por mais tentador que seja resumir os casos a sexo e mentiras, prefiro usar a infidelidade como um portal para a paisagem complexa das relações e dos limites que fixamos para mantê-las. A infidelidade nos põe cara a cara com as forças opostas e voláteis da paixão: a atração, a luxúria, a urgência, o amor e sua impossibilidade, o alívio, a armadilha, a culpa, a mágoa, o pecado, a vigilância, a loucura da desconfiança, o ímpeto homicida de pagar na mesma moeda, o desfecho trágico. Esteja avisado: tratar dessas questões exige disposição para descambar em um labirinto de forças irracionais. O amor é complicado, a infidelidade mais ainda. Mas também é uma janela, como nenhuma outra, para as frestas do coração humano.

A NOVA VERGONHA

Divórcio. Em todos os debates acalorados sobre infidelidade, na internet e fora dela, essa palavra brota sem parar. Se você está pensando em ter um caso, peça o divórcio. Se está tão infeliz a ponto de trair, está infeliz a ponto de cair fora. E se o seu companheiro tem um caso, ligue para o advogado agora mesmo.

Jessica, uma moça do Brooklyn de trinta e poucos anos e com um filho de dois, me contatou uma semana após descobrir que Julian, seu marido havia quatro anos, tinha um caso com uma colega de trabalho. "Achei uma conta secreta de Facebook com mensagens para uma mulher." Filha da era digital, ela procurou on-line formas de lidar com o problema. "Tudo o que eu lia me deixava péssima", explica. "Pareciam conselhos ruins tirados de uma revista feminina. *Siga em frente sem olhar para trás! Se ele pulou a cerca uma vez, vai pular de novo! Dê o fora nele!*

"Nenhum dos sites que visitei tratava do fato de que eu ainda tinha sentimentos bem fortes por esse homem", ela disse. "Tínhamos planejado nossa vida inteira juntos e ele é o pai do meu filho. Sou afeiçoada à família dele, e os parentes dele me deram muito apoio nesta última semana. Todos aqueles artigos e redatores, para não falar dos meus próprios pais, andam me dizendo que ele é um lixo e que meus sentimentos por ele são equivocados. Meu pai chegou a sugerir que eu tenho síndrome de Estocolmo! Eu me sinto julgada, como se fosse uma 'daquelas mulheres' que deixam o marido sair impune depois de uma traição."

Jessica é uma mulher financeiramente independente e tem alternativa, ao contrário das inúmeras mulheres que não têm opção diante dos privilégios patriarcais do marido. E, justamente por viver sob uma declaração de direitos diferente, nossa cultura exige que ela os exercite. Enquanto a escuto, minha mente volta à oficina que ministrei há pouco tempo com um grupo de mulheres de um vilarejo no Marrocos. Quando lhes expliquei que hoje em dia nos Estados Unidos mulheres como Jessica são incentivadas a adotar uma postura firme e ir embora, uma moça riu. "Se nós largássemos todos os maridos que correm atrás de rabos de saia, madame, o Marrocos inteiro estaria divorciado!"

Antigamente, o divórcio carregava o estigma todo. Agora, escolher ficar quando se pode partir é a nova vergonha. O maior exemplo disso é Hillary Clinton. Muitas mulheres que a admiram nunca se conformaram com a decisão que ela tomou de continuar com o marido apesar de ter a possibilidade de largá-lo. "Cadê o amor-próprio?"

Obviamente há momentos em que o divórcio é inevitável, sensato ou simplesmente o melhor desenlace para todos os envolvidos. Mas será a única opção honrada? O risco é de que, em meio à dor e à humilhação, a pessoa se precipite e confunda suas reações ao caso com seus sentimentos acerca da relação como um todo. A história é reescrita, pontes são queimadas junto com as fotos do casamento e os filhos dividem suas vidas entre duas casas.

Jessica não está pronta para botar o marido para fora. "As pessoas erram. Não sou nenhuma santa; apesar de não ter dormido com outros, também não sou um primor na minha capacidade de lidar com os problemas — eu me fecho e bebo demais quando as coisas dão errado ou estou estressada. Se não deixarmos nosso parceiro tropeçar, ficaremos todos infelizes e sozinhos." Ela está pronta para dar uma segunda chance a Julian.

A pressa em pedir o divórcio não dá espaço para erros, para a fragilidade humana. Tampouco dá espaço à reparação, à resiliência e à recuperação. E não dá espaço a pessoas como Jessica e Julian, que desejam aprender e crescer com o ocorrido. Eles me dizem: "Nós dois queremos que as coisas se ajeitem. Tivemos algumas conversas incríveis desde que tudo isso começou. Conversas francas de verdade, e também construtivas, como não tínhamos há anos". Mas então eles se perguntam: "Tínhamos mesmo de enfrentar um caso extraconjugal só para conseguirmos ser sinceros de verdade um com o outro?". Ouço esse questionamento com frequência e compartilho desse lamento. Mas essa é uma das verdades inconfessas dos relacionamentos: para muitos casais, nada menos extremo é forte o suficiente para chamar a atenção do companheiro e sacudir um sistema rançoso.

No final das contas, o problema das conversas sobre infidelidade carregadas de críticas, acusações e repreensões é que elas impedem qualquer possibilidade de entendimento mais aprofundado, e portanto de esperança e cura — juntos ou separados. A vitimização torna os casamentos mais frágeis. É claro, quando Julian trai Jessica enquanto ela está em casa, trocando as fraldas do neném, é providencial que ela entre em contato com a própria raiva, uma reação adequada a essa desfiguração do relacionamento dos dois. Mas quanto mais falo com pessoas afetadas pela infidelidade — o protagonista e o coadjuvante, os amantes, os filhos —, mais forte é a minha necessidade de ter uma visão da vida e do amor que se afaste da culpa. Não ganhamos nada cultivando sentimentos amargos, vingativos e desagregadores. O principal exemplo disso é uma mulher que conheci cuja indignação era tão intensa que ela contou ao filho de cinco anos dos anos de condutas sexuais impróprias por parte do marido, "porque meu filho tem que saber por que a mamãe está chorando".

Embora a infidelidade tenha se tornado um dos principais motivos de divórcio, um grande número de casais continua junto apesar dos casos fora do relacionamento. Mas por quanto tempo e sob quais condições? Vão ter a oportunidade de sair mais fortes ou vão enterrar o caso sob uma montanha de vergonha e desconfiança? A maneira como metabolizam o caso moldará o futuro da relação e da vida de ambos.

Hoje em dia, no Ocidente, a maioria das pessoas terá dois ou três relacionamentos ou casamentos duradouros significativos. E alguns os terão com a mesma pessoa. Quando um casal me procura na esteira de um caso, eu em geral lhes digo: o primeiro casamento de vocês acabou. Vocês gostariam de criar um segundo casamento juntos?

2. A definição de infidelidade: bater papo é trair?

Não tive relações sexuais com aquela mulher.
Presidente Bill Clinton

Todo mundo quer saber: "Qual é a porcentagem de pessoas que traem?". Mas é uma pergunta de resposta difícil, já que primeiro é preciso responder: "O que é trair?". A definição de infidelidade é tudo menos fixa, e a era digital oferece uma gama sempre crescente de contatos possivelmente ilícitos. Bater papo é trair? E enviar mensagens eróticas, ver pornô, participar de uma comunidade dedicada a um fetiche, continuar secretamente ativo em aplicativos de paquera, pagar por sexo, danças eróticas, massagens com finais felizes, para ver mulheres ficando com mulheres, manter contato com o ex?

Como não existe definição universalmente aceita do que constitui infidelidade, estimativas de sua prevalência entre casais americanos variam muito, indo de 26% a 70% no caso das mulheres e de 33% a 75% no dos homens.[1] Sejam quais forem os números exatos, todo mundo concorda que eles estão em ascensão. E muitos dedos apontam as mulheres como responsáveis pelo aumento, já que elas estão fechando rapidamente a "diferença de infidelidade" (pesquisas indicam um salto de 40% desde 1990, enquanto os índices masculinos permaneceram estáveis).[2] Na verdade, quando a definição de infidelidade inclui não só "relação sexual" mas também envolvimento romântico, beijos e outros contatos sexuais, as universitárias traem muito mais do que os universitários.[3]

A coleta de dados é dificultada por um fato simples: no que diz respeito a sexo, as pessoas mentem — sobretudo sobre sexo que não deveriam estar fazendo. Mesmo sob o manto do anonimato, estereótipos de gênero persistem. Os homens são socializados para se gabar, exagerar e representar de forma exacerbada suas façanhas sexuais, enquanto as mulheres minimizam, negam e representam de modo atenuado as delas (o que não é uma surpresa, levando-se em conta que ainda há nove países em que as mulheres podem ser sentenciadas à morte por pular a cerca). A franqueza sexual é inseparável das políticas sexuais.

Além disso, somos contradições ambulantes. Embora em sua maioria as pessoas digam que seria um erro tenebroso o companheiro mentir sobre um caso, essas mesmas pessoas declaram que seria exatamente assim que agiriam se tivessem um. E em resposta à clássica pergunta "Você teria um caso se soubesse que jamais seria pego?", os números são exorbitantes. No final das contas, não existe montante de estatísticas, por mais rigorosas que sejam, capaz de nos dar uma visão genuína da complexa realidade da infidelidade hoje em dia. Portanto, meu foco são as histórias, não os números, pois são as histórias que nos conduzem pelas preocupações humanas mais profundas da ânsia e do desencanto, do compromisso e da liberdade erótica. O tema que os une é que um companheiro se sente traído pelo outro. Mas é todo o resto que torna esses dramas cativantes. Seduzidos pela necessidade de rótulos, tendemos a agrupar experiências demais sob o único significante "infidelidade".

SE FOSSE TÃO SIMPLES ASSIM...

"Você teve relações sexuais com alguém além do seu ou sua cônjuge nos últimos doze meses?" Se definir a infidelidade fosse tão simples quanto responder sim ou não a essa questão, meu trabalho seria muito mais fácil. As discussões sofridas que testemunho me lembram todo dia de que, apesar de certas formas de transgressão serem cristalinas, o mundo da transgressão é tão nebuloso quanto o mundo da sexualidade.

Elias já sugeriu à esposa, Linda, que consultem um especialista. Têm profundas discordâncias a respeito do significado de traição. Cliente regular de boates de striptease, ele arma a defesa: "Eu olho, converso, pago, mas não encosto. Cadê a traição?". Na cabeça dele, é um homem totalmente fiel. Linda discorda e o obriga a dormir no sofá.

Ashlee acabou de descobrir que a namorada, Lisa, de vez em quando transa com o ex-namorado, Tom. "Ela diz que isso não conta como traição porque ele é homem! Mas, na minha opinião, isso piora ainda mais a situação. Não só ela está agindo pelas minhas costas como está procurando uma coisa que eu não posso dar. Será que eu não passo de uma fase lésbica?"

Shannon se sente traída ao descobrir que o namorado, Corbin, acabou de comprar uma caixa de camisinhas — de que eles não precisam, visto que estão tentando engravidar. Corbin protesta: "Não fiz nada! Foi só uma ideia! Agora, além do meu telefone, você quer espiar também a minha cabeça?". "Comprar camisinha para mim não é uma ideia!", ela retruca. Não, mas será infidelidade?

E o que dizer da pornografia? Embora a maioria concorde que um exemplar antigo da *Playboy* debaixo do colchão não seja uma traição, os limites podem ficar turvos quando mudamos da imagem impressa para a tela. Muitos homens acham que assistir a vídeos pornôs entra na mesma categoria que a masturbação — alguns até alegam com orgulho que isso evita puladas de cerca. As mulheres são menos propensas a pensar assim. Violet, entretanto, sempre se considerou bastante cabeça aberta em relação à pornografia. Quando entrou na quitinete de Jared e o flagrou assistindo a uma loura ofegante na tela, apenas revirou os olhos e brincou que ele precisava de um hobby novo. Mas quando a mulher perguntou: "Cadê você, Jared? Já terminou?", ela percebeu que ele estava no Skype. "A pior parte é que ele está tentando me convencer de que não é traição", ela me disse. "Ele chama isso de *pornografia personalizada*."

As possibilidades para flertes são infinitas nessa época tão conectada.[4] Hoje, 68% dos americanos têm smartphone, o que quer dizer, como brinca o comediante Aziz Ansari, que "você está carregando no bolso um bar para solteiros que nunca fecha". E não é só para solteiros. Os casados têm os próprios sites, como o infame Ashley Madison. A internet é muito democrática: oferece acesso igualitário a nossos desejos proibidos.

Você nem sequer precisa sair de casa para escapulir. Você pode ter um caso deitado na cama ao lado do companheiro. Meu paciente Joachim estava de conchinha com o marido, Dean, quando percebeu que ele trocava mensagens com outro cara do Manhunt. Kit estava sentado bem ao lado da namorada,

Jodi, vendo TV no sofá, quando reconheceu o movimento que ela fazia na tela do iPhone. "Ela disse que estava só curiosa, que é como um jogo e que ela nunca chega aos finalmentes", ele me contou. "Mas nós dois concordamos em deletar o Tinder na nossa cerimônia de compromisso!"

Conforme destacou o finado pesquisador Al Cooper, a internet tornou o sexo "disponível, acessível e anônimo".[5] Todos esses aspectos se aplicam igualmente à infidelidade, e eu acrescentaria outro adjetivo: ambíguo. Quando não é mais uma troca de beijos e sim uma troca de fotos de paus; quando a hora no quarto de motel se tornou um Snapchat de madrugada; quando o almoço secreto foi substituído por uma conta de Facebook secreta, como saber o que constitui um caso? Como resultado desse campo emergente de atividades furtivas, temos de repensar cuidadosamente como conceituar a infidelidade na era digital.

QUEM IMPÕE OS LIMITES?

Definir adultério é ao mesmo tempo bem simples e bem complicado. Hoje, no Ocidente, a ética dos relacionamentos não é mais ditada por autoridades religiosas. A definição de infidelidade já não cabe mais ao papa, e sim ao povo. Isso significa mais liberdade, assim como mais incerteza. Os casais têm de elaborar os próprios termos.

Quando alguém dá um passo à frente e assume: "Tive um caso", ninguém discute a hermenêutica. Quando você pega o companheiro na cama com outra, ou encontra uma série de e-mails que apontam uma vida paralela de muitos anos, mais uma vez, é bastante óbvio. Mas quando um parceiro decide que a conduta do outro é traição e a reação é "Não é o que você está pensando", "Não significou nada", entramos em um território mais nebuloso. Normalmente, a tarefa de marcar as linhas de falha e interpretar seu sentido recai sobre quem se sente traído. Será que sentir-se magoado autoriza a pessoa a reivindicar a posse da definição?

O que é claro é que todas as caracterizações da infidelidade moderna envolvem a noção de quebra de contrato entre dois indivíduos. Não se trata mais de um pecado contra Deus, uma ruptura da união familiar, um turvamento dos laços de sangue ou uma dispersão de recursos e heranças. No cerne da traição hoje em dia está a quebra de confiança: esperamos que nosso parceiro aja de acordo com a série de suposições que compartilhamos e na qual baseamos nosso próprio comportamento. Não é necessariamente uma conduta sexual ou emocional específica que constitui a traição, mas o fato de que a conduta não está dentro do acordo do casal. Parece bem sensato. O problema é que, para a maioria de nós, esses acordos não são algo que passamos muito tempo negociando de forma explícita. Na verdade, chamá-los de "acordos" talvez seja forçar a barra.

Alguns casais formulam seus compromissos de frente, mas a maioria vai por tentativa e erro. Relações são uma colcha de retalhos de regras e funções tácitas que começamos a costurar no primeiro encontro. Começamos a traçar limites — o que está dentro e o que está fora. O eu, o você e o nós. Saímos sozinhos ou fazemos tudo juntos? Juntamos as finanças? Nossa presença é esperada em todas as reuniões de família?

Revemos nossas amizades e decidimos a importância que devem ter, agora que temos um ao outro. Organizamos os ex-amores — sabemos deles, falamos deles, guardamos fotos deles no telefone, continuamos amigos no Facebook? Principalmente quando se trata desses afetos externos, vemos até que ponto escapamos ilesos sem pisar nos calos do outro. "Você nunca me falou que mantinha contato com essa garota da faculdade!" "Dormimos juntos dez vezes, mas estou vendo que você ainda tem seu perfil no Hinge." "Entendo que ele é o seu melhor amigo e que vocês se conhecem desde o jardim de infância, mas você precisa contar a ele *tudo* que diz respeito a nós dois?"

Dessa forma demarcamos o terreno da separação e da união, esboçando o contrato implícito da relação. Não raro, a versão que uma pessoa guarda no arquivo interno é diferente da que foi guardada pelo companheiro.

Casais gays às vezes são a exceção à regra. Por terem vivido tanto tempo fora das normas sociais predeterminadas e lutado com valentia pela autodeterminação sexual, eles são muito conscientes do preço do confinamento sexual e não tão ávidos assim para se acorrentarem. São mais propensos a negociar abertamente a monogamia do que a tomá-la de maneira tácita como pressuposto. Ao mesmo tempo, uma minoria crescente de casais heterossexuais andam experimentando formas de não monogamia consensual, em que os limites são mais permeáveis e também mais explícitos. Isso não quer dizer que são imunes à agonia da traição, mas que é maior a probabilidade de estarem em sintonia quanto ao que constitui uma traição.

Para os idealistas do amor moderno, no entanto, só o ato de se tratar explicitamente da monogamia parece pôr em dúvida a pretensão de singularidade que está no âmago do sonho romântico. Depois de encontrarmos a pessoa "certa", acreditamos que não deve haver necessidade, desejo ou atração por qualquer outra. Nesse sentido, nossos contratos de aluguel são muito mais complexos do que nossos acordos de relacionamento. Para muitos casais, o alcance da discussão é de seis palavras: "Se eu te pegar, te mato".

UMA NOVA DEFINIÇÃO

Para mim, a infidelidade inclui um ou mais desses três elementos constitutivos: clandestinidade, química sexual e envolvimento emocional.[6] Antes que eu me aprofunde, quero deixar claro que não são três critérios rígidos; na verdade, é um prisma de três lados pelo qual olhar suas experiências e suposições. Ampliar a definição, entretanto, não é ceder ao relativismo moral. Nem todas as infidelidades são equivalentes. No fundo, essas questões são pessoais e carregadas de valores. Meu objetivo é lhe dar um referencial para que você entenda as próprias circunstâncias e se comunique de forma mais sincera com quem ama.

A *clandestinidade* é o princípio organizador número um da infidelidade. Um caso sempre vive à sombra da relação principal, na esperança de nunca ser descoberto. A clandestinidade é exatamente o que intensifica a carga erótica. "Sexo e subterfúgio formam um delicioso coquetel", escreve a jornalista Julia Keller.[7] Todos nós aprendemos na infância a alegria de se esconder e guardar segredos. Eles fazem com que a gente se sinta poderoso, menos vulnerável e mais livre. Mas esse prazer oculto levanta sobrancelhas na fase adulta. "Sempre fui o tipo de pessoa que demonstra claramente quem é", afirma Angela, uma meticulosa americana descendente de irlandeses que trabalha como assistente jurídica e percebeu, por meio de um caso com um cliente, que gosta de agir de maneira furtiva. "Descobrir que eu era capaz de agir rompendo completamente com os valores que carrego há anos foi ao mesmo tempo atordoante e empolgante. Uma vez eu estava conversando com a minha irmã e ela começou a vociferar sobre os delitos dos traidores, enquanto eu ria por dentro com o meu segredo. Mal sabia ela que estava olhando para a cara da 'vilã'."

Descrevendo essa mistura explosiva de culpa e prazer, admite Max, "em um instante eu me sentia uma porcaria, mas em seguida sabia estar tocando na essência de algo que precisava desesperadamente sentir de novo". Pai dedicado de três filhos, um deles com paralisia cerebral, esse homem de 47 anos é inflexível acerca de seu silêncio: "Jamais vou contar à minha esposa que encontrei uma tábua de salvação em outra mulher, mas jamais vou me arrepender por tê-la encontrado. O caso teve de existir em silêncio. Não havia outro jeito de agir! Acabou, mas o segredo está são e salvo".

Um dos fortes atributos da clandestinidade é sua função como uma porta para a autonomia e o controle. É um tema que ouço sempre, em geral da parte de mulheres, mas também de homens que se sentem impotentes de uma forma ou de outra. "Como homem negro na brancura do mundo acadêmico, você segue as normas à risca. Não existe muita liberdade de ação para alguém como eu", Tyrell explica. Não me surpreendo quando ele me diz que era nos casos que via espaço para definir as normas *ele* próprio. "Você não vai me controlar em todos os aspectos" era o mantra que acompanhava seus flertes.

Casos extraconjugais são um atalho para o risco, o perigo e a energia desafiadora da transgressão. Sem saber direito do próximo encontro, temos certeza da empolgação da expectativa. O amor adúltero consiste em um universo fechado, isolado do resto do mundo. Casos florescem à margem de nossas vidas, e, desde que não sejam expostos em plena luz do dia, o feitiço é preservado.

Segredos não são apenas diversão e jogos, no entanto, mesmo para quem os carrega. Como essência do adultério, alimentam as mentiras, as negações, os engodos e as estratégias complexas. Estar absorto em fingimentos pode ser isolador e, com o passar do tempo, levar a uma corrosiva vergonha e autodepreciação. Quando pergunto a Melanie por que ela resolveu terminar o caso de seis anos agora, ela responde: "Por mais que sentisse culpa, eu ainda me via como uma boa pessoa fazendo coisas ruins. Mas no dia em que parei de sentir culpa, perdi o respeito por mim mesma. Sou só uma pessoa ruim".

Para o parceiro ludibriado, os segredos descobertos são arrasadores. Para muitos, em especial nos Estados Unidos, são os disfarces intermináveis que deixam as cicatrizes mais profundas. Escuto isso sempre: "Não é por ele ter me traído, é por ele ter mentido". E, no entanto, as dissimulações consideradas chocantes em um canto do nosso planeta são redefinidas como "discrição" em outros. Nas histórias que ouço nesses lugares, é uma obviedade que os casos sejam acompanhados de mentiras e acobertamentos. O fato de a pessoa não ter escondido o caso tão bem assim é que é humilhante e ofensivo.

Qualquer discussão sobre infidelidade requer que lidemos com os segredos. Mas também exige que perguntemos a nós mesmos: E a privacidade? Em que ponto termina a privacidade e começa a clandestinidade? Espionar é uma tática preventiva legítima? A intimidade exige transparência total?

Química sexual é o termo que escolho usar em vez de "sexo" porque prefiro uma definição de sexualidade que vá além da usada por Bill Clinton — que não pare em um repertório limitado de atos sexuais, mas inclua um entendimento mais amplo da mente, do corpo e da energia eróticos. Ao falar de química sexual, quero esclarecer que os casos às vezes abrangem o sexo e às vezes não, mas são sempre eróticos. Conforme entendia Marcel Proust, é a nossa imaginação a responsável pelo amor, não a outra pessoa.[8] O erotismo é tal que o beijo que apenas imaginamos dar pode ser tão vigoroso e excitante quanto horas fazendo amor de fato. Estou pensando em Charmaine, uma jamaicana de 51 anos com um sorriso contagiante que tem tido longos almoços com um colega mais novo, Roy. Ela insiste que a ligação entre os dois não constitui uma quebra de seus votos de casamento. "Tecnicamente, não fazemos sexo. Nunca sequer nos tocamos; nós só conversamos. Que traição é essa?" Mas todos nós sabemos que a renúncia pode ser tão erótica quanto a consumação. O desejo é enraizado na ausência e na ânsia. Quando a pressiono, ela admite: "Nunca me senti tão excitada. Era como se ele estivesse me tocando sem me tocar". O que ela está descrevendo se não a química sexual? Um almoço inocente pode de fato ser sensual, ainda que Charmaine esteja apenas, nas palavras de Cheryl Strayed, "namorando a seco".[9]

"Não aconteceu nada!" é a clássica ladainha dos literalistas sexuais. Depois de beber além da conta no aniversário de Abby, sua colega de trabalho, Dustin aceitou o convite para dormir na casa dela. Quando Leah, a namorada, o questionou sobre isso no dia seguinte, ele repetiu essas três palavras insistentemente. "Está bem, já que você quer tanto saber, nós dormimos juntos na mesma cama. Mas estou dizendo a verdade, não aconteceu nada." Em que ponto "algo acontece"?, eu me pergunto. Leah, enquanto isso, é incomodada pelas próprias perguntas. Eles ficaram nus? Ela dormiu nos braços dele? Ele roçou o nariz em seu rosto adormecido? Ele ficou duro? Isso é mesmo nada?

Essas histórias tocam em um ponto essencial — muitos casos têm menos a ver com sexo do que com desejo: o desejo de se sentir desejado, de se sentir especial, de ser visto e se relacionar, de chamar a atenção. Tudo isso carrega um frisson erótico que nos dá a sensação de estarmos vivos, renovados, recarregados. É mais energia do que ação, mais encanto do que relação sexual.

Mesmo no que diz respeito ao ato sexual em si, o sistema de defesa do adúltero tem uma agilidade impressionante para achar brechas. As pessoas não medem esforços para tirar o sexo do sexo. Minha colega Francesca Gentille fez uma lista com algumas das respostas mais criativas para completar a frase iniciada com "Não foi sexo porque..."[10]

"... eu não sabia o nome dela."
"... ninguém gozou."
"... eu estava bêbado/chapado."
"... eu não curti."
"... não tenho certeza se me lembro dos detalhes."
"... foi com um gênero com o qual não costumo transar."
"... ninguém mais viu."
"... ainda estávamos de roupa."
"... ainda estávamos com algumas das nossas peças de roupa."
"... um pé estava no chão."

Todos esses contorcionismos remetem ao mundo tátil. O ciberespaço acrescenta mais distorções. Sexo virtual é real? Quando você vê uma bunda nua na tela está apenas vagando pelo santuário da sua imaginação ou adentrou a zona perigosa da traição? Para muitas pessoas, a fronteira é cruzada quando existe interação — quando a estrela pornô se torna a mulher ao vivo na câmera, ou as fotos de nu não são de uma conta anônima no Tumblr, mas enviadas para o seu celular por um cara de verdade. Mas e a realidade virtual? É real ou imaginária? São questões significativas que nós como cultura estamos ponderando, sem respostas definitivas. Conforme a declaração pertinente do filósofo Aaron Ben-Ze'ev, "a mudança da realidade imaginária passiva para a realidade virtual interativa no ciberespaço é muito mais radical do que a mudança da fotografia para o cinema".[11] Podemos até debater o que é real e o que é imaginário, mas a química do erótico é inconfundível.

Ainda que concordemos em ampliar a lente a fim de incluir diversas expressões sexuais, podemos continuar discordando sobre o que significam e onde se encaixam. Todas essas discussões inevitavelmente trazem à tona a questão espinhosa da natureza de nossa liberdade erótica. Esperamos que o caráter erótico de nossos parceiros pertença totalmente a nós? Estou falando de pensamentos, fantasias, sonhos e lembranças, além de coisas que os excitem, atrativos e autossatisfação. Esses aspectos da sexualidade podem ser pessoais e parte de nossa individualidade soberana — existente em nosso próprio jardim secreto. Mas alguns veem tudo que é sexual como um domínio que deve ser partilhado. Descobrir que o companheiro se masturba ou ainda nutre sentimentos pela ex equivale a traição. Sob essa perspectiva, qualquer expressão independente da sexualidade — real ou imaginária — é uma ruptura. De outro ponto de vista, no entanto, abrir espaço para certo grau de individualidade erótica transmitiria respeito à privacidade e à autonomia, e seria prova de intimidade. Trabalhando com casais ao longo dos anos, observei que os mais bem-sucedidos em manter a chama acesa são aqueles que se sentem confortáveis com o mistério que há entre eles. Ainda que sejam monogâmicos em seus atos, eles reconhecem que não são donos da sexualidade um do outro. É justamente o mistério do outro que os leva a voltar para descobrir mais.

Todo casal precisa negociar a independência erótica um do outro como parte da conversa mais ampla sobre a nossa individualidade e nossa ligação. Em nossos esforços para nos protegermos da traição íntima, exigimos acesso, controle, transparência. E corremos o risco de erradicar involuntariamente o espaço existente entre nós que é o responsável por manter o desejo vivo. O fogo precisa de ar.

O *envolvimento emocional* é o terceiro elemento que pode exercer um papel na infidelidade. A maioria dos casos tem um ingrediente emocional, em menor ou maior grau. Na ponta do espectro temos o caso amoroso, em que o buquê de emoções passionais é integral. "Eu achava que sabia o que era o amor, mas nunca tinha me sentido assim" é uma frase típica. As pessoas nesse estado me falam de amor, transcendência, despertar, destino, intervenção divina — algo tão puro que não poderiam deixar passar, pois "negar esses sentimentos seria trair a mim mesmo". Para quem se envolve nessas histórias de amor sem igual, o termo "caso" é inadequado, já que não capta a intensidade emocional da experiência. "Ao chamar isso de traição, você está reduzindo a algo vulgar", declara Ludo. "Por ter vivido uma experiência similar, Mandy foi a primeira pessoa com quem consegui me abrir a respeito do abuso do meu pai. Sim, nós transamos, mas foi muito mais do que isso."

À medida que avançamos no espectro, vemos todo um leque de encontros que incluem diversos graus de intimidade emocional. Na ponta mais rasa, temos pequenas aventuras que são recreativas, anônimas, virtuais ou pagas. Em muitas dessas situações, as pessoas insistem que não há envolvimento emocional em suas transgressões. Algumas chegam ao ponto de argumentar que por esse motivo não constituem uma traição. "Pago para a garota ir embora!", afirma Guy. "Toda a ideia por trás de recorrer a uma prostituta é não me apaixonar, assim meu casamento não é ameaçado." Aqui a frase comum é "Não significou nada!". Mas o sexo pode realmente ser só sexo? Pode ser que não haja sentimentos ligados a uma trepada aleatória, mas que ela tenha acontecido quer dizer bastante coisa.

É irônico que certas pessoas, como Guy, menosprezem o envolvimento emocional para diminuir o delito ("Não significou nada!"), e outras, como Charmaine, ressaltem a natureza emocional do vínculo exatamente com o mesmo objetivo ("Não aconteceu nada!").

Muita tinta já foi derramada na tentativa de determinar o que é pior — amor roubado ou sexo proibido. As sensibilidades individuais são idiossincráticas. Certas pessoas não se incomodam com a ligação emocional com outros, contanto que não usem as mãos. Há também quem não veja o sexo como algo relevante e dê liberdade para o outro brincar — contanto que não haja sentimentos envolvidos. Dão a isso o nome de "monogamia emocional". Para a maioria, é difícil separar sexo de emoções. Pode-se ter muito de ambos, mais de um ou mais do outro, mas em geral os dois entram em jogo na caixa de areia do adultério.

E OS CASOS EMOCIONAIS?

Nos últimos anos, surgiu uma nova categoria: o "caso emocional". Esse é o termo da moda no léxico da infidelidade hoje. De modo geral, é usado para indicar que a traição não abarca sexo de fato, mas uma intimidade emocional inadequada, que deveria se restringir ao companheiro e que desgasta o relacionamento principal.

Trata-se de um conceito que tem de ser desembrulhado com cuidado. Muitos "casos emocionais" pulsam com a tensão sexual, independentemente de os genitais terem tido contato, e tenho a impressão de que atribuir a eles um novo rótulo promove o reducionismo erótico. É claro que os casos podem ser sexuais sem que um pênis penetre uma vagina, e, nessas circunstâncias, é mais útil dar nome aos bois.

Às vezes, no entanto, o termo "caso emocional" é aplicado a relações genuinamente platônicas, mas consideradas "próximas demais". Essa é uma ideia profundamente entrelaçada aos nossos ideais de união moderna. Como para muitos hoje em dia o matrimônio está ligado ao conceito de intimidade emocional e franqueza total, quando abrimos nossa vida interior a alguém, a sensação pode ser de traição. Nosso modelo de amor romântico é aquele em que se tem a expectativa de que nosso parceiro seja nosso principal companheiro emocional — o único com quem dividimos nossos sonhos, arrependimentos e angústias mais íntimos.

Estamos em terreno inexplorado. Enfatizar o "emocional" como infidelidade nunca sequer passou pela cabeça das gerações anteriores, cujos conceitos de casamento não eram organizados em torno da exclusividade emocional. Ele ainda é estranho em diversos lugares do mundo. Seria um conceito útil para os casais de hoje? Os casamentos sempre se fortalecem quando os parceiros podem desabafar com outras pessoas ou achar meios diversos de dar vazão à conexão emocional. Quando canalizamos todas as nossas necessidades íntimas em uma só pessoa, nos arriscamos a tornar a relação mais vulnerável.

Está claro que as águas ficam turvas bem rápido quando tentamos analisar as sutilezas da traição emocional. Por um lado, alegar uma conexão amorosa muitas vezes é disfarce para um encontro erótico. Quando uma mulher reclama que o companheiro está totalmente centrado na nova "amiga" — usando o Snapchat o tempo inteiro, enviando mensagens de texto, criando listas de músicas para ela —, me solidarizo com sua frustração, porém também esclareço que o aspecto que a incomoda não é apenas emocional, mas também sexual. Por outro lado, relações emocionais profundas com os outros são escoadouros legítimos para os sentimentos e necessidades que não podem ser todos saciados pelo casamento. Ando por essa linha tênue sessão após sessão. Já que o terreno é traiçoeiro, não admira que muitas pessoas se agarrem ao ponto de vista mais estreito acerca da infidelidade — ou seja, sexo proibido.

Dito tudo isto, eu o incentivo a ponderar o que a infidelidade significa para você — e como você se sente a respeito — e a questionar abertamente o que ela significa para o seu companheiro.

TROCANDO DE PAPÉIS, MUDANDO HISTÓRIAS

Em certos momentos, definimos a infidelidade; em outros, é ela que nos define. Podemos ficar tentados a considerar os papéis do triângulo adúltero bem estabelecidos — o cônjuge traído, o traidor, o amante. Mas, na realidade, muitos talvez se vejam em várias posições, e nossa perspectiva sobre o sentido de tudo será alterada, assim como nós, a depender da situação.

Heather, uma profissional de Nova York, solteira no auge da fertilidade, ainda tem esperança de conseguir um final feliz. Alguns anos atrás, ela rompeu com o noivo, Fred. Havia descoberto uma pasta no computador dele cheia de mensagens para acompanhantes com todo tipo de pedidos excêntricos e encontros marcados. Sentiu-se traída por essa vida sexual paralela, mas ficou ainda mais chateada por ele ter desistido *dela*. Ela almejava uma monogamia picante e dinâmica, mas ele aplicava a testosterona em outro canto e levava para casa uma versão desapaixonada e fleumática de si. A terapeuta do casal disse a ela que Fred precisava crescer e que seria um ótimo companheiro dali a quatro ou cinco anos. "A análise do custo-benefício me dizia que não valia a pena", ela explica. "Quando pensei no que queria fazer entre os 37 e os quarenta anos, concluí que não era servir de mãe para o Fred até ele virar adulto."

No último verão ela conheceu um cara novo, Ryan, no trem de Boston para Nova York. Eles trocaram olhares, e entenderam o que queriam dizer. Ele explicou sua situação sem rodeios: "Estou em um casamento de treze anos, com dois filhos, e a ponto de me separar". Ryan e a esposa, Blair, concordavam que seu casamento chegara ao fim, mas estavam indo devagar, tomando o cuidado de decidir se dariam a notícia aos filhos durante o fim de semana em família na colônia de verão ou no outono, quando voltariam às aulas.

Fico impressionada porque, não faz muito tempo, a própria Heather se sentira traída. Será que ela se dá conta de que agora está tendo um caso com um homem casado? "Era a última coisa que eu queria", ela diz. "Mas *não é* um caso de verdade. O casamento do Ryan pode não ter acabado legalmente, mas, em todos os outros sentidos, acabou."

Eu a cutuco um pouquinho. "Mas a esposa dele não sabe, não é? Você não disse a ele: vá para casa e termine o que precisa ser terminado, depois volte para mim."

Ela rapidamente se põe na defensiva: "Bom, quando é que um casamento termina de verdade? É quando os dois dormem em quartos separados? É quando já foi feito um anúncio público para a família e os amigos? É quando se pede o divórcio? O processo é tão longo. Não consegui chegar a uma conclusão de qual seria um marco satisfatório para mim". Estou feliz de ver Heather radiante. Também estou ciente de que seu conceito de infidelidade adquiriu uma elasticidade conveniente agora que ela está do outro lado.

Algumas semanas depois, o brilho se extinguiu. Ela me conta que, após namorarem discretamente por dois meses, ela e Ryan enfim passaram um fim de semana inteiro juntos, e esse foi um dos momentos mais felizes de sua vida. Mas ela foi arrancada do Éden quando Ryan telefonou dias depois para lhe contar que Blair sabia de tudo, até o nome dela, graças a seu iPad, que ele deixara na mesa de cabeceira.

Blair já não tinha mais interesse no caminho lento rumo ao divórcio. Viajou com as crianças por uma semana, deixando a cargo de Ryan explicar a situação para os pais dele e os amigos do casal. Em um gesto, o que era apenas um romance embrionário entre duas pessoas se tornou um desenlace sistêmico. Todo mundo está envolvido e o destino de todos assumiu outra feição.

Para Blair, o senso de oportunidade é irrelevante. "Nos afastamos" se transformou em "Ele me traiu". Para Ryan, "Estou tentando agir da maneira correta e não magoar ninguém" se transformou em "Como explicar isso para os meus filhos e meus pais?". E Heather se tornou a agente do golpe fatal. Traída por Fred, a última coisa que imaginava era que viraria a outra. Sempre tivera uma opinião veemente sobre quem trai, e mais veemente ainda quanto a amantes. Não é uma ladra de homens. Sentia-se uma participante orgulhosa da irmandade de mulheres que se apoiavam. Agora ocupava exatamente a posição dos que costumava ofender. A imagem de Blair lendo suas conversas idílicas, mensagem a mensagem, fazia seu sangue gelar.

Não era a primeira vez que eu ouvia uma história de inversão de papéis e críticas transformadas em justificativas. No tocante à infidelidade, assim como na maioria dos aspectos da vida, os seres humanos cometem o que os psicólogos sociais chamam de assimetria do ator-observador. Se você trai, é por ser egoísta, fraco, indigno de confiança. Mas se sou eu, é por causa da situação em que me vi. Quando se trata de nós mesmos, focamos nas circunstâncias mitigadoras; quando se trata dos outros, botamos a culpa no caráter.

Nossas definições de infidelidade são inseparáveis das histórias que contamos a nós mesmos, e elas se desenvolvem ao longo do tempo. O amor incipiente escuta com ouvidos ávidos, que acham um meio de margear os limites e evitar os obstáculos. Quando Ryan disse a Heather que já não dividia a cama com a esposa, foi fácil para ela considerá-lo mais divorciado do que casado e se julgar inocente. O amor desdenhado escuta com ouvidos implacáveis e atribui más intenções a todos os gestos. Blair agora tem a certeza de que Ryan jamais quis poupar seus sentimentos e provavelmente a traía desde o começo.

O amor deslumbrado de Heather levou um golpe. Em um instante ela se imaginava grávida do filho de Ryan, de mãos dadas com os novos enteados que a adoravam, todos indo visitar os pais dele. Agora terá de conhecer todos eles no papel humilhante de amante. Para as crianças, será sempre a mulher com quem o pai traiu a mãe. Apesar de suas intenções genuínas, Heather foi maculada.

"O caminho pode ser longo, mas estou disposta a enfrentar o desafio", ela me diz. E, com o tempo, a persistência compensa. Hoje em dia, ela e Ryan estão casados, e ela tem uma ótima relação com os pais e os filhos dele. No próximo verão, dará à luz o primeiro filho dos dois. Fico me perguntando como ela definiria a infidelidade agora.

3. Os casos não são mais como eram antigamente

O amor é uma coisa ideal, o casamento uma coisa real;
a confusão do real com o ideal jamais fica impune.
Johann Wolfgang von Goethe

Quando Maria descobriu um bilhetinho amoroso no bolso do uniforme de gala do marido, Kenneth, jogou-o no lixo e nunca o mencionou. Era 1964. "Eu ia fazer o quê? Para onde eu iria? Quem acolheria uma mulher com quatro filhos?" Ao contar o segredo à mãe, seu raciocínio foi confirmado. "Seus filhos são novos. O casamento é longo. Não deixe que seu orgulho tire tudo o que você tem." Além disso, ambas concluíram, os homens eram assim mesmo.

Avancemos para 1984. Agora era a vez da filha mais velha de Maria, Silvia, enfrentar a duplicidade conjugal. A revelação se deu na forma de diversas cobranças da Interflora na conta do American Express de seu marido, Clark — flores que claramente não foram parar na sua mesa. Quando contou à mãe, Maria se solidarizou, mas também ficou contente pelo fato de a filha não estar condenada ao mesmo destino que suportara: "Os homens não mudam. Você não tem filhos *e* tem emprego. Faça as malas e vá embora".

Dois anos depois, Silvia se apaixonou de novo, se casou e, passado um tempo, no momento certo, deu à luz gêmeos, Michelle e Zac. As liberdades que experimentou — ter uma carreira de primeira linha, escolher se e quando ter filhos, se divorciar sem ser estigmatizada, além de se casar pela segunda vez — seriam inconcebíveis para a geração de sua mãe, como ainda o são para muitas mulheres mundo afora. Mas em boa parte do hemisfério ocidental, no último meio século, o casamento sofreu uma reestruturação total. E ele continua a se transformar diante de nossos olhos. Quando o filho de Silvia, Zac, atingiu a maioridade, teve a opção de se casar legalmente com o namorado. E, quando também descobriu uma verdade desagradável sobre o amado, ela se manifestou sob a forma de um perfil secreto no Grindr.

As pessoas sempre perguntam: Por que a infidelidade é tão relevante hoje em dia? Por que magoa tanto? Como ela se tornou uma das principais causas de divórcios? Somente fazendo uma breve viagem rumo ao passado, para vermos as mudanças no amor, no sexo e no casamento no decorrer dos últimos séculos, é que podemos ter uma conversa inteligente sobre a infidelidade moderna. A história e a cultura sempre prepararam o terreno para os nossos dramas domésticos. Em especial, a ascensão do individualismo, o surgimento da cultura de consumo e a exigência de felicidade transformaram o matrimônio e sua sombra adúltera. Os casos não são mais como eram antigamente porque os casamentos não são mais como eram antigamente.

COMO ÉRAMOS

Durante milênios, o matrimônio era menos a união de dois indivíduos e mais uma parceria estratégica entre duas famílias que assegurava a sobrevivência econômica de ambas e promovia a coesão social. Era um arranjo pragmático em que os filhos não eram sentimentalizados e maridos e esposas sonhavam com a compatibilidade produtiva. Satisfazíamos nossas responsabilidades conjugais em troca da providencial sensação de segurança e integração. O amor podia surgir, mas não era de modo algum essencial. De qualquer maneira, era um sentimento frívolo demais para respaldar uma instituição de tamanha importância. A paixão sempre ardeu no coração humano, mas nascia independentemente dos grilhões dos laços matrimoniais. A bem da verdade, a historiadora Stephanie Coontz levanta o intrigante argumento de que, enquanto o casamento era sobretudo uma aliança econômica, o adultério era às vezes o espaço do amor. "A maioria das sociedades tinha o amor romântico, essa mistura de excitação sexual, paixão e idealização do parceiro", ela escreve.[1] "Mas era comum que essas coisas fossem consideradas inadequadas quando vinculadas ao casamento. Já que o casamento era um acontecimento político, econômico e mercenário, muitos acreditavam que o amor verdadeiro e puro só poderia existir sem ele."

O matrimônio tradicional tinha um objetivo claro baseado em papéis de gênero bem definidos e divisão laboral. Contanto que cada um fizesse o que devia fazer, o par era bom. "Ele trabalha muito. Ele não bebe. Ele nos sustenta." "Ela cozinha bem. Ela me deu muitos filhos. Ela mantém a casa em ordem." Era um sistema no qual a desigualdade de gênero estava gravada na legislação e codificada no DNA cultural. Quando as mulheres se casavam, entregavam seus direitos e propriedades individuais e na verdade também se tornavam propriedades.

Vale a pena lembrar que, até pouco tempo atrás, a fidelidade conjugal e a monogamia nada tinham a ver com o amor. Eram o esteio do patriarcado, imposto às mulheres, para resguardar patrimônio e linhagem — quais filhos são meus e quem fica com as vacas (ou as cabras ou os camelos) depois que eu morrer. A gravidez confirma a maternidade, mas sem exames de paternidade um pai podia passar a vida toda atormentado se o único filho e herdeiro fosse louro e sua família inteira não tivesse nem um único fio de cabelo claro. A virgindade da noiva e a monogamia da esposa eram fundamentais para a proteção da honra e da estirpe do marido.

Para as mulheres, se aventurar fora do leito conjugal era arriscadíssimo. Elas podiam ficar grávidas, sofrer humilhações públicas ou até ser mortas. Enquanto isso — e a notícia é velha na maioria das culturas —, os homens tinham a liberdade tacitamente sancionada de vagabundear sem grandes consequências, apoiados por um monte de teorias sobre a virilidade que justificavam a predileção por degustar de maneira ampla. O "dois pesos e duas medidas" é tão antigo quanto o próprio adultério.

"Eu te amo. Vamos nos casar." Durante boa parte da história, essas duas frases nunca andaram juntas. O romantismo mudou tudo. No fim do século XVIII e começo do XIX, em meio à mudança social advinda da Revolução Industrial, o casamento foi redefinido. Aos poucos, evoluiu de iniciativa econômica para a busca de companheirismo — um compromisso de livre escolha entre dois indivíduos, baseado não no dever e na obrigação, mas em amor e afeto. Na mudança de vilarejos para as cidades, nos tornamos mais livres, mas também mais solitários. O individualismo iniciou sua conquista desapiedada da civilização ocidental. A seleção de parceiros foi imbuída de aspirações românticas feitas para deter o isolamento crescente da vida moderna.

Porém, apesar dessas mudanças, alguns fatos sociais permaneceram intactos bem depois de meados do século XX. Ainda se tencionava que o casamento durasse até o fim da vida; as mulheres dependiam econômica e juridicamente dos maridos; a religião definia a moralidade e ditava o código de conduta; o divórcio era raro e motivo de grande vergonha e ostracismo. E, acima de tudo, a fidelidade continuava um *sine qua non*, ao menos para as fêmeas da espécie.

Sendo uma mulher dos anos 1950, Maria tinha plena consciência de suas opções limitadas. Havia crescido em um mundo em que tinha quatro cereais para escolher no café da manhã, três canais de tevê e dois homens que conhecia pessoalmente que talvez fossem aceitáveis. O fato de ter tido o direito de opinar sobre a escolha de seu companheiro era uma grande evolução — até hoje, mais de 50% dos casamentos do mundo são arranjados.[2]

Embora amasse o marido, Kenneth, o sexo servia basicamente para a procriação. "Para ser franca, depois de gerar quatro filhos em seis anos, para mim estava encerrado", ela declara. O prazer simplesmente não entrava na equação quando ela vez por outra cumpria seu dever de esposa. E Kenneth, descrito por ela como "um homem decente e generoso", nunca fora iniciado nos mistérios da anatomia feminina e tampouco o haviam informado de que deveria ter sido. Mas nem as relações sexuais sem graça nem as subsequentes conquistas compensatórias dele eram fundamentos para o divórcio.

Enquanto os homens da geração de Kenneth tinham autorização tácita para adoçicar a insatisfação conjugal com acepipes extraconjugais, esperava-se de mulheres como Maria que encontrassem a doçura no casamento em si. Para Maria e Kenneth, bem como seus contemporâneos, o matrimônio era um pacto vitalício, com poucas vias de saída. Eles haviam entrado em núpcias na alegria e na tristeza, até que a morte os separasse. Para a sorte de quem era infeliz, a morte chegava mais cedo do que hoje em dia.

UM DE CADA VEZ

Silvia não esperou a morte separá-la do marido. Atualmente, o casamento termina quando o amor morre. Nascida no pós-guerra em San Francisco, ela atingiu a maioridade durante um divisor de águas cultural que alterou a ideia de casal deixando-a quase irreconhecível. O feminismo, a contracepção e o direito ao aborto deram às mulheres o poder de controlar os próprios amores e vidas. Graças às leis do divórcio sem determinação de culpabilidade, aprovadas na Califórnia em 1969 e em diversos outros estados logo depois, abandonar uma união infeliz agora fazia parte das diversas opções das mulheres. E, já que as mulheres *podiam* ir embora, precisavam de um motivo melhor para ficar. Desde então, o parâmetro da qualidade matrimonial subiu de forma substancial.

Após o divórcio, Silvia priorizou a carreira, batalhando para galgar degraus na hierarquia corporativa do universo dos negócios bancários, ainda sob o domínio masculino. Saiu com alguns homens — "bancários e executivos de contas chatos, que nem o meu primeiro marido" —, mas só quando conheceu Jason, um fabricante de violinos e professor de música, se sentiu pronta para dar outra chance ao cupido.

Em uma de nossas conversas, perguntei a Silvia se ela era monogâmica. Ela olhou para mim, surpresa. "É claro. Fui monogâmica com todos os meus namorados e os meus dois maridos." Ela percebia a mudança cultural implícita nas palavras que pronunciara de modo tão casual?

A monogamia significava ficar com uma pessoa para o resto da vida. Agora, quer dizer uma pessoa de cada vez.

Com o segundo marido, Silvia exigiu igualdade na cozinha e no quarto. Jason a arrebatou pela excelência com que varria o chão e a excelência com que previa suas necessidades. Em vez de ser definido por papéis exclusivos, baseados no gênero, o laço dos dois foi concebido em termos da divisão flexível do trabalho, realização pessoal, atração sexual mútua e intimidade.

Primeiro colocamos amor no casamento. Depois colocamos sexo no amor. E em seguida associamos a felicidade conjugal com a satisfação sexual. O sexo para procriação foi substituído pelo sexo para recreação. Enquanto o sexo pré-nupcial se tornou norma, o sexo conjugal atravessou a própria revolução, passando de dever matrimonial da mulher a uma via conjunta de prazer e conexão.

AMOR MODERNO

Hoje, estamos envolvidos em um experimento magnífico. Pela primeira vez, queremos fazer sexo com nossos cônjuges não apenas por querermos seis filhos para trabalhar na fazenda (precisando assim ter oito filhos, já que dois talvez não sobrevivam) nem por ser uma tarefa atribuída. Não, queremos fazer sexo porque *queremos*. Nosso sexo é originário do desejo, uma expressão soberana de nossa livre escolha, e de fato de nosso eu. Hoje, fazemos sexo por estarmos *com disposição*, por estarmos *a fim* — com sorte, um com o outro; de preferência, no mesmo momento; melhor ainda, com uma paixão inesgotável por décadas a fio.

Em seu livro *A transformação da intimidade*, Anthony Giddens explica que, quando foi dissociado da reprodução, o sexo deixou de ser apenas uma característica da nossa biologia para se tornar uma marca da nossa identidade. Nossa sexualidade se distanciou do mundo natural pela socialização e se transformou em um "atributo do eu"[3] que definimos e redefinimos ao longo da vida. É uma expressão de quem *somos*, não meramente algo que *fazemos*. No nosso cantinho do mundo, o sexo é um direito humano ligado à individualidade, à liberdade individual e à realização pessoal. O êxtase sexual, acreditamos nós, é obrigação nossa — e virou um pilar do nosso novo conceito de intimidade.

A centralidade da intimidade no casamento moderno é indiscutível. A proximidade emocional deixou de ser o subproduto de uma relação de longo prazo e passou a ser obrigatória para que ela exista. No mundo tradicional, a intimidade tinha relação com o companheirismo e a camaradagem originados do compartilhamento das vicissitudes da vida cotidiana — cultivar a terra; criar os filhos; suportar perdas, doenças e adversidades. Tanto homens quanto mulheres eram mais propensos a buscar amizades e um ombro para chorar em relações com pessoas do mesmo sexo. Os homens se aproximavam através do trabalho e das cervejas, as mulheres estabeleciam vínculos através da maternidade e do empréstimo de farinha.

O mundo moderno está em movimento constante, girando cada vez mais rápido. As famílias muitas vezes se dispersam, irmãos se espalham pelos continentes e nos mudamos por causa de empregos novos com mais facilidade do que trocamos uma planta de vaso. Temos centenas de "amigos" virtuais, mas ninguém a quem possamos pedir que dê comida ao gato. Somos muito mais livres do que nossos avós, mas também mais desligados. Em nossa procura desesperada por um porto seguro, onde devemos atracar? A intimidade conjugal se tornou o antídoto soberano para vidas cada vez mais atomizadas.

Intimidade é "ver dentro do outro", como minha colega Tammy Nelson gosta de dizer. Vou falar contigo, meu amado, e vou dividir contigo meus bens mais valiosos, que não são mais o meu dote e o fruto do meu ventre, mas minhas esperanças, minhas aspirações, meus temores, minhas ânsias, minhas *emoções* — em outras palavras, minha vida interior. E você, meu amado, vai olhar nos meus olhos. Nada de rolar a tela enquanto desnudo minha alma. Preciso sentir sua empatia e validação. Minha importância depende disso.

UMA ALIANÇA PARA GOVERNAR TODO MUNDO

Nunca nossas expectativas acerca do casamento haviam tomado proporções tão épicas. Ainda queremos tudo que a família tradicional deveria suprir — segurança, filhos, bens imóveis e respeitabilidade —, só que agora também queremos que nosso parceiro nos ame, nos deseje e seja *interessado* em nós. Devemos ser melhores amigos, confidentes e amantes fervorosos. A imaginação humana suscitou um novo Olimpo: que o amor permaneça incondicional, a intimidade fascinante e o sexo fantástico, a longo prazo, com a mesma pessoa. E o longo prazo não para de aumentar.

O pequeno círculo da aliança de casamento contém ideais extremamente contraditórios. Queremos que nosso escolhido ofereça estabilidade, segurança, previsibilidade e confiabilidade — todas as experiências que nos servem de âncora. E queremos que a mesmíssima pessoa nos ofereça estupefação, mistério, aventura e risco. Me dê conforto e me dê exagero. Me dê familiaridade e me dê novidade. Me dê continuidade e me dê surpresa. Os amantes de hoje procuram ter sob um único teto desejos que desde sempre tiveram lugares separados.

Na nossa sociedade secularizada, o amor romântico se tornou, nas palavras do analista junguiano Robert Johnson, "o maior sistema energético da psique ocidental. Na nossa cultura, ele suplantou a religião como a arena em que homens e mulheres procuram sentido, transcendências, completude e arrebatamento". Em busca da "alma gêmea", combinamos o espiritual e o relacional como se fossem uma só coisa. A perfeição que almejamos experimentar no amor terreno antes era procurada apenas no santuário do divino. Quando atribuímos ao nosso parceiro características divinas e esperamos que ele ou ela nos eleve do mundano ao sublime, criamos, segundo Johnson, uma "confusão profana de dois amores sagrados" que inevitavelmente causa frustração.[4]

Não só temos exigências intermináveis como, ainda por cima, queremos ser felizes. Antigamente, a felicidade era reservada para a vida póstuma. Trouxemos o céu para a terra, ao alcance de todos, e agora ela não é mais apenas uma busca, mas uma ordem. Esperamos que uma pessoa nos dê o que outrora nos era proporcionado por um vilarejo inteiro, e vivemos o dobro de tempo. É uma tarefa de vulto para duas pessoas.

Em inúmeros casamentos, sonhadores deslumbrados recitam uma lista de votos, jurando ser tudo um para o outro, de alma gêmea a amante, de professor a terapeuta. "Prometo ser seu maior fã e seu adversário mais aguerrido, seu cúmplice e quem a consola perante as decepções", diz o noivo, com a voz trêmula.

Em meio às lágrimas, a noiva responde: "Prometo fidelidade, respeito e superação pessoal. Não vou apenas comemorar seus triunfos, mas amá-lo ainda mais por seus fracassos". Sorrindo, ela acrescenta: "E prometo nunca usar salto para você não se sentir baixinho". Suas declarações são mantras sinceros de amor comprometido. Mas que armadilha. Quanto mais empilham promessas, mais me pergunto se vão chegar ao fim da lua de mel com a lista intacta. (Claro que, em momentos menos oníricos, os recém-casados de hoje são bem avisados da fragilidade do matrimônio, donde os acordos pré-nupciais que antecedem os votos poéticos.)

Levamos para o nosso conceito de casamento tudo que antigamente procurávamos fora dele — o olhar admirado do amor romântico, o desembaraço mútuo do sexo desenfreado, o equilíbrio perfeito entre liberdade e compromisso. Em uma parceria tão jubilosa, por que pularíamos a cerca? A evolução das relações comprometidas nos levou a um lugar em que acreditamos que a infidelidade não deveria acontecer, já que todas as motivações foram eliminadas.

E, no entanto, ela acontece. Por mais que nós, românticos incorrigíveis, detestemos admitir, casamentos baseados em atração e amor em geral são mais frágeis do que os casamentos baseados em motivos materiais. (Mas isso não quer dizer que os casamentos antigos, estáveis, eram mais felizes.) Eles nos deixam *mais* vulneráveis aos caprichos do coração humano e às sombras da traição.

Os homens e mulheres com os quais trabalho investem mais do que nunca no amor e na felicidade, mas, em uma reviravolta cruel do destino, a sensação de merecimento resultante é justamente o que está por trás do aumento exponencial da infidelidade e do divórcio hoje em dia. Antes traíamos porque não era papel do casamento oferecer amor e paixão. Hoje traímos porque o casamento não consegue suprir o amor, a paixão e a atenção total que são prometidos.

Todos os dias, no consultório, conheço consumidores da ideologia moderna do casamento. Eles compraram o produto, levaram para casa e descobriram que algumas peças estavam faltando. Então vão à oficina para consertá-lo e deixá-lo parecido com a imagem da caixa. Consideram fato consumado as aspirações que têm para a relação — tanto o que desejam quanto o que merecem ter — e ficam aborrecidos quando o ideal romântico não é cumprido na realidade não romântica. Não é surpresa que essa visão utópica esteja deixando para trás uma tropa cada vez maior de desencantados.

CONSUMISMO ROMÂNTICO

"Minhas necessidades não são supridas", "Para mim, este casamento já não funciona mais", "Paguei mas não levei" — esses são lamentos que volta e meia ouço nas minhas sessões. Conforme observa o psicólogo e autor Bill Doherty, esses tipos de declarações aplicam os valores do consumismo — "ganho pessoal, custo baixo, direito de posse e diversificação das apostas" — às ligações românticas.[5] "Ainda acreditamos em compromisso", ele escreve, "mas vozes potentes vindas de dentro e de fora dizem que somos otários se nos contentarmos com menos do que imaginamos precisar e merecer em relação ao casamento."

Em nossa sociedade de consumo, a novidade é fundamental. A obsolescência dos objetos é programada de antemão para garantir nosso desejo de substituí-los. E o casal não é uma exceção a essa tendência. Vivemos em uma cultura que constantemente nos seduz com a promessa de algo melhor, mais jovem, mais empertigado. Assim, não nos divorciamos mais por estarmos infelizes: nos divorciamos porque poderíamos estar mais felizes.

Passamos a ver a gratificação imediata e a variedade inesgotável como prerrogativas nossas. As gerações anteriores aprendiam que a vida impõe sacrifícios. "Você não pode ter tudo o que quer" fazia sentido meio século atrás, mas quem abaixo dos 35 anos vibra com essa mensagem? Rejeitamos obstinadamente a frustração. Não é nenhum espanto que as restrições da monogamia sejam capazes de gerar pânico. Em um mundo de opções infinitas, lutamos com o que meus amigos da geração do milênio chamam de FOMO — *the fear of missing out*, ou seja, o medo de estar perdendo alguma coisa. Esse medo incita o que é conhecido como a "esteira hedonista" — a procura infinita por algo melhor. No minuto em que conseguimos o que queremos, nossas expectativas e desejos tendem a subir e acabamos não nos sentindo mais felizes. A cultura da rapidez nos atrai com possibilidades infinitas, mas também exerce uma tirania sutil. A consciência constante das alternativas disponíveis nos convida a comparações desfavoráveis, afrouxa compromissos e nos impede de curtir o momento presente.

Espelhando uma mudança na sociedade ocidental como um todo, as relações trocaram a economia de produção pela economia de experimentação. O casamento, como afirma o filósofo Alain de Botton, passou "de uma instituição à consagração de um sentimento, de um rito de passagem sancionado externamente a uma reação a um estado emocional internamente motivado".[6] Para muitos, o amor passou a ser um termo que descreve um estado constante de entusiasmo, paixão e desejo. A qualidade da relação agora se equipara à qualidade da experiência. De que vale um lar estável, uma boa renda e filhos bem-comportados se estamos entediados? Queremos que nossas relações nos inspirem, nos transformem. O valor delas, e portanto a longevidade, é proporcional à capacidade que têm de satisfazer continuamente a nossa sede de experimentação.

São todas essas novas prerrogativas que conduzem a história da infidelidade contemporânea. Não são os nossos desejos que são diferentes hoje em dia, mas o fato de termos a sensação de que merecemos ir atrás deles — aliás, somos obrigados a fazê-lo. Nosso dever principal agora é com nós mesmos — mesmo que à custa de quem amamos. Conforme ressalta Pamela Druckerman, "nossas altas expectativas quanto à felicidade pessoal talvez nos tornem ainda mais propensos a trair.[7] Afinal, não temos direito a um caso, se é disso que precisamos para a nossa satisfação?". Quando o eu e seus sentimentos são centrais, uma nova narrativa de justificação é acrescida à história antiquíssima dos desejos isolados.

A PRÓXIMA GERAÇÃO

Tudo isso nos leva aos gêmeos de Silvia, Zac e Michelle. Agora com vinte e tantos anos, os dois são a quintessência da geração do milênio. A paisagem cultural que ocupam é moldada pelos valores expostos por seus pais — individualismo, realização pessoal, igualdade —, aos quais acrescentaram um novo foco em autenticidade e transparência. A tecnologia está no centro de todas as atividades, inclusive as de cunho sexual. Suas buscas libidinosas ocorrem em aplicativos como Tinder, Grindr, Hinge, Snapchat e Instagram.

Nem Zac nem Michelle são casados — assim como todos os amigos, eles passaram seus vinte e poucos anos completando a educação, viajando, trabalhando e se divertindo. Cresceram em um terreno sexual escancarado que nenhuma geração anterior encontrou — com mais oportunidades, mas também mais ambiguidades; poucos limites, mas poucos parâmetros. Como jovem gay, Zac nunca soube o que é entrar sorrateiramente em uma boate gay secreta, onde todos os homens são casados com mulheres. Ele não precisou "sair do armário" porque em certo sentido jamais esteve dentro dele. Sabe da crise da aids pelo cinema, mas tem no bolso um comprimido profilático que garante sua segurança. Quando o casamento gay se tornou o último capítulo no avanço da instituição, ele se ajoelhou e pediu o namorado, Theo, em casamento diante de toda a firma de advocacia em que trabalham. Esperam um dia construir uma família.

Michelle, uma empresária que gerencia uma pequena firma de realidade virtual, não está em casa esperando o telefone tocar. Se quiser ficar com alguém, está a uma tela de distância. Ela sonha em um dia se casar, mas não tem pressa. Na verdade, congelou seus óvulos para não ter de se preocupar com o relógio biológico, e tem economias suficientes para jamais ser dependente. "Mesmo se eu conhecer o cara certo amanhã, não vou querer ter filhos durante pelo menos cinco anos", explica. "Gostaria de viver com a pessoa e curtir a vida de casal antes de virarmos pais." Alguns se referem a esse período de coabitação como um "teste beta" da relação. "Além disso", Michelle acrescenta, "se eu não conhecer ninguém, não preciso de um homem para ser mãe." Sexo, casamento e filhos eram um pacote fechado. Não são mais. Quem nasceu na época do pós-guerra separou o sexo do casamento e da reprodução; seus filhos estão separando reprodução de sexo.

As atitudes de Michelle são comuns em sua geração. "Do ponto de vista cultural, jovens adultos enxergam o casamento cada vez mais como 'cume" que como 'pedra fundamental'", dizem os pesquisadores do projeto Knot Yet, "isto é, algo que fazem depois de já terem colocado em ordem todos os outros aspectos da vida, e não uma base a partir da qual se lançar na fase adulta e na paternidade."[8]

Caminhar em direção ao altar é algo que Michelle só irá fazer quando se sentir emocionalmente madura, profissionalmente estável, financeiramente segura e preparada para deixar para trás a diversão da solteirice. Então ela irá buscar um parceiro que a complete e lhe conceda a experiência profunda de dar valor à sua identidade muito bem urdida. Em contrapartida, para sua avó, Maria, o casamento foi uma experiência formadora, o alicerce sobre o qual ela e o marido construíram juntos suas identidades à medida que chegavam à fase adulta.

Será que o adiamento calculado de Michelle vai protegê-la da traição adúltera que Maria sofreu? Ou será que ela vai ficar mais vulnerável? Hugo Schwyzer comenta na revista The Atlantic que o paradigma da "pedra fundamental" embute certa expectativa de dificuldade, e o do "cume" não.[9] Espera--se que os pares que se casam cedo batalhem e saiam mais fortes. Assim, o modelo da pedra fundamental "não aprova a infidelidade, mas reconhece sua quase inevitabilidade". Por outro lado, ele observa, "o modelo do cume é bem menos complacente com a traição sexual por supor que quem enfim decide se casar deve ter maturidade suficiente para ser ao mesmo tempo capaz de se controlar e escrupulosamente sincero. [...] Os indícios, no entanto, sugerem que os casais do cume são muito ingênuos se acham que uma série abundante de experiências de vida pré-maritais servirão de vacina contra a infidelidade".

ESTRAÇALHANDO A GRANDE AMBIÇÃO AMOROSA

Maria, agora uma viúva de quase oitenta anos, estará no casamento do neto no próximo mês, e talvez sua mente volte às próprias núpcias. A instituição em que Zac e Theo estão entrando guarda poucas semelhanças com aquela em que ela e Kenneth pisaram cerimoniosamente, mais de meio século antes.

A fim de se adaptar à vida moderna, o casamento foi virado do avesso, proporcionando cada vez mais igualdade, liberdade e flexibilidade. E no entanto existe uma questão que permanece, de modo geral, inabalável: a infidelidade.

Quanto mais sexualmente ativa nossa sociedade se tornou, mais espinhosa se tornou também sua postura em relação a traições. Na verdade, é justamente porque podemos transar muito antes do casamento que a exclusividade no matrimônio assumiu conotações totalmente novas. Hoje em dia, a maioria chega ao altar depois de anos de nomadismo sexual. Quando juntamos as escovas de dentes, já ficamos, namoramos, moramos juntos e rompemos. Costumávamos nos casar e fazer sexo pela primeira vez. Agora nos casamos e paramos de fazer sexo com outros.

A decisão consciente que tomamos de refrear nossa liberdade sexual é prova da seriedade de nosso compromisso. (É claro, na evolução contínua dessa instituição tão elástica, existe hoje quem leve diversos parceiros para dentro do casamento.) A fidelidade agora é eletiva, uma expressão de prioridade e lealdade. Ao darmos as costas para outros amores, confirmamos a singularidade de nossa "cara-metade". "Encontrei a pessoa certa. Posso parar de procurar." Nosso desejo por outros deveria evaporar milagrosamente, vencido pela força dessa atração peculiar. Em um mundo onde é tão fácil se sentir insignificante — ser descartado, deletado com um clique, desamigado —, ser *escolhido* adquiriu uma importância que nunca teve antes. A monogamia é a vaca sagrada do ideal romântico, pois confirma que somos especiais. A infidelidade diz: *no final das contas, você não é tão especial assim*. Estraçalha a grande ambição amorosa.

Em seu livro seminal, *Depois do caso*, Janis Abrahms Spring é eloquente ao dar voz a esse tormento existencial: "Arrebatado [...] você tem a convicção de que você e seu companheiro foram feitos um para o outro, de que ninguém faria seu companheiro mais feliz, de que juntos vocês têm uma união primordial e irredutível, impossível de ser compartilhada ou rompida. O caso marca a morte de duas ilusões inocentes — de que seu casamento é excepcional e de que você é singular ou apreciado".[10]

Quando o casamento era um arranjo econômico, a infidelidade ameaçava nossa segurança econômica; agora, o casamento é um arranjo romântico, e a infidelidade ameaça nossa segurança emocional.

Nossa sociedade individualista gera um paradoxo esquisito: a necessidade de fidelidade se intensifica, assim como a atração exercida pela infidelidade. Nessa época em que dependemos tanto de nossos companheiros sob o ponto de vista emocional, os casos têm uma carga avassaladora como nunca. Mas em uma cultura que exige a satisfação individual e nos seduz com a promessa de mais felicidade, nunca fomos tão tentados a pular a cerca. Talvez seja por isso que condenamos a infidelidade mais do que nunca, embora mais do que nunca a pratiquemos.

Parte II

As sequelas

4. Por que a traição dói tanto
Sangrando por milhares de cortes

Pensava saber quem eu era, quem era ele: e de repente, não nos reconheço mais, nem a mim nem a ele. [...] Minha vida, atrás de mim, desmoronou, como nesses terremotos em que a terra devora a si mesma: ela se esboroa às nossas costas à medida que fugimos. Não há mais retorno.
Simone de Beauvoir, *A mulher desiludida*

"Foi como se a minha vida inteira tivesse sido apagada. Em um piscar de olhos. Fiquei tão arrasada que pedi atestado médico e tirei o resto da semana de folga. Mal conseguia me levantar. Esqueci de comer, o que para mim é impressionante." Gillian me conta que, em todos os seus mais de cinquenta anos, jamais havia sentido esse tipo de dor. "Como é que pode doer tanto se ninguém morreu?"

A revelação de um caso é uma evisceração. Se você quiser mesmo ferir uma relação, arrancar seu coração, a infidelidade é uma aposta segura. É traição sob vários aspectos: falsidade, abandono, rejeição, humilhação — todas as coisas de que o amor prometia nos proteger. Quando a pessoa em quem você confiava é aquela que mentiu descaradamente, tratou-o como indigno do respeito mais básico, o mundo em que você imaginava viver é virado de cabeça para baixo. A história da sua vida está tão rachada que você não consegue mais reconstituí-la. "Me conta de novo", você pede. "Há quanto tempo que isso está acontecendo?"

Oito anos. No exemplo de Gillian, o número funciona como uma dinamite. "É um terço do nosso casamento!", ela diz, pasma. Ela e Costa estão juntos há 25 anos e têm dois filhos adultos. Ela trabalha como assessora jurídica de uma grande editora de música e está no auge da carreira. Costa, nascido e criado na ilha grega de Paros, tem uma empresa de segurança na internet que teve de sobreviver à tempestade da crise econômica. Gillian acabou de confirmar o longo caso de Costa com Amanda, sua gerente de marketing.

"Eu tinha minhas suspeitas", ela admite, "e já não era a primeira vez que eu perguntava, mas ele negou totalmente e foi bem persuasivo. E eu acreditei nele."

Então ela descobriu os e-mails e as mensagens de texto, a conta de Skype, as selfies, os recibos de cartão de crédito de anos a fio.

"Me senti muito humilhada e uma grandessíssima idiota. Fui tão ingênua, acreditei com tanta facilidade em mentiras, que a certa altura ele acabou concluindo que eu provavelmente sabia, porque, poxa, quem seria capaz de tamanha burrice? Estou em choque, morrendo de raiva e de ciúmes. Quando a raiva passa, é pura mágoa. Incredulidade seguida de uma convicção esmagadora. Isso não entra na minha cabeça."

O adultério sempre doeu. Mas, para os acólitos do amor moderno, parece doer mais do que nunca. Na verdade, o turbilhão de emoções desencadeado na esteira de um caso é tão avassalador que muitos psicólogos contemporâneos fazem empréstimos da área do trauma para explicar os sintomas: a ruminação obsessiva, a hipervigilância, o torpor e a dissociação, acessos de fúria inexplicáveis e pânico descontrolado. Tratar a infidelidade se tornou uma especialidade entre profissionais da saúde mental — inclusive eu — em parte porque a experiência é tão cataclísmica que os casais têm dificuldade de enfrentar sozinhos as consequências emocionais e precisam de intervenção se há expectativa de sobrevivência.

Na sequência imediata, as emoções não se distribuem perfeitamente em um fluxograma de adequação. Na verdade, muitos de meus pacientes declaram ir e voltar em uma rápida sucessão de emoções contraditórias. "Eu te amo! Te odeio! Me abraça! Não encosta em mim! Pega suas porcarias e cai fora! Não me abandona! Canalha! Você ainda me ama? Vai se foder! Vem me foder!" Esse bombardeio de reações é normal e o provável é que dure um tempo.

Não raro os casais me procuram no meio desse ataque violento. "Estamos passando por uma crise conjugal enorme", Gillian me disse no primeiro e-mail.

"Meu marido também está sofrendo muito. Ele se sente devorado pela culpa enquanto tenta me consolar. Queremos tentar continuar juntos, se possível." Seu relato minucioso era encerrado com um apelo: "Espero ardorosamente que você possa nos ajudar a usar essa experiência horrorosa para melhorarmos nossa relação". Pretendo fazer tudo o que puder para ajudá-los a seguir em frente. Mas primeiro tenho de ajudá-los a estar onde estão.

PRIMEIROS SOCORROS

A revelação é um momento fundamental na história de um caso e de um casamento. O choque da descoberta estimula o cérebro reptiliano, desencadeando uma reação primitiva: lutar, fugir ou gelar. Algumas pessoas ficam paradas, atônitas; outras desaparecem em um piscar de olhos — na esperança de escapar do cataclismo e retomar a sensação de controle sobre a própria vida. Quando o sistema límbico é acionado, a sobrevivência a curto prazo supera as decisões bem pensadas. Por mais difícil que seja fazê-lo nesses momentos, costumo advertir os casais a separar o que sentem a respeito do caso das decisões que tomam sobre a relação. É muito comum que seus impulsos, apesar de terem como objetivo a proteção, possam em um instante destruir anos de capital conjugal positivo. Como terapeuta, também preciso estar atenta às minhas reações — simpatia, inveja, curiosidade e compaixão, mas também reprovação, raiva e indignação. Sofrer um impacto emocional é natural, mas as projeções são inúteis.

Divido a recuperação pós-caso em três fases: crise, elaboração de sentido e imaginação. Gillian e Costa estão na fase da crise, e o que eles *não fazem* nesse momento é tão crucial quanto o que fazem. É um momento delicado, que exige um reservatório seguro, neutro, para a intensidade de emoções que correm desenfreadas dentro deles e entre eles. A essa altura, eles precisam de calmaria, clareza e estrutura, bem como de apoio e esperança. Mais tarde, na fase da elaboração de sentido, teremos tempo para mergulhar nas razões para o caso ter acontecido e no papel que cada um teve na história. E por fim, na fase da imaginação, vou perguntar o que o futuro reserva para eles, seja separados ou juntos. Por enquanto, porém, estamos no pronto-socorro, fazendo uma triagem. O que precisa de atenção mais imediata? Alguém corre risco? Reputações, saúde mental, segurança, filhos, sustento etc. têm de ser levados em conta.

Como socorrista, estou a postos para o casal, às vezes diariamente. Fala tanto ao isolamento do matrimônio moderno quanto ao estigma da infidelidade o fato de que muitas vezes o terapeuta é a única pessoa que sabe o que está acontecendo nessa primeira etapa — a base estável que escora o desmoronamento de ambos.

Há tantas peças pendentes — duas pessoas brigando com o fato de que andaram vivendo em realidades diferentes e só uma sabia disso. São poucos os outros acontecimentos na vida de um casal, à exceção da morte e da doença, que têm uma força tão nociva. A terapeuta de casais Michele Scheinkman enfatiza a importância de cultivar uma perspectiva dupla que englobe as experiências distintas do casal, algo que eles são incapazes de fazer sozinhos nesse momento.[1]

Faço isso nas minhas sessões, bem como nas nossas correspondências. Incentivo a escrita — em um diário, para mim, ou um para o outro — como válvula de escape. O diário proporciona um espaço de expurgação seguro, irrestrito. A escrita de cartas é mais calculada, é um processo de edição cuidadoso. É comum que os casais precisem de orientação individual para achar as palavras certas. Às vezes as cartas são lidas em voz alta durante as sessões. Outras vezes, são enviadas com cópia para mim. Existe algo extremamente íntimo em ser a testemunha das trocas epistolares dessas almas feridas. Tenho acesso a um panorama totalmente novo da relação que não veria apenas do sofá.

Conforme eu já previa, Gillian e Costa me contam que tiveram algumas das conversas mais profundas e mais francas desde que tudo veio à tona — adentrando a madrugada. A história deles é desnudada — expectativas frustradas, raiva, amor e tudo que há entre um ponto e outro. Eles se escutam. Nesse momento crítico, eles já choraram, já discutiram e já fizeram amor — muito. (É estranho como o medo da perda consegue reavivar o desejo.) Estão de novo, como minha colega Terry Real gosta de dizer, frente a frente — assim como ficamos logo que nos apaixonamos, antes de nos acomodarmos na posição lado a lado do cotidiano de um casal.

TODA TRAIÇÃO JÁ FOI UMA HISTÓRIA DE AMOR

A descoberta de um caso pode ser exaustiva. A ponto de esquecermos que se trata somente de mais um capítulo na longa história de um casal. O trauma severo dá lugar ao processo de cura, por mais demorado que seja, do casal junto ou separado. O choque causa uma contração, assim como um soco no estômago. Minha função é ajudar os casais a respirarem fundo e se deslocarem no quadro geral da relação, para além do suplício imediato. Para começar, às vezes até na primeira sessão, peço que me contem como se conheceram — a história de sua origem.

Gillian e Costa se apaixonaram no último ano da faculdade de Direito. Ele parou a moto na frente da biblioteca e a convidou para dar um passeio. Ela se encantou com sua audácia, seus galanteios e simpatia, tudo isso envolto em um sotaque exótico. Então, pulou na garupa, surpreendendo a si mesma.

Ela carinhosamente o descreve como "vulcânico" — sem medo de conflitos e confrontos e com um gosto despudorado pela vida. Quanto a si mesma, caracteriza-se como uma apaziguadora, chegando a pecar pelo pragmatismo. "O Costa me fez bem", ela diz, "ele me incentivou a me desvencilhar do decoro típico da Nova Inglaterra e ser mais espontânea."

Antes de Costa, Gillian foi noiva de Craig, um mestre em administração de empresas pela prestigiosa Wharton School, pronto para assumir os negócios da família. Mas fazia tempo que ela estava em dúvida: "Craig amava ser amado por mim mais do que me amava". No fim, ela terminou o noivado porque "queria ser adorada".

Seu homem mediterrâneo a adorava e sabia como demonstrar isso. Ficou caidinho por aquela mulher poderosa, elegante e independente. "Eu tinha acabado de me mudar para os Estados Unidos e ela era a típica americana", ele explicou. Era gritante o contraste dela com as mulheres de sua infância, que tinham como medida de suas forças o estoicismo com que lidavam com o abuso constante de seus maridos garanhões.

Gillian comenta que sempre desconfiou que o ex-noivo, Craig, com seu amor-próprio incondicional, um dia a trairia. Não era do feitio dele colocar as necessidades alheias acima das suas próprias. No âmago da opção que ela fez por Costa estava a certeza de que ele, por outro lado, jamais seria egoísta. Ela simplesmente *sabia*. Fiou-se na devoção dele. Como pôde se enganar desse jeito?

A cerimônia foi na casa da família dele em Paros — paredes brancas, toldos azuis, telhados vermelhos foram realçados por botões de buganvílias rosas. Enquanto observava a mãe de penteado impecável cambalear alegremente ao dançar o *sirtaki*, a noiva sentia-se fortemente ratificada na decisão de abrir mão do homem com o diploma certo e o pedigree certo pelo homem que iria valorizá-la para sempre. Ao refletir sobre os valores emancipatórios de sua época e ignorar os receios dos pais, Gillian trocou o modelo de casamento deles pelo próprio ideal.

Quando o segredo de Costa veio à luz, sua desilusão foi ainda mais dolorosa. Não era apenas um ataque contra ela, mas um ataque contra todas as suas convicções — uma ruptura das premissas que lhe eram mais caras a respeito do que é ser um casal atualmente. O casamento se tornou um castelo mítico, projetado para ser tudo o que poderíamos querer. Os casos o levam ao desmoronamento, nos deixando com a sensação de que não temos onde nos segurar. Talvez isso ajude em parte a explicar por que a infidelidade moderna é mais que dolorosa. É traumática.

DESCOBERTA NA ERA DIGITAL

Se fomos pegos de surpresa ou se desde o começo acompanhamos os germes dos indícios, nada nos prepara para a revelação de fato. Depois de anos rodeando a verdade, um dia Gillian percebeu que Costa tinha deixado o computador em casa. "Eu enfim tive de olhar", ela declara. "E então não conseguia parar de olhar."

No que chama de "Dia D", o dia da descoberta, ela passou horas escavando as provas digitais. Ficou arrasada com as imagens. Centenas de fotos, e-mails trocados, desejos verbalizados; detalhes vívidos dos oito anos de caso se desenrolaram diante de seus olhos. Poucas décadas antes, talvez encontrasse um número de telefone no bolso do paletó, batom na gola ou uma caixa de cartas empoeirada. Uma vizinha fofoqueira talvez desse com a língua nos dentes. Flagrado, Costa lhe contaria a história que achasse mais conveniente, omitindo fatos escolhidos a fim de proteger a esposa ou ele mesmo. Hoje, por cortesia da memória tecnológica, é mais provável que Gillian vasculhe os detalhes penosos da vida dupla do marido. Ela pode estudar a própria humilhação, decorando páginas de dolorosas provas eletrônicas.

A traição na era digital é como sangrar por milhares de cortes. Gillian os vê comendo ostras, rindo em Taos; vê Amanda em uma pose sedutora. Aqui, uma foto dos dois na Yamaha dele, Amanda usando o capacete de Gillian; ali, um e-mail com o itinerário romântico na Grécia. E, por todos os cantos, textos intermináveis narrando as minúcias da vida de Amanda.

Para tudo o que vê, Gillian imagina ainda mais. Ele a beijando. A aliança de casamento no dedo dele, a mão dele no seio dela. Ela se lembra do jeito com que Amanda o olhou na festa de Natal do ano anterior — e ela ignorando aquele olhar, "feito uma idiota". Lembra-se de como Amanda a cumprimentou pela musse de chocolate na noite em que Costa a convidou para jantar na casa deles — e dela mesma cumprindo o papel de boa anfitriã, "que boba". Agora ela se pergunta: "Será que a mão dele estava no joelho *dela* debaixo da *nossa* mesa de jantar? Será que riram no trabalho no dia seguinte?". As imagens são reproduzidas inúmeras vezes, implacáveis, e assim que uma sai da cabeça, outra a substitui.

Acho que é seguro dizer que a maioria dos casos hoje em dia são revelados por meio da tecnologia. As descobertas atuais sofreram uma guinada visual, chegando às vezes a acontecer em tempo real. Embora as escavações de Gillian no computador de Costa tenham ocorrido de propósito, para outras pessoas é a tecnologia que dá a notícia espontaneamente. O iPad largado em casa faz um marido crédulo testemunhar a conversa em forma de texto que a esposa entabula com o amante que está indo encontrar. A babá eletrônica inexplicavelmente transmite o barulho de gemidos, apesar de a mulher estar com o bebê nos braços ao chegar mais cedo em casa após um fim de semana de folga. A câmera que monitora os bichinhos, para garantir que os amados animais de estimação estão bem, dá ao homem uma visão do encontro entre a namorada e um estranho, os dois bêbados.

Nas primeiras horas do Ano-Novo, Cooper estava na pista de dança de uma boate em Berlim quando a tela de seu telefone se iluminou. Era um retrato da namorada, em uma pista de dança em Nova York, em um amasso com outro cara. A mensagem de texto de seu amigo, que acompanhava a foto, dizia: "Ô parça, só pra tu saber, acabei de ver a Aimee ficando com um sujeito aleatório".

Qualquer pessoa pode dar uma de hacker hoje em dia. Durante todos os anos que Ang assistia a filmes pornôs, Sydney pensava: *Isso só diz respeito a ele.* Mas quando ele perdeu totalmente o interesse em transar com ela,

Sydney resolveu que agora dizia respeito a *ela*. Uma amiga lhe contou sobre um spyware que poderia usar para rastrear suas atividades on-line. "Eu ficava sentada à escrivaninha, vendo aqueles vídeos, sabendo que naquele momento ele assistia àquelas cenas, se masturbando, por horas a fio. Isso mexeu com a minha cabeça. Primeiro eu comecei a me vestir e agir como aquelas atrizes pornôs, imaginando que conseguiria reconquistá-lo. No fundo, me sentia traída, não só por ele, mas acima de tudo por mim mesma."

Não é mais necessário contratar um detetive particular — você tem um no bolso. O clique acidental no botão "enviar". "Por que o papai está me mandando uma foto dele nu?" A ligação feita quando você se senta em cima do celular. "Que respiração ofegante é essa no fundo?" O "alerta de atividade incomum" do departamento de fraudes da Visa. "Mas eu nunca pisei em Montreal!"

E, nesse desfile de delatores tecnológicos, não podemos nos esquecer das maravilhas do GPS. Faz um tempo que César começou a desconfiar que as horas prolongadas de Andy na academia podem não se restringir à sala de musculação. "Com essas horas todas levantando peso, eu esperava ver mais músculos! E eu sei que ele faz sauna, mas quanto tempo alguém consegue ficar lá dentro sem derreter?" Como não podia seguir Andy sem ser visto, seguiu o telefone dele. O ponto azul no mapa saiu da academia após meros trinta minutos e foi em direção ao centro da cidade.

JÁ VI O AMOR PELOS DOIS LADOS

Nossos aparelhos não só permitem a descoberta como preservam o registro digital. "Virou uma obsessão, é quase patológico", Gillian me diz. "Não paro de ler os e-mails, de tentar encaixar as peças. Centenas de mensagens trocadas por eles em um único dia — das sete da manhã até a meia-noite. O caso estava presente o tempo inteiro, no meio da nossa vida. O que eu estava fazendo enquanto ele as escrevia? Às 21h12 do dia 5 de agosto de 2009, estávamos comemorando meu aniversário de 51 anos. Será que ele deu uma corridinha até o banheiro para mandar uma mensagem a ela antes de cantar 'Parabéns para você' ou será que foi depois?"

A infidelidade é um ataque direto a uma de nossas estruturas psíquicas mais importantes: nossa memória do passado. Ela não apenas sequestra as esperanças e planos de um casal, mas também põe um ponto de interrogação na história que tiveram. Se não podemos olhar para trás com nenhuma certeza e não podemos saber o que vai acontecer amanhã, o que nos resta? O psicólogo Peter Fraenkel ressalta como o parceiro traído fica "rigidamente empacado no presente, esmagado pela sucessão inexorável de fatos perturbadores acerca do caso".[2]

Estamos dispostos a admitir que o futuro é imprevisível, mas esperamos que o passado seja confiável. Traídos pelo amado, sofremos a perda de uma narrativa coerente — a "estrutura interna que nos ajuda a prever e regular atos e emoções futuros [criando] um senso de identidade estável", conforme a definição da psiquiatra Anna Fels. Em um artigo em que descreve o efeito corrosivo de todos os tipos de traições relacionais, ela pondera: "talvez roubar de alguém a sua história seja a maior das traições".[3]

No ímpeto obsessivo de erradicar todas as facetas de um caso mora a necessidade existencial de costurar de novo a tapeçaria da vida. Somos criaturas produtoras de sentido e nos fiamos na coerência. As interrogações, os flashbacks, as ruminações circulares e a hipervigilância são manifestações de uma narrativa de vida dispersa tentando se reagrupar com as peças encaixadas.

"Sinto um grande desespero", declara Gillian. "Minha mente vai e volta, vasculhando a cronologia, ajustando as memórias e espremendo as coisas novas para começar a alinhá-las com a realidade."

Anna Fels usa a imagem da tela dupla, em que as pessoas reveem constantemente a vida de que se recordam em um lado e a versão recém-descoberta no outro. Um senso de alienação as invade. Não é só do companheiro mentiroso que elas se sentem distantes, mas também de si mesmas.

Essa crise em torno da verdade é captada com sagacidade no filme *Simplesmente amor*. Karen, interpretada por Emma Thompson, se esconde no quarto para digerir o fato de que o colar de ouro que viu o marido comprar não estava no embrulho de Natal que acabou de abrir. Seu presente foi um CD de Joni Mitchell, que a vemos escutar quando a cena corta para a jovem secretária dele, de lingerie sexy, botando o colar, e em seguida voltamos à chorosa Karen reexaminando sua vida retratada nas fotos de família sobre a cômoda. Joni canta: "It's love's illusions I recall/ I really don't know love at all" [São das ilusões do amor que me recordo/ Na verdade não conheço o amor].

É comum as duas telas de Gillian serem pornográficas. "O nosso sexo versus o sexo deles. Meu corpo; o corpo dela. As mãos que eu amo acariciando outra, os lábios que eu amo beijando os dela. Ele dentro dela, sussurrando com aquela voz irresistível, falando como ela é gostosa. Será que eles tinham posições preferidas? Era melhor do que o sexo entre nós? Ele alternava entre dias com ela e dias comigo?"

Seu casamento e suas memórias foram infiltradas. Antes fonte de conforto e segurança, agora a enchem de uma incerteza torturante. Nem os momentos felizes podem ser relembrados com carinho — todos foram maculados. Costa insiste que, quando estava com Gillian e os filhos, estava totalmente presente — de corpo e alma, sob todos os aspectos. A vida que tinham juntos não era de mentirinha, ele afirma. Mas, para ela, era "que nem um espelho distorcido".

Costa é paciente ao responder as perguntas feitas por ela, e as conversas a ajudam a reconstruir a cronologia toda. Ele já tentou consolá-la. Já exprimiu seu arrependimento inúmeras vezes. Será que ele vai passar o resto da vida no purgatório? Vai ser culpado até morrer? Dessa perspectiva, as coisas estão claras. "Quero reconstruir com você, não repisar as mesmas coisas várias e várias vezes." Expliquei a ele que a repetição ajuda a restaurar a coerência e é intrínseca à cura; no entanto, à medida que os dias viram semanas, ele vai ficando cada vez mais frustrado. Assim como Gillian.

"Ele me implora para deixar o passado no passado e seguir em frente", ela me conta, "mas isso só me deixa com a sensação de que ele está minimizando a minha dor. Sinto o tempo todo que estou em uma roda d'água. Eu subo para tomar ar e vislumbro o futuro, e depois sou puxada para baixo, para dentro d'água, e acho que vou morrer se não subir de novo."

Para a infelicidade dos adúlteros penitentes, leva-se tempo para emendar um coração partido. "Você acha que por ter assumido a responsabilidade, ter pedido desculpas e rezado dez ave-marias, você fez tudo o que precisava fazer!", ela diz. "Entendo que isso funcione para você, mas não funciona para mim. Preciso ouvir tudo outra vez." Essa é a situação em que muitos casais se veem, e eu explico a Costa que, na fase da crise, é bastante previsível. Gillian não está agindo assim só para irritá-lo. "Você sabe dessa história há oito anos, ela acabou de ficar sabendo. E tem muito o que pôr em dia." Se daqui a três anos ela continuar a interrogá-lo incessantemente, aí sim isso vai ser um problema.

INFIDELIDADE: O ROUBO DE IDENTIDADE

Para Gillian, assim como para muitos, muitos outros, a infidelidade não é apenas uma perda de amor: é uma perda de identidade. "Agora sou membro do clube das esposas corneadas", ela diz a Costa. "Isso é inalterável e vai ser verdade pelo resto da minha vida, seja o que for que aconteça. Você fez de mim essa pessoa. Não sei mais quem eu sou."

Quando o amor se torna plural, o feitiço da unidade é rompido. Para certas pessoas, essa dissolução ultrapassa o que o casamento é capaz de suportar. Costa e Gillian querem achar uma forma de continuar juntos, mas os dois, cada qual à sua maneira, temem que, ainda que o amor sobreviva, permaneça para sempre contaminado.

"Eu te amo; meu amor sempre foi você", Costa lhe garante. "A Amanda aconteceu. Eu teria terminado depois de um ano, mas aí a filha dela ficou doente e me senti culpado. Você pode não acreditar em mim, mas você é o amor da minha vida e isso não mudou." De fato, por que ela deveria acreditar, sabendo que durante oito anos ele dormiu a seu lado todas as noites e ao acordar mandou mensagens para Amanda dizendo "Bom dia, meu amor"? E, no entanto, ela deseja acreditar.

A aniquilação que Gillian descreve é uma história que ouço o tempo inteiro da boca dos casais ocidentais modernos, mas não é igual em todos os lugares. Adoraríamos pensar que dor é dor, democrática e universal. Na verdade, todo um arcabouço cultural molda a nossa forma de dar sentido ao sofrimento. Nas minhas conversas com um grupo de mulheres senegalesas, várias traídas pelos maridos, nenhuma declarou ter perdido sua identidade. Elas descreveram noites em claro, ciúmes, choro interminável, acessos de raiva. Mas, na visão delas, os maridos traem porque "é isso que os homens fazem", não porque as esposas são misteriosamente inadequadas. Por ironia, suas crenças a respeito dos homens sublinham a opressão crônica que sofrem, mas protegem seu senso de identidade. Gillian pode ser mais emancipada socialmente, mas sua identidade e autoestima foram hipotecadas ao amor romântico. E, quando o amor cobra as dívidas, é um credor implacável.

Minhas amigas senegalesas extraem grande parte de sua identidade e sensação de pertencimento da comunidade. Do ponto de vista histórico, a maioria das pessoas sempre ancorou sua autoestima na obediência aos valores e expectativas da religião e da hierarquia familiar. Mas, na ausência das instituições antigas, cada um é incumbido de criar e manter a própria identidade, e o fardo da individualidade nunca foi tão pesado. Por isso estamos sempre negociando nossa autoestima. A socióloga Eva Illouz destaca astutamente que "o único lugar onde você espera parar com essa avaliação é no amor. No amor, você se torna o vencedor do concurso, o primeiro e único".[4] Não surpreende que a infidelidade nos atire em um fosso de insegurança e confusão existencial.

Tanto homens como mulheres confirmam essa história. Claro que há nuanças no que ressaltam; a conversa sobre casos tem um viés de gênero implícito. Talvez porque os homens sempre tenham tido mais permissão para ir à caça e se gabar de suas conquistas, suas lágrimas foram suprimidas. Aqueles cujas esposas pularam a cerca são mais propensos a expressar raiva ou constrangimento do que tristeza. Têm licença para sofrer pela desmoralização, não a perda da própria identidade. Sabemos muito mais sobre mulheres magoadas e homens traidores do que sobre homens magoados ou mulheres traidoras. Mas à medida que as mulheres ganham terreno no campo da infidelidade e torna-se cada vez mais aceitável culturalmente os homens demonstrarem suas emoções, ouço mais homens que foram pegos de surpresa pela traição dando voz à própria perda de identidade.

"O mundo que eu conhecia estava acabado", Vijay me escreveu. Um anglo-indiano de 47 anos com dois filhos, gerente de uma delicatéssen, ele havia descoberto um e-mail que a esposa, Patti, enviara à melhor amiga, contendo uma série de mensagens entre ela e o amante. "Me senti caindo em um espaço escuro, sem gravidade. Tentei desesperadamente me agarrar em alguma coisa. Mas quase no mesmo instante ela mudou. Eu também. Ela me pareceu fria, distante. Chorou, mas não parecia que era por nós."

A voz de Milan fica embargada quando relata: "Eu me apaixonei sério. Acreditava mesmo em um futuro com Stefano e dei tudo de mim. Então ele se distanciou sexualmente. Ficou viciado em anfetamina e aí se apaixonou por um garoto. Cheguei em casa e ele estava trepando com o garoto na nossa cama. E além disso me ignorou, fingiu que eu era o cara com quem dividia o apartamento. A situação se estendeu por meses. Me senti muito humilhado, mas não conseguia ir embora. E, sendo um homem gay, espera-se que eu não tenha ciúmes: era só uma transa, afinal. Eu precisava dele. Sinto um enorme desprezo por mim mesmo, por tê-lo deixado me tratar assim. Mal me reconheço".

"NÃO SOU ESSE TIPO DE HOMEM!"

A crise de identidade não está reservada ao parceiro traído. Quando o véu de um segredo se levanta, o choque não é apenas de quem descobriu o caso, mas também de quem o teve. Observando a própria conduta através dos olhos recém-abertos do prejudicado, o protagonista do caso encara uma autoimagem quase irreconhecível.

Costa também está passando por um colapso nervoso. Confrontado pela dor lancinante de Gillian, ele desperta para a realidade do que fez e o que isso causou a ela. A divisão entre sua vida pública e a vida secreta desmoronou.

Em nossas conversas particulares, ele luta para aceitar suas próprias peças desiguais. Ele nunca fez terapia, desconfia bastante dos chamados especialistas e não espera atrair muita simpatia. Faço questão de dizer a ele que não sou a patrulha moral. "Apesar de você ter tido um caso, bem longo, aliás, não vou fingir que o conheço. Estou aqui para ajudar, não para julgar."

Costa tem de considerar a discrepância entre sua autoimagem e seus atos. Desde a infância, prometera a si mesmo que *jamais* agiria como o pai galinha e controlador, que tratava sua mãe com desdém. Costa sempre se viu como um homem de princípios — moralmente honrado e bem antenado à dor de uma mulher cujo amor foi profanado.

"Não sou esse tipo de homem" era o pilar em torno do qual organizava todo o seu senso de identidade (e que conquistou o coração de Gillian). Também era a frase que usava para dissuadir Gillian de suas suspeitas ao longo dos anos. Determinado a sustentar essa identidade, de melhor-do-que-o-meu-pai, Costa virou um homem rígido e sempre a postos para fazer críticas. Inconscientemente, acreditava que seu absolutismo o ajudaria a manter afastada a herança paterna, mas, por ironia do destino, isso o levou a agir exatamente da forma que sempre esperou evitar. "Senti como se minha vida tivesse morrido. Estava me transformando em um autômato. Estava preso, amarrado, rígido e formal, como se tivesse alguma coisa enfiada na bunda." Ele diz que havia começado a se sentir irrelevante, seu negócio aos trancos e barrancos e a diferença salarial entre o casal crescendo aos poucos. Gillian estava ocupada com todas as outras pessoas. "E então ela começou a falar de planos de previdência e clínicas de repouso, e minha sensação era de que estava me enterrando vivo!" Então veio Amanda, que lhe ofereceu uma forma "de relaxar e recuperar o entusiasmo".

Costa me garante que nunca deixou de amar a esposa e não tinha nenhuma intenção de largá-la. Muitas vezes quis romper com Amanda, mas também se sentia responsável por ela, sobretudo porque ela parecia atravessar uma crise atrás da outra. O menino sensível que testemunhara as humilhações sofridas pela mãe se tornou o homem que não poderia abandonar uma donzela em apuros — uma fraqueza que a amante detectara logo no início e da qual fora habilidosa em tirar proveito. Além disso, ele tem certeza de que, por ter mudado tanto — se tornado menos deprimido e parado de vagar sem rumo pela casa —, o casamento deles também mudou, e para melhor. (Sei que Gillian concorda com essa avaliação, mas rejeita as justificativas dele.) Costa parece achar que, já que não desfilava pela rua com a amante, ao contrário do pai, seus princípios permaneciam intactos. Sua política identitária gerou um ponto cego. Só agora, sob a luz forte dos copiosos indícios, ele percebe como forçou a barra nas racionalizações. "Será que a dor e a vergonha de Gillian são tão diferentes das sentidas por sua mãe?", pergunto a ele.

Ciente de sua necessidade de reajustar a própria personalidade com os acréscimos indesejáveis, começo a ajudá-lo a analisar o que o caso significou para ele e o que representa no contexto mais geral de sua vida. À medida que o processo avança, nosso Romeu arrependido fica ávido para dividir seus novos insights com a esposa. Eu lhe aviso que é cedo para ter essa conversa. O mal-estar dela prevalece sobre a análise. Ainda estamos na fase da crise, e nessa etapa a compaixão é dirigida a ela. Somente quando se sente emocionalmente satisfeito é que o companheiro traído se torna capaz de escutar explicações sem considerá-las justificativas. É cedo demais para esperar que Gillian entenda o ponto de vista de Costa, que dirá pensar no papel que pode ter tido.

Por enquanto, ele precisa ouvir. Vai dar certo trabalho, porque ele está tão interessado em preservar uma imagem de si que não a de um sujeito "desprezível" (segundo ele mesmo) que se sente forçado a se justificar e explicar seus atos. Ele percebe como ela se sente mal, mas isso o leva a se sentir mal por si (vergonha), o que o impede de se sentir mal por ela (culpa).

A mudança da vergonha para a culpa é crucial.[5] A vergonha é um ensimesmamento, enquanto a culpa é uma reação empática, relacional, inspirada na mágoa causada a outra pessoa. Sabemos por conta do trauma que a cura começa quando os criminosos reconhecem o erro cometido. Em geral, quando um parceiro insiste que ainda não se sente valorizado, embora quem o magoou insista em dizer que se sente péssimo, é porque a reação ainda é mais de vergonha que de culpa, e portanto autocentrada. Na sequência da traição, a culpa genuína, engendrando o remorso, é uma ferramenta de conserto essencial. Um pedido de desculpas sincero indica o zelo e o compromisso com a relação, a partilha do fardo do sofrimento e o restabelecimento do equilíbrio de poder.

Sei que não vai ser fácil para Costa. Se você traiu alguém, é complicado ver a dor que causou e dar tempo e espaço para que o parceiro sofra de verdade, ciente de que você é a razão. Mas é exatamente disso que ela precisa. "Se você quer ajudar Gillian a se sentir melhor", digo a Costa, "primeiro tem que deixar que ela se sinta péssima." Dar espaço para a dor dela é importante, assim como abraçá-la. Costa está fazendo isso em grande medida. Obviamente, é mais fácil para ele reagir com empatia quando a esposa está triste do que quando ela parte para o ataque. Ainda assim, os coices são inevitáveis, pelo menos por um tempo. Chegará uma hora em que ele lhe dirá para relaxar. Enquanto isso, é sua postura sempre empática que aos poucos ajudará a aplacar a raiva dela.

Costa se empenha muito para entender a angústia da esposa. Ele não cansa de dizer que a ama. Gillian se acalma por um tempo — uma hora; às vezes duas ou mais; vez por outra, o dia inteiro. Ela acredita nele, claro que acredita — é o marido dela. Mas então... booom, ela se lembra. "Eu acreditava nele. E olha só o que eu ganhei com isso."

As desconfianças tornam a se instalar. Dessa vez, ela não vai fechar os olhos e fingir que nada está acontecendo. Ela começa a cavar mais informações. Ele abriu mão do direito à privacidade. Quem é essa mulher no Instagram cuja foto ele curtiu? O que foi que a dentista fez durante três horas? Ele havia marcado consulta? Ela vai ligar e descobrir sozinha. Medo e raiva se misturam e ela explode. Sem poupar nada, investe contra a família dele, a cultura, os genes e, é claro, Amanda. É a temporada de caça.

"Traidor! Mentiroso!" Agora ela o tirou do sério. Costa está disposto a assumir sua responsabilidade, mas de jeito nenhum permitirá que esse seja o veredicto final acerca de sua identidade. "Eu traí *uma vez* e menti várias vezes sobre essa *única* traição", ele insiste. "Mas não sou nem traidor nem mentiroso." A dor dela espelha uma imagem de si que ele acha intolerável, por isso ele se enfurece. Quando ela continua se sentindo mal, dá-se a confirmação de que ele *é* mau. A tensão volta a aumentar. "Não sou desse tipo! Não vou deixar que ela, o caso ou o que quer que seja me defina."

Resolvo desafiá-lo. "Entendo o seu conflito e percebo sua consciência. Mas se pensarmos na dissimulação, ano após ano, você está mais perto de ser 'esse tipo' do que gostaria de admitir."

ATOS DE REPARAÇÃO

As primeiras etapas da terapia pós-caso são altamente voláteis, no mínimo. Semanas de reconstrução cuidadosa podem desmoronar com um comentário. Ambos estão à flor da pele, de olho um no outro, temerosos do próximo golpe emocional. Como escreve Maria Popova, "a dança da raiva e do perdão, interpretada ao ritmo incontrolável da confiança, talvez seja a mais difícil da vida humana, bem como uma das mais antigas".[6]

Durante a fase da crise, a responsabilidade pela reparação cabe principalmente a quem teve o caso. Além de expressar arrependimento e ser receptivo à dor do companheiro, ele ou ela pode fazer várias outras coisas relevantes.

Janis Abrahms Spring identifica um desses passos como a "transferência da vigília".[7] Em suma, isso significa que a pessoa que agiu fora da relação assume a função de lembrar e dar visibilidade ao caso. Tipicamente, o parceiro traído se sente instigado a fazer perguntas, ficar obcecado, garantir que esse fato terrível não seja varrido para debaixo do tapete. O aventureiro, de modo geral, está louco para deixar para trás o episódio desagradável.

Ao inverter as posições, mudamos a dinâmica. A vigilância raramente gera confiança. Se Costa for o guardião da memória do caso, desobriga Gillian de ser a pessoa a assegurar que ele não seja esquecido. Se ele toca no assunto e incentiva as conversas sobre o fato, comunica que não está tentando escondê-lo ou minimizá-lo. Se dá informações voluntariamente, ela fica livre de viver requentando o tema. Certa vez, Amanda ligou. Ele contou para Gillian na mesma hora, desativando a possível fonte de desconfiança. Em outra ocasião, quando estavam em um restaurante, ele percebeu que Gillian se perguntava se ele estivera ali com Amanda. Não esperou que ela perguntasse — ele lhe disse, espontaneamente, e fez questão de que ela se sentisse confortável no local. Tudo isso, exposto abundantemente, ajuda a recuperar a confiança, pois assim ela tem a sensação de que os dois estão do mesmo lado.

De sua parte, Gillian tem de começar a refrear os acessos de raiva — não por serem injustificados, mas porque não lhe darão o que ela está buscando. A raiva fará com que se sinta mais poderosa por um tempo. No entanto, o psicólogo Steven Stosny observa que "se a perda de poder fosse o problema na traição íntima, a raiva seria a solução. Mas a grande dor na traição íntima pouco tem a ver com a perda de poder. A aparente perda de valor é o que gera a dor — você se sente menos amável".[8]

Na esteira da traição, precisamos achar maneiras de recuperar a autoestima — de separar o que sentimos quanto a nós mesmos dos sentimentos que o outro nos causou. Quando parece que nossa existência foi usurpada por inteiro e nossa autodefinição está nas mãos da pessoa que nos usurpou, é importante lembrar que não somos só isso.

Você não é um rejeitado, apesar de uma parte sua ter sido rejeitada. Você não é uma vítima, apesar de uma parte sua ter sofrido abusos. Você também é amado, valorizado, respeitado e estimado por outras pessoas e até pelo parceiro infiel, ainda que discorde disso no momento. Ao se dar conta de que havia se distanciado totalmente das amigas depois de ter misturado sua vida inteira à do namorado que a abandonou, uma mulher listou as cinco pessoas que precisava trazer de volta ao seu convívio. Passou duas semanas viajando de carro, reavivando as amizades e resgatando as partes de si que cada uma das amigas estimava, e, ao fazê-lo, separou a ferida de sua essência.

O sobrevivente do Holocausto Viktor Frankl destila uma verdade profunda: "Pode-se roubar tudo de um homem, menos uma coisa: a última das liberdades humanas — escolher a própria atitude em qualquer circunstância, escolher o próprio jeito".[9]

Arrume-se, ainda que não tenha vontade. Deixe que os amigos lhe preparem um belo jantar. Comece aquele curso de pintura que há tempos queria fazer. Faça coisas para cuidar de si, para se sentir bem, para aplacar a humilhação e a ânsia de se esconder. Muitas pessoas sentem vergonha demais para realizar essas atividades quando são deixadas de lado, mas é exatamente isso que eu insisto que façam.

Gillian precisa achar os próprios caminhos para resgatar seu valor. O arrependimento de Costa não basta para aliviar a dor. Expressar a culpa e empatia é crucial para aplacar a mágoa, porém insuficiente para curar a autoestima deteriorada. Costa pode ajudar resistindo à preocupação consigo mesmo e reafirmando a importância e o papel central que a esposa tem na sua vida. Deixando para lá as próprias inquietações, ele se concentra em reconquistar a moça que subiu na garupa de sua moto tantos anos atrás e fez um trato com o deus do amor. Quando diz a ela sem um pingo de incerteza: "É com você que eu quero ficar. Sempre foi você", ele começa o processo de lhe restituir seu valor, sua presença estimada. Pela primeira vez, ela começa a acreditar que ele não continua com ela por mero princípio. Ele a está escolhendo.

Dois minutos depois, o telefone dele vibra. Percebo um lampejo de suspeição nos olhos de Gillian e ela estremece. Outro gatilho, outra questão. Aqui estamos, nas trincheiras da recuperação romântica. E ficaremos um tempo aqui.

5. Lojinha de horrores
Alguns casos provocam mais dor que outros?

> *Coisa estranha que tais palavras, "umas duas ou três vezes", nada mais que palavras, palavras pronunciadas no ar, à distância, possam assim dilacerar o coração como se o tocassem de verdade, possam fazer adoecer, como um veneno que se ingerisse.*
> Marcel Proust, *No caminho de Swann*

Alguns casos são "piores" que outros? Alguns tipos de infidelidade magoam menos e se mostram mais fáceis no tocante à recuperação? Por mais que eu tenha tentado identificar padrões no jogo entre ação e reação, ainda não consegui uma correspondência satisfatória entre a gravidade da transgressão e a intensidade da reação.

É quase irresistível tentar organizar os casos segundo uma hierarquia de violação, na qual se masturbar assistindo a pornôs é uma infração leve, sem dúvida mais leve do que receber uma massagem com final feliz, que por sua vez é preferível à penetração de fato com uma prostituta russa, que ainda é mais suave do que flagrar a namorada na cama com um amigo ou descobrir que o marido tem um filho de quatro anos morando a três quarteirões de distância. É óbvio que nem todas as transgressões são iguais. No entanto, por mais convidativo que seja criar uma gradação de traições, não é de grande valia medir a legitimidade da reação pela magnitude da afronta.

Quando percorremos a paisagem do sofrimento romântico, estão em jogo incontáveis considerações que conduzem um indivíduo ou casal em uma direção ou outra. O choque vem em graus diversos. Mesmo após décadas desse trabalho, continuo incapaz de prever o que as pessoas farão ao descobrir o caso do parceiro. Na verdade, muitas me dizem que suas reações não foram nem de longe o que teriam imaginado.

O impacto do caso não é necessariamente proporcional à sua duração ou seriedade. Algumas relações desmoronam com a descoberta de um caso fugaz. Em um momento de intimidade descuidada, uma mulher se entregou às lembranças e contou ao marido sobre um breve caso extraconjugal ocorrido décadas antes. Ela ficou pasma porque no mesmo instante ele terminou o casamento de trinta anos. Outros demonstram uma habilidade surpreendentemente vigorosa de dar a volta por cima depois de uma infidelidade sistemática. É incrível como certas pessoas mal reagem a revelações capazes de mudar suas vidas enquanto outras reagem com enorme alarde a meros olhares. Já vi pessoas arrasadas porque descobriram que o companheiro fantasiava com outras ou se masturbava vendo vídeos pornôs, enquanto há aquelas que aceitam filosoficamente os encontros obscuros que acompanham viagens de negócios a lugares distantes.

Na intricada história da infidelidade, todas as nuances interessam. Como terapeuta, preciso de detalhes emocionais. A pesquisadora Brené Brown explica que, depois de um acontecimento chocante ou traumático, "nossas emoções fazem a primeira tentativa de entender a dor".[1] Certas coisas despertam o sofrimento ("Ele fez o *quê*?") e outras se tornam marcadores de alívio ("pelo menos ela não fez *isso*"). Pegando emprestados termos da empresária de saúde Alexandra Drane, algumas são amplificadores — elementos específicos que aumentam o sofrimento — e outras são amortecedores — blindagens protetoras contra a mágoa.

Como a infidelidade vai lhe cair e como você vai reagir tem tanto a ver com suas próprias expectativas, sensibilidades e histórico como com a notoriedade da conduta do parceiro. Gênero, cultura, classe, raça e orientação sexual: tudo isso emoldura a experiência da infidelidade e dá forma à dor.

Um amplificador pode ser a circunstância. Gravidez, dependência econômica, desemprego, problemas de saúde, status migratório e outras incontáveis condições de vida podem agregar ao fardo da traição. Nossa história familiar é o principal amplificador — casos e outras quebras de confiança com que somos criados ou que sofremos em relações passadas podem nos deixar mais suscetíveis. A infidelidade sempre ocorre dentro de uma rede de conexões, e a história começou muito antes da ofensa crítica. Para alguns, confirma um medo arraigado: "Não é que ele não me ame, é que não me sinto amável". E, para outros, estraçalha a imagem que tinham do parceiro: "Escolhi você porque tinha certeza de que não era desse tipo".

Um dos amortecedores é a forte rede de amigos e familiares, que são pacientes e oferecem um porto seguro para a complexidade da situação. Um senso de identidade bem desenvolvido ou uma fé espiritual ou religiosa também podem mitigar o impacto. A própria qualidade da relação, anterior à crise, sempre tem um grande papel. E, se alguém sente ter alternativas — imóveis, poupança, perspectivas de trabalho, perspectivas de namoro —, isso não só diminui sua vulnerabilidade como também fornece certa margem de manobra, por dentro e por fora. Analisar os pontos dolorosos da traição ajuda a identificar oportunidades para fortalecer esses amortecedores protetivos.

Nos meus primeiros encontros com as baixas causadas pela infidelidade, examino as feridas até achar sua característica emocional específica, identificando amplificadores e bolando estratégias para os amortecedores. Onde dói mais? O que fez a faca girar? O menosprezo, a quebra de confiança, as mentiras, a humilhação? É a perda ou a rejeição? É a desilusão ou a vergonha? É o alívio, a resignação ou a indignação? Qual é o sentimento específico ou a constelação de sentimentos em torno da qual você gira?

"POR QUE LOGO ELE?"

Algumas pessoas conseguem exprimir seus sentimentos no mesmo instante. A capacidade de entender as próprias emoções lhes permite reconhecer, nomear e assumir as especificidades de seu sofrimento. Porém, também encontro muitas pessoas que se fecharam sem jamais identificar seus pontos nevrálgicos emocionais. Elas vivem assombradas por sentimentos sem nome, que não se tornam menos potentes por causa do anonimato. "Você é a segunda pessoa a quem eu conto a minha história", um jovem chamado Kevin escreveu depois de me contatar pelo Facebook. "Já faz dez anos. Talvez escrever isso tudo seja minha forma de terapia, afinal."

Para Kevin, um programador de 26 anos morador de Seattle, o principal motivo de mágoa não foi ter sido traído por seu primeiro amor — mas com quem ela o traiu. Anos carregando o vexame "de não fazer ideia" deixaram Kevin com sérios problemas de confiança. Ele conheceu Taylor aos dezesseis — ela era a linda aluna do último ano que tirou sua virgindade e foi alvo de grande parte de suas atenções durante o colegial. Kevin apresentou Taylor a seu irmão mais velho, Hunter, e os três se tornaram inseparáveis.

No começo, quando Taylor rompeu o namoro, Kevin ficou surpreso — "chateado, mas não de coração partido". Estranhamente, Taylor e Hunter continuavam saindo juntos. "Até a minha mãe perguntou se estava tudo bem por mim. Mas como eu botava a minha mão no fogo por ele, acreditei quando ele falou que estavam estudando. Não imaginava que logo ele seria capaz de me trair."

Ao olhar para trás, ele se pergunta: "Como foi que eu não percebi?". Mas é da natureza humana nos agarrarmos ao nosso senso de realidade, resistir ao seu possível abalo mesmo diante de provas irrefutáveis. Eu lhe garanto que "não fazer ideia" não é algo de que deva se envergonhar. Esse tipo de escape não é um ato de idiotismo, mas de autopreservação. Na verdade, é um sofisticado mecanismo de autoproteção conhecido como negação do trauma — uma espécie de autoilusão que utilizamos quando há muita coisa em jogo e temos muito a perder. A mente precisa de coerência, portanto renega as inconsistências que ameaçam a estrutura de nossas vidas. Isso se torna mais marcante quando somos traídos pelas pessoas que nos são mais próximas e das quais mais dependemos — uma prova do esforço que somos capazes de fazer para manter nossas relações, por mais turbulentas que possam ser.

Por fim, um garoto da escola acabou soltando para Kevin: "Você sabia que seu irmão está dormindo com a Taylor?". "Aquilo não fez sentido para mim", Kevin relembra, e no entanto, alguns minutos depois, ele foi até um lugar tranquilo e ligou para o irmão para perguntar se era verdade. "Ele sabia que tinha feito uma merda federal e pediu desculpas sem parar. Lembro de ter chorado por horas a fio, com a cabeça enfiada em um travesseiro azul. As coisas entre meu irmão e eu mudaram para sempre."

Em sua escrita, ouço a voz dele aos dezesseis anos. Sua história congelou no tempo, com detalhes vívidos — o momento do dia, o nome do garoto que lhe contou a verdade humilhante, os minutos que esperou o irmão atender ao telefone, a cor do travesseiro em que chorou. Os psicólogos as denominam "lembranças encobridoras" — quando nos fixamos em detalhes específicos a fim de ocultar os aspectos emocionais mais penosos da experiência, tornando o trauma mais tolerável.

No e-mail seguinte de Kevin, ouço o alívio à medida que vai ficando claro por que ele consegue ter uma visão mais nítida do travesseiro do que do rosto de Taylor. A profundidade da traição anda lado a lado com a profundidade do apego. Para muitos, a traição de um amigo cala ainda mais fundo que a do parceiro. A falsidade de Taylor doeu, mas a de Hunter fez um corte mais fundo. Quando alguém de seu círculo social, um membro de sua família (com todas as suas permutações intergeracionais) ou alguém que tinha sua confiança (babá, professor, clérigo, vizinho, médico) trai a sua confiança, a ruptura é exponencial. A que podemos recorrer? Já ouvi algumas histórias em que o amigo e confidente acabou sendo o amante. Quanto mais sinapses de coerência crepitam, mais loucas as pessoas se sentem e mais tempo levam para se recuperar.

Por anos a fio, Kevin ficou paralisado pelo constrangimento e a vergonha de sua "burrice". Como resultado, não confiava nas próprias impressões. "Sempre que eu ficava com uma garota ou namorava, não parava de pensar: 'Ela não deve estar saindo só comigo.'" Entender que a questão não era a sua incapacidade de ver os sinais, mas a incapacidade total do irmão de honrar sua confiança, foi fundamental para Kevin. Ele está trabalhando em sua relação com Hunter. E descobriu uma nova compaixão por si quando jovem, o que lhe permite não se fechar de imediato quando as coisas ficam mais sérias com uma garota de que gosta.

DA DESCONFIANÇA À CERTEZA

A certeza é cáustica, mas a desconfiança persistente é uma agonia. Quando começamos a desconfiar que nosso amado está nos enganando, viramos escavadores implacáveis, farejando roupas e pistas jogadas com desleixo pelo desejo. Especialistas em sistemas sofisticados de vigilância, monitoramos as menores mudanças no rosto dele, a indiferença na voz dela, o cheiro estranho na camisa dele, o beijo sem graça dela. Somamos as mínimas incongruências. "Eu ficava me perguntando por que ela tinha tantas reuniões no escritório de manhã cedo se ela só começava às dez." "As postagens no Instagram dela não correspondiam aos lugares onde ela dizia estar. As datas não mentem!" "Era estranho que ele tivesse de tomar banho e passar desodorante antes de sair para correr." "De repente, ela ficou louca para convidar Brad e Judy para jantar, mas fazia muito tempo que ela não gostava deles." "Ele precisa mesmo do telefone no banheiro?"

De início, talvez guardemos segredo das perguntas, temerosos de fazer acusações falsas, caso estejamos enganados, e mais temerosos ainda de encarar os fatos, caso tenhamos razão. Porém, mais cedo ou mais tarde, o desejo de saber supera o medo de saber, e começamos a sondar e interrogar. Jogamos verde, fazendo perguntas cujas respostas irrefutáveis já foram dadas pelo GPS. Bolamos armadilhas. "Todo segredo obscuro desvendarei melhor pela dissimulação", entoa um Fígaro calculista na ópera clássica de Mozart. Agimos como se soubéssemos quando apenas tememos. Anton diz a Josie que achou provas de que ela andava dormindo com outros — não fazia sentido continuar mentindo. "Pode me falar", ele diz. "Já sei de tudo." Mas é um blefe. Sentindo que foi pega, Josie lhe conta mais do que ele esperaria ouvir. Em uma reviravolta comum, Josie me conta depois que as primeiras desconfianças de Anton eram infundadas. No entanto, à medida que a bisbilhotice dele aumentava, a frustração e a atitude evasiva de Josie também cresciam. Uma hora, ressentindo-se de estar com a vida sob vigilância, ela diz: "Ele ficou tão convencido de que eu o traía desde o começo que resolvi trair mesmo".

Às vezes, o tormento corrosivo representado pela desconfiança da fidelidade do parceiro é piorada pela prática cruel do *gaslighting*. Ruby passou meses perguntando a JP se estava acontecendo alguma coisa, e ele sempre dizia que ela era louca, ciumenta, paranoica. Ela estava quase acreditando nele, mas um dia ele deixou o celular em casa. Em retrospecto, sua negação vociferante deveria bastar como prova. Agora ela se sente duplamente traída. Ele fez com que ela desconfiasse não só dele como da própria sanidade.

Quando a desconfiança vira certeza, por um instante pode haver alívio, mas em seguida vem um novo golpe. O momento da revelação geralmente deixa uma cicatriz indelével. Como você descobriu o caso? Achou o endereço de e-mail do seu marido no vazamento do banco de dados do Ashley Madison? Alguém fez questão de informá-la? Ou você assistiu de camarote? Simon flagrou a esposa e o empreiteiro na cama. Não dorme lá desde então.

Jamiere estava preparada para a descoberta, mas não para a forma como aconteceu. Ela via os indícios, pois não era a primeira vez que Terrence fazia aquilo: o súbito interesse na própria aparência, as camisetas novas e as unhas limpas, o grande volume de reuniões de emergência no trabalho. "Seria de se esperar que ele se saísse melhor da segunda vez, mas ele cometeu os mesmos erros de novo." No entanto, negou firmemente. Por fim, ela conseguiu a prova: um e-mail do marido da mulher. "Ele me mandou uma série de mensagens trocadas entre os dois, que incluíam comentários horrendos sobre mim. Terrence dizendo que sentira nojo do meu tamanho quando fiquei grávida dos gêmeos. De meus dentes tortos. Minha pronúncia de pobre. Era tanto desprezo e zombaria que cheguei a vomitar."

Jamiere ficou consternada com o tom das mensagens, mas também chateada com o fato de tê-las recebido sem que as tivesse pedido e na íntegra. Decidida a não mais se deixar intimidar por homem algum, confrontou Terrence. Em seguida, escreveu para o homem que tomara a decisão unilateral de jogar as mensagens ofensivas no seu colo, fingindo que era pelo seu bem quando dava para perceber que seu intuito era se vingar. Agora, o foco do nosso trabalho é a reconstrução de sua autoestima.

SEGREDOS, FOFOCAS E CONSELHOS RUINS

As pessoas não só descobrem os segredos dos parceiros como às vezes se tornam partícipes relutantes de engodos. Com medo de revelar a situação para os amigos, os pais, os filhos, os colegas, os vizinhos e, em certas circunstâncias, a imprensa, o traído vira cúmplice no tocante ao segredo. Agora também precisa mentir — a fim de proteger a mesma pessoa que contou mentiras.

"Eu estava ali, de pé, segurando dois pares de brincos idênticos", relembra Lynn. "Comecei a perguntar por que ele tinha comprado o mesmo presente para mim duas vezes, mas a resposta apareceu como um fantasma. Seis anos com a secretária. São muitos brincos iguais."

Em prol das filhas, Lynn e Mitch resolveram continuar juntos. E, em prol das filhas, ela guardou o segredo. "Não quero que ninguém fique sabendo", ela me explicou. "Então agora sou eu que estou mentindo para os meus pais, para as minhas próprias filhas. De manhã, faço waffle e lhe dou um beijo de despedida como se fosse mais um dia qualquer. É uma farsa! Quero protegê-las, mas no fundo sinto que é ele que estou protegendo — não é bizarro?" O segredo que guardavam dela agora é o segredo que ela tem de guardar dos outros. Mitch parece libertado pela revelação; Lynn agora se sente aprisionada. Às vezes, tem de lembrar a si mesma que não é a culpada.

O que vai ajudar tanto Lynn como Mitch é escolher com cuidado um ou dois confidentes para que a ferida não infeccione. Talvez eles não queiram notificar o vilarejo inteiro, mas revogar a vergonha do silêncio tem enorme relevância. Convidar uma ou duas pessoas para dividir o sofrimento areja uma situação que geralmente fica hermeticamente fechada.

Quando o segredo é revelado, é comum a agonia ser reforçada pelo castigo da piedade e da condenação social. Ditta odeia todas as mães da escola que a olham com falsa compaixão mas secretamente se alegram por não ter sido com elas. "Como é que ela não sabia?", sussurram. "O que é que ela achava que ia acontecer, viajando pelos quatro continentes a trabalho, deixando-o sozinho com as crianças?" A voz condenatória coletiva vai da crítica suave à responsabilização total da vítima — por "deixar" que acontecesse, por não fazer o suficiente para prevenir, por não perceber o que estava acontecendo, por deixar que a situação se arrastasse por tanto tempo e, é claro, por continuar casada depois do ocorrido. A fofoca sibila por todos os cantos.

Um caso pode não apenas destruir um casamento: ele tem o poder de descosturar toda uma malha social. Sua trajetória emocional tende a se entrelaçar a muitas outras relações — amigos, parentes e colegas. Após nove anos, Mo não participa mais da viagem anual que faz com os melhores amigos para andar de caiaque. Acabou de saber que um deles tem uma amizade colorida com sua esposa; o outro é quem oferece o Airbnb; o terceiro é uma testemunha silenciosa. Traído por todos os lados, ele indaga: "Com quem eu vou poder conversar?".

Para essas pessoas, as feridas específicas são a vergonha e o isolamento. A revelação de um caso pode deixar o parceiro que foi pego de surpresa em um aperto: na hora em que mais precisam dos outros para obter consolo e confirmação, menos capazes se sentem de pedir ajuda. Sem poder recorrer ao apoio de amigos, sentem-se duplamente sós.

O isolamento social e o silêncio são complicados, mas os conselhos alheios também. Os amigos vão logo dando opiniões apressadas, sugerindo soluções simplistas e fazendo discursos espontâneos de "nunca fui com a cara dele(a)". Em situações extremas, amigos e parentes ficam tão indignados e reativos que usurpam o papel de vítima, deixando o parceiro enganado na posição bizarra de ter de defender justamente a pessoa que o magoou. "A única coisa que a minha mãe conseguia falar era 'eu bem que te avisei', seguida por uma longa lista dos defeitos de Sara, que, é claro, ela viu desde o início." Arthur dá uma risada amargurada. "De repente, me vi pedindo que ela desse um tempo, lembrando a ela que Sara era uma mãe maravilhosa, que ela trabalhava muito. Então eu disse: 'Espera aí. Eu é que fui magoado!'"

Todo mundo parece saber direitinho o que fazer. Os amigos oferecem o sofá, ajuda para fazer a mudança, para trocar a fechadura, para passar um fim de semana fora com as crianças. Mandam o telefone de terapeutas, de mediadores, de detetives, de advogados. Às vezes é disso que se precisa. Em outros momentos, porém, embora a intenção por trás desses gestos possa ser boa, eles não conseguem dar espaço a todas as implicações do dilema.

"POR QUE AGORA?"

Os casos já doem bastante, mas às vezes o momento é a gota d'água. "Nosso filho era um bebê de dois meses!" é um refrão extremamente comum, assim como "Eu tinha acabado de sofrer um aborto espontâneo". Lizzy estava no terceiro trimestre quando descobriu o caso de Dan. Mas tinha a sensação de que não podia falar nada porque faria mal ao bebê no seu ventre e romperia sua conexão com a vida em crescimento que estava nutrindo. Ela só queria que o bebê não fosse contaminado pela energia negativa.

"Minha mãe estava morrendo e minha esposa estava fora de casa, trepando com um fracassado", Tom me conta. Drake sabe que o momento deveria ser a última de suas preocupações, mas isso não torna a situação menos sofrida: "O fato de eu ter descoberto no nosso aniversário de dez anos é quase irrelevante, mas é um elemento ironicamente aflitivo, que só piora o meu desespero".

Quando o momento tem alta significância pessoal, a ênfase é no "como ele(a) foi capaz de fazer isso comigo *naquele momento?*". O *momento* quase se sobrepõe ao *o quê*.

"VOCÊ NÃO PENSOU EM MIM?"

Em certas circunstâncias, é a premeditação da vida dupla que fere — o grau de planejamento necessário para levar a cabo a sequência calculada de dissimulações. A intencionalidade implica que o parceiro infiel pesou seus desejos e suas consequências e resolveu ir em frente mesmo assim. Além do mais, o investimento substancial de tempo, energia, dinheiro e criatividade indica a motivação consciente de levar adiante as motivações egoístas à custa do companheiro ou da família.

"Me explica melhor isso", Charlotte pediu a Steve após descobrir suas elaboradas aventuras no mundo das acompanhantes de alta classe. "Como foi que você chegou à prostituta? Você por acaso estava com 5 mil dólares sobrando? Ou teve de ir dez vezes ao caixa eletrônico para tirar essa quantia? Você já sabia quanto ia custar? Você é um cliente tão regular assim?" Cada passo de premeditação em torno da acompanhante significava um descaso ativo pela esposa. Há muitas coisas pelas quais Charlotte está brava no tocante às incursões de Steve na indústria do sexo, mas o que realmente parte seu coração é a forma como ele conseguiu apagá-la totalmente de sua consciência.

Não pensou nela no banco? Comendo tapas? Ao trocar a roupa de cama? Ao esvaziar o lixo? "A descoberta foi sofrida por si só", ela me diz, "mas, quando ficou clara a quantidade de energia e de planejamento envolvidos, doeu de verdade. Não surpreende que ele tivesse tão pouco tempo e energia para nós."

Charlotte entende o desejo, e teve suas próprias chances de pular a cerca. Mas nunca foi em frente. "Sei o que você fez porque foi o que eu *não fiz*", ela diz a Steve. "No final das contas, não conseguia ir em frente porque não conseguia parar de pensar em você. Eu sabia como você ficaria magoado. Como é possível que você não soubesse também? Ou você simplesmente não deu a mínima?"

Casos cuidadosamente premeditados doem, mas a situação oposta também pode doer igualmente. Nessas circunstâncias, trata-se da indiferença da traição ocorrida por acaso. "Ela me falou que foi uma coisa só de momento, que não teve importância nenhuma." Rick dá uma risada amargurada. "E eu falei: 'Você está dizendo isso para eu me sentir melhor? Que você é capaz de me magoar tanto assim por uma coisa sem nenhuma importância?'"

"SERÁ QUE EU ESTAVA SÓ ESQUENTANDO O LUGAR DO AMOR DA VIDA DELE?"

A maioria de nós, hoje em dia, acha natural não ser o primeiro amante do parceiro escolhido, mas espera ser o último. Podemos aceitar que nosso amado tenha tido outros namoros, outros casamentos, mas gostamos de pensar que foram passageiros e são parte do passado. Acabaram porque não eram para ser. Sabemos que não fomos os únicos, mas acreditamos ser *a pessoa certa*. Por isso, uma reviravolta na narrativa da infidelidade que é especialmente sofrida é a reativação de uma paixão antiga.

Helen e Miles estão juntos há dezoito anos e são casados há catorze. Nos últimos dois anos, descobriu-se, Miles vem mantendo um caso com a ex-mulher, Maura, que quase o arruinou ao ir embora com outro. "Por que ela?", Helen não parava de questionar. "Por que a ex? Ela o fez sofrer muito. Seria de se imaginar que ele não quisesse nada com ela." Quando perguntei a Miles, ele confessou nunca ter aceitado que Maura tivesse deixado de amá-lo, e que até certo ponto ainda acreditava que as mãos do destino conduziam a relação deles. "Depois desses anos todos, topei com ela caminhando no Pacific Crest Trail. Não é muita coincidência?"

Helen sempre soube que Maura foi o primeiro amor de Miles — ele se casou com ela durante a faculdade e ficaram doze anos juntos. E agora ela se pega pensando: "Será que ele me amou de verdade? Apesar dos nossos filhos e de tudo que construímos, será que já fui mesmo o amor da vida dele? Ou será que era ela? Vai ver que eu estava só esquentando o lugar do amor da vida dele". Ser substituído é sempre duro, mas quando o ex retorna e o novo na verdade é velho, o toque especial é a sensação de que talvez estejamos competindo com o destino.

BEBÊS E EXAMES DE SANGUE

Existe uma singular contundência quando o caso tropeça em questões de vida ou morte, nascimento e doença. Já sabemos há tempos que um instante de lascívia pode deixar um legado de gerações. Ao longo de grande parte da história, as consequências inevitáveis do adultério eram filhos ilegítimos.

Apesar da contracepção, ainda há muitos casos em que existe prova viva da relação ilícita, gerando um nível extra de vergonha e um lembrete duradouro. Homens criam filhos que não conceberam. "Na maioria dos dias, não penso nisso. Sou só o pai dela. De vez em quando, porém, me dói saber que essa menininha que eu amo mais do que tudo no mundo tem o DNA do homem que eu desprezo." Mulheres vivem com o conhecimento de que seus parceiros são pais de crianças em outros lugares. "Primeiro ele não queria ter filhos. Quando começamos a tentar, era tarde demais até para a fertilização in vitro. Foi sofrido aceitar a falta de filhos, mas achei que tivéssemos lidado com isso juntos. Então descobri que ele não só estava se consolando com uma mulher mais nova, como ela também lhe deu exatamente o que eu não podia dar. Ela me mandou fotos do ultrassom por despeito, já que ele disse a ela que não me largaria. O caso, eu aguento, mas não o bebê."

Casos podem criar uma nova vida; também podem ser uma ameaça a ela. Hoje em dia, é uma prática normal mandar um parceiro infiel fazer um teste de DSTs. Mas às vezes é tarde demais. No começo, Tim ficou bravo ao descobrir os vários parceiros de Mike. Ele havia dito claramente a Mike que queria uma relação monogâmica. Para piorar, agora Tim aguarda com ansiedade o resultado de seu exame de sangue. "Sempre fizemos sexo seguro. A coisa mais difícil de entender é sua falta de preocupação com a minha saúde e o risco em que ele nos colocou. Me dá um frio na barriga sempre que penso nisso. E continuo sem saber se ele lamenta ter feito o que fez ou só lamenta ter sido pego no flagra."

O PREÇO DA GALINHAGEM

Circunstâncias econômicas também exercem um papel importante na maneira como vivenciamos e reagimos a traições. Para os parceiros em situação de dependência financeira, pode ser literalmente o caso de "não posso me dar ao luxo de ir embora". Para o provedor, a ideia de que "passei esses anos todos trabalhando para sustentar você e esta família e agora vou ter de pagar pensão enquanto você vai morar com esse fracassado" pode ser insuportável. Para os dois companheiros, o que está em jogo não é apenas a família e a vida construída, mas também o estilo de vida ao qual se acostumaram. Quando

Devon traiu Annie pela segunda vez, ela avisou que ele tinha 24 horas para "cair fora do *meu* apartamento". Mais tarde, ela me disse: "Eu pago todas as contas, inclusive as prestações do carro dele, para ele poder se dedicar à música. Fui generosa até demais, mas agora chega". Sua liberdade econômica é um amortecedor, dando-lhe uma gama de opções que está fora do alcance de muitas outras pessoas.

Darlene não pode nem frequentar um grupo de apoio porque não tem como bancar uma babá para os filhos. Não diz "agora chega". Diz "estou presa". Não está pronta para ir embora, apesar da insistência de diversos terapeutas e membros de sua congregação. Portanto, nos empenhamos em achar uma nova igreja com um pastor que lhe dê apoio, bem como uma comunidade on-line que respeite suas escolhas e lhe empreste os ouvidos. Até poder criar um espaço para pensar por si própria, ela mal consegue contemplar suas alternativas.

Edith está chegando aos sessenta anos quando descobre o hábito do marido, que se estende há décadas, de pagar prostitutas. Ela se incomoda com a natureza melancólica da situação, mas o chute no estômago é o custo. "Não quero parecer mercenária", ela me diz, "mas vinte anos de sexo pago... é o preço de uma hipoteca!" Sentada no apartamento de um quarto, pequeno e alugado, examinando as contas do cartão de crédito, essas dezenas de milhares de dólares doem muito mais do que o sexo pelo qual pagaram.

Dinheiro. Bebês. DSTs. Premeditação. Descuido. Vergonha. Insegurança. Fofoca e críticas. A pessoa, gênero, tempo, lugar, contexto social específicos. Se esse breve compêndio das histórias de horror do amor nos mostra alguma coisa é que, embora todos os atos de traição tenham características em comum, toda vivência da traição é única. Não fazemos bem a ninguém ao reduzir casos a sexo e mentiras, ignorando os vários outros elementos constitutivos que criam as nuances do suplício e influenciam o caminho que leva à cura.

6. Ciúme

A faísca de Eros

O monstro de olhos verdes causa muita desgraça, mas a ausência dessa serpente horrorosa indica a presença de um cadáver cujo nome é Eros.
Minna Antrim

P: Qual é o segredo das relações duradouras?
R: A infidelidade. Não o ato em si, mas sua ameaça. Segundo Proust, uma injeção de ciúmes é a única coisa capaz de resgatar uma relação arruinada pelo hábito.
Alain de Botton, *Como Proust pode mudar sua vida*

Eurípides, Ovídio, Shakespeare, Tolstói, Proust, Flaubert, Stendhal, D. H. Lawrence, Austen, as irmãs Brontë, Atwood — inúmeros gigantes da literatura mergulharam no tema da infidelidade. E as histórias não param, continuamente oferecidas por novas canetas. No cerne de muitas dessas narrativas está uma das emoções mais complexas, o ciúme — "aquela mistura nauseante de possessividade, desconfiança, raiva e humilhação [que] pode tragar sua mente e ameaçar sua essência enquanto você mede o rival", como descreve a antropóloga evolutiva Helen Fisher.[1] De fato, o cânone literário, assim como o teatro, a ópera, a música e o cinema, seria praticamente dizimado se descartasse a infidelidade e seu pungente companheiro, o ciúme. As páginas e palcos dos mestres são cheios de personagens torcidos por essa emoção tão atroz e arriscada.

E, no entanto, quando a infidelidade chega ao consultório do terapeuta, sobretudo nos Estados Unidos, de repente o ciúme desaparece. Minhas colegas Michele Scheinkman e Denise Werneck, terapeutas de casal brasileiras, ressaltam essa lacuna curiosa: "A literatura relativa à infidelidade lida com o impacto de traições e casos em termos do trauma gerado pela revelação e a descoberta, a confissão, as decisões sobre o terceiro, o perdão e a reparação — todas questões ligadas à situação concreta da traição no aqui e agora. Entretanto, não lida com o ciúme. A palavra está ausente dos sumários e índices remissivos dos livros sobre infidelidade lidos por um público mais numeroso".[2]

Scheinkman e Werneck se interessam especificamente pelas diferenças culturais na interpretação do ciúme. Segundo elas, "reconhecido no mundo todo como motivação para crimes passionais, o ciúme é definido em certas culturas como uma força destrutiva que precisa ser contida, enquanto em outras é concebido como um companheiro do amor e guardião da monogamia, essencial para proteger a união de um casal".[3]

Minha experiência trabalhando nos Estados Unidos e mundo afora confirma as observações de Scheinkman e Werneck. Na América Latina, é inevitável que o termo "ciúme" apareça no primeiro fôlego. "Na nossa cultura, o ciúme é a questão primordial", uma mulher de Buenos Aires me contou. "Queremos saber: ele ainda me ama? O que ela tem que eu não tenho?"

"E as mentiras?", indaguei. Ela deu uma risada desdenhosa. "Nós mentimos desde que os espanhóis chegaram!"

Essas culturas tendem a enfatizar a perda do amor e a deserção de Eros por causa da mentira. Portanto, o ciúme é, nas palavras da historiadora e filósofa italiana Giulia Sissa, uma "fúria erótica".[4] Em Roma, um homem de 29 anos, Ciro, exibe uma macabra expressão de satisfação no rosto ao me contar seu plano para encurtar a noite da namorada com o belo amante furando os pneus do carro dela. "Pelo menos agora não vou ter de imaginá-la nos braços dele; só os vejo esperando o reboque debaixo da chuva."

Nos Estados Unidos, porém, e em outras culturas anglo-saxãs (que tendem a ser protestantes), as pessoas guardam um silêncio extraordinário acerca dessa perene doença do amor. Na verdade, querem falar de traição, quebra de confiança e mentiras. O ciúme é negado a fim de salvaguardar a superioridade moral da vítima. Nos orgulhamos de estar acima desse sentimento mesquinho que cheira a dependência e fraqueza. "Eu, com ciúme? Jamais! Só estou com raiva!" Stuart, um sujeito que conheci em um voo que partia de Chicago, admitiu que se irritava ao ver a namorada flertar com outro cara sem disfarces. "Mas eu nunca deixaria que ela percebesse que fiquei enciumado", ele diz. "Não quero que ela pense que tem tamanho poder sobre mim." Só para você saber: o que Stuart não percebe é que podemos tentar esconder nosso ciúme, mas quem o inspira sempre sabe — e às vezes até curte atiçar as brasas para transformá-las em chamas enlouquecedoras.

O ciúme não foi sempre renegado. O sociólogo Gordon Clanton pesquisou matérias sobre o tema em revistas americanas populares durante um período de 45 anos.[5] Até a década de 1970, ele era visto como um sentimento natural intrínseco ao amor. Não é surpresa que os conselhos sobre o tema fossem dirigidos exclusivamente às mulheres, incentivadas a controlar o ciúme (nelas mesmas) e evitar provocá-lo (nos maridos). Depois de 1970, o ciúme caiu em desgraça e passou a ser visto cada vez como um vestígio inadequado de um modelo antigo de casamento em que a posse era central (para os homens) e a dependência inevitável (para as mulheres). Na nova era de livre escolha e igualdade, o ciúme perdeu a legitimidade e virou motivo de vergonha. "Se por livre e espontânea vontade escolhi você como a pessoa certa, abrindo mão de todas as outras, e você me escolheu por livre e espontânea vontade, eu não deveria sentir necessidade de ser possessivo."

Como Sissa destaca em seu revigorante livro acerca do tema, o ciúme carrega em si um paradoxo — precisamos amar a fim de ter ciúme, mas, se amamos, não deveríamos tê-lo.[6] No entanto, temos mesmo assim. Todo mundo fala mal do ciúme. Portanto, o vivenciamos como uma "paixão inadmissível". Não só somos proibidos de assumir que temos ciúme como não nos é permitido *sentir* ciúme. Hoje em dia, Sissa nos adverte, o ciúme é politicamente incorreto.

Embora nosso reequilíbrio social em torno do ciúme tenha sido parte de uma mudança importante para além do privilégio patriarcal, talvez ele tenha ido longe demais. Nossos ideais culturais às vezes são impacientes demais com nossas inseguranças humanas. Podem não conseguir dar conta da vulnerabilidade inerente ao amor e da necessidade que o coração tem de se defender. Quando botamos todas as nossas esperanças em uma pessoa, nossa dependência aumenta. Todo casal vive à sombra do terceiro, admita isso ou não, e, em certo sentido, é a presença à espreita dos possíveis outros que consolidam o laço. Em seu livro *Monogamia*, Adam Phillips escreve: "Dois formam um par. Para um casal é preciso três".[7] Sabendo disso, tenho mais simpatia pelos sentimentos intransigentes que amantes modernos buscam suprimir.

O ciúme é cheio de contradições. Conforme captou a caneta incisiva de Roland Barthes, o ciumento "sofre quatro vezes: porque estou enciumado, porque me culpo por estar assim, porque temo que meu ciúme fira o outro, porque me permito ser sujeitado a uma banalidade: sofro por ser excluído, por ser agressivo, por ser louco e por ser comum".[8]

Além do mais, apesar de hesitarmos em assumir nosso ciúme, nos preocupamos com a possibilidade de que o parceiro não o sinta. "Aquele que não tem ciúme não está apaixonado", diz um velho provérbio latino, e, no tocante aos outros, tendemos a concordar, embora não usemos a mesma lógica para nós mesmos. Lembro-me de uma cena de *Butch Cassidy*, em que, certa manhã, o Butch de Paul Newman leva a namorada de seu amigo Sundance, Etta Place (Katharine Ross), para dar uma volta de bicicleta. Ela salta na porta de casa e eles se abraçam. Sundance (Robert Redford) aparece na varanda e questiona: "O que você está fazendo?". "Roubando sua namorada", Butch responde. "Pode levar", diz Redford em seu característico estilo inexpressivo. Lembro-me de assistir a essa cena quando jovem e, enquanto todos pareciam gostar da demonstração fraternal de confiança, ficar me perguntando: Será que ela teria se sentido mais amada se ele impusesse mais resistência?

O DILEMA DA POSSESSIVIDADE

Polly me contatou do outro lado do Atlântico. Convicta da moralidade infalível do marido, Nigel, durante quase três décadas, ela ficou perplexa ao descobrir que ele poderia sucumbir à tônica da meia-idade sob a forma de uma moça chamada Clarissa. "Eu teria apostado minha vida na fidelidade dele!", ela me disse. Mas esse pai orgulhoso de quatro filhos não se via tendo um caso — estava apaixonado e pensava seriamente em trocar Polly por uma nova vida. Para seu grande desgosto, a amante de olhos pretos concluiu que ele vinha com uma bagagem muito pesada e preferiu viajar com uma mala mais leve. Nigel ficou cabisbaixo, mas também meio aliviado. Decidiu voltar para casa e encerrar o que agora chama de "insanidade temporária".

Na minha primeira sessão com esse casal britânico à beira dos cinquenta anos, descubro mais sobre a outra do que sobre eles. Polly não consegue parar de falar nela.

"Queria conseguir tirar *aquela mulher* da minha cabeça", ela me diz. "Mas não paro de ter flashbacks das cenas que ele descreveu nos e-mails que mandou para ela. Quero que ele fale para ela que não passou de uma paixão física boba. Eu a imagino cheia de si pelo que os dois viveram juntos, convencida de que foi mais significativo do que a ligação que ele tem comigo. Acho que ele devia esclarecer as coisas — que ele ama a mim e não a ela. Talvez isso me livrasse do trauma." Entendo sua dor, mas em suas exigências também ouço a voz inconfundível do ciúme.

Polly se sente exposta quando chamo a atenção para esse fato. Não nega, mas está claro que seu estômago se revira. A pessoa ciumenta sabe que não é um personagem simpático e que seu tormento provavelmente atrairá mais críticas que compaixão. Como resultado, o que Proust chamou de "o demônio que não pode ser exorcizado" simplesmente saiu à caça de um vocabulário socialmente aceitável.[9] "Trauma", "pensamentos intrusivos", "flashbacks", "obsessão", "vigilância" e "problemas de apego" são o vocabulário moderno do amor traído. Esse arcabouço do transtorno de estresse pós-traumático legitima nosso sofrimento romântico, mas também o despe da essência romântica.

Garanto a Polly que seu ciúme é uma reação natural, não um motivo de vergonha. Reconhecer o ciúme é admitir amor, competição e comparação — todos sentimentos que demonstram vulnerabilidade. E mais ainda quando você se expõe a quem o magoou.

O monstro de olhos verdes nos insulta quando estamos mais indefesos e nos põe em contato direto com nossas inseguranças, nosso medo da perda e nossa falta de autoestima. Não é nosso ciúme iludido ou patológico (às vezes chamado de monstro de olhos negros), em que a desconfiança infundada é alimentada mais pelo trauma de infância que por alguma causa atual. É o tipo de ciúme que é intrínseco ao amor e portanto à infidelidade. Estão contidos nessa simples palavra um monte de sentimentos e reações intensos, que podem ir de lamento, insegurança e humilhação a possessividade e rivalidade, excitação e encanto, desejo de vingança e desforra, chegando até a violência.

Peço que Polly me fale mais de como se sente. "Às vezes é como se eu fosse um prêmio de consolação", ela admite. Mulher de sua época, ela deseja mais. "Preciso que ela saiba que ele voltou porque *me* ama, não por culpa ou dever ou porque ela lhe deu o fora."

Cá estamos, no dilema da possessividade. O desejo de ter e controlar é ao mesmo tempo parte intrínseca da fome do amor e também uma perversão do amor. Por um lado, queremos instigar o parceiro a voltar para nós. Mas não queremos que volte só por obrigação: queremos nos sentir escolhidos. E sabemos que o amor que é privado de liberdade e capitulação voluntária não é amor. Porém, é assustador criar espaço para essa liberdade.

Se eu tivesse visto Polly e Nigel poucos anos antes, talvez também enviesasse minha atenção para o trauma e a traição e deixasse de absorver a liturgia do amor enciumado. Agradeço à obra de Scheinkman por lançar uma nova luz sobre essa emoção exilada e por me lembrar que, no final das contas, a infidelidade não diz respeito apenas a contratos rompidos, mas a corações partidos.

TRAUMA OU DRAMA?

Dado o *zeitgeist* cultural, é importante reconhecer a centralidade do amor na atual narrativa sobre infidelidade, e o ciúme é uma porta para essa conversa. É claro que o ciúme às vezes vai longe demais — nos consumindo e minando e, em casos extremos, levando à agressão ou até a espancamentos. Mas em outras situações ele pode ser a última chama fulgurante de eros em uma relação de resto já apagada — portanto, ele é também um meio de reacender a chama.

"O ciúme é a sombra do amor", escreve Ayala Malach Pines em *Romantic Jealousy: Causes, Symptoms, Cures* [Ciúme romântico: causas, sintomas, curas], pois confirma que valorizamos o parceiro e a relação.[10] Ao apresentar essa ideia em uma sessão, lembro a casais como Polly e Nigel que o caso não é apenas uma quebra de contrato: é também uma experiência de amor frustrado.

Sissa descreve o ciúme como "um sentimento sincero", por não ser disfarçável.[11] "Ele carrega corajosamente seu sofrimento e tem a humilde nobreza de ser capaz de reconhecer sua vulnerabilidade", ela declara. O curioso é que, ao rastrear a origem do termo, somos levados à palavra grega *zelos*, que significa zelo. Gosto desse conceito, pois assim posso dar às pessoas algo por que lutar, em vez de ficarem sob o jugo da vitimização.

Muitos casais acolhem de bom grado essa redefinição — preferem se ver como protagonistas na história de amor lúgubre a se perceberem como membros de uma instituição falida. O roteiro da quebra de contrato — "você é meu marido e me deve lealdade" — já não funciona na época da felicidade pessoal. O roteiro do "eu te amo e te quero de volta" é arriscado, mas transmite energia emocional e erótica e dignifica a mágoa.

"SERÁ QUE TENHO UM PARAFUSO A MENOS PORQUE ESSE CASO ME EXCITA?"

"Às vezes, quando fazemos amor, imagino que sou ela — uma voluptuosa bartender espanhola de 35 anos com peitões e sotaque." Depois de vencer a hesitação inicial, Polly fala abertamente de sua imaginação enciumada. "Estamos nus atrás do balcão depois que o bar fecha, nos arbustos da praça, no mar enluarado tarde da noite. É excitante. Sempre quis que ele fizesse essas coisas comigo — que me quisesse tanto que precisasse se arriscar a ser flagrado. Agora sinto que roubaram a minha fantasia. Será que tenho um parafuso a menos porque esse caso me excita? Depois me sinto humilhada. Mas não consigo parar de pensar nela."

Ela afirma querer que Nigel faça amor com ela como fazia com Clarissa. "Quero saber como ela se sentia", explica. Mas me pergunto: será isso mesmo? Digo a Polly: "Me parece que você gostaria de saber se ele consegue sentir com *você* o que sentia com *ela*".

Indago como anda a vida sexual dos dois desde a revelação do caso. Meio constrangida, Polly me diz: "O sexo tem sido o mais erótico que já fizemos — frenético, ardente e urgente".

Muitos casais que recebo têm vergonha de assumir a intensa carga erótica que às vezes se segue à descoberta de um caso. "Como é que eu desejo alguém que traiu minha confiança? Estou tão brava contigo, mas quero que você me abrace." E, no entanto, a necessidade de conexão física com quem acabou de nos abandonar é surpreendentemente comum.

Eros não obedece às nossas racionalizações. Em *A mente erótica*, o sexólogo Jack Morin identifica os "quatro pilares do erotismo".[12] A saudade — o desejo pelo que não está presente — é o primeiro.* Assim, podemos entender como o medo da perda desencadeado pela infidelidade é capaz de reavivar as chamas que em certos casos estavam adormecidas há anos. Além disso, para algumas pessoas, como Polly, imaginar obsessivamente os corpos entrelaçados dos amantes é um afrodisíaco inesperado. Sabe-se que o ciúme faz maravilhas. Nigel jogou no meio da relação uma narrativa fumegante que agiu como infusão sexual. A confissão de que foi mais que uma aventura também aumentou a excitação de Polly. O ciúme é mesmo uma fúria erótica, e sua disposição para o combate da sobrevivência-do-mais-apto não é apenas o sintoma do trauma, é uma declaração de amor. No exemplo de Polly, intuo que se prove essencial para a ressurreição de seu casamento.

"O GOSTO É IGUAL AO SEU, SÓ QUE MAIS DOCE"

Claro que a infidelidade não é sempre excitante — em geral é o contrário. O coração enciumado é insaciável no tocante a perguntas. E quanto mais garimpamos cada detalhe sexual, mais são confirmadas as comparações desfavoráveis. Em *Closer*, filme de Mike Nichols lançado em 2004, Larry (Clive Owen) interroga a esposa, Anna (Julia Roberts), depois de ficar sabendo de seu caso com Dan (Jude Law). "Vocês transaram aqui?", ele interpela. "Quando? Você gozou? Quantas vezes? Como? Quem estava onde?"

Ele a segue pelo apartamento enquanto ela veste o casaco, suas perguntas cada vez mais explícitas em um crescendo à medida que as respostas dadas por ela fazem sua raiva aumentar. Por fim, na porta, ela se vira e o encara. "Nós fizemos tudo o que as pessoas que transam fazem!"

Ele não se satisfaz. "Você gosta de chupá-lo? Você gosta do pau dele? Você gosta dele gozando na sua cara? Que gosto tem?"

Exasperada, ela berra: "O gosto é igual ao seu, só que mais doce!".

---

* Os três outros pilares de Morin são: violar proibições, buscar o poder e superar a ambivalência.

A fúria dele se reduz ao sarcasmo amargo. "Ah, que ótimo. Agora, vá se foder e morra." Como escreve François de la Rochefoucauld, "o ciúme se alimenta de dúvidas, e, assim que a dúvida vira certeza, ele se transforma em frenesi ou deixa de existir".[13]

Não são só os homens que querem os detalhes físicos. Já ouvi mulheres enciumadas se compararem às rivais em termos tão descritivos quanto os homens. Os seios grandes delas; meus seios normais. Os orgasmos múltiplos dela; os meus inconstantes. Os esguichos dela; minha necessidade de lubrificante. As chupadas generosas dela; minha aversão ao cheiro. Todos já ouvimos Alanis Morissette cantar os inesquecíveis versos: "An older version of me/ Is she perverted like me?/ Would she go down on you in a theater?".*

ONDE A INVEJA E O CIÚME SE MISTURAM

Não raro as pessoas perguntam: qual é a diferença entre inveja e ciúme? Uma definição que acho de grande valia é que a inveja diz respeito a algo que você quer mas não tem, enquanto o ciúme diz respeito a algo que você tem mas teme perder. Assim, a inveja é um tango de duas pessoas, mas a dança do ciúme pede três participantes. Inveja e ciúme são primos próximos e volta e meia se entrelaçam.

Minha amiga Morgan, uma jornalista de cinquenta e poucos anos, bem-sucedida e inteligente, achava difícil separar o ciúme que sentia de Cleo, a amante de seu marido, Ethan, da inveja do que os dois dividiam. No começo, Ethan apenas confessou o caso. Em seguida, Morgan descobriu seu arquivo eletrônico de júbilo. "Como foi que aguentei? Me refugiei na realidade alternativa da obsessão", ela relembra. Se não podia ter Ethan, pelo menos poderia espiar seu caso amoroso do outro lado da rua digital. Em "uma orgia de masoquismo", ela examinou o Instagram e o website da amante do marido.

"Cleo era o retrato da mãe-terra. O brilho de adoração nos olhos; o corpo tonificado; o sorriso sábio — tão natural, tão juvenil, tão sedutor. Essa perfeição de mulher era cineasta independente. Praticante de ioga. Defendia

---

* "Uma versão mais velha de mim/ Ela é depravada que nem eu?/ Ela chuparia você no cinema?" (N. T.)

causas progressistas. Era aventureira. Usava anéis nos dedos dos pés. Uma fada travessa com o tipo de felicidade interior que fervilha de dentro para fora e elucida todos os que estão em volta." Cada camada de idealização era sombreada por uma camada de abnegação. "Se a lição disso tudo era que eu não bastava como mulher, pelo menos eu poderia viver indiretamente por meio daquela supermulher. Quantas vezes ouvi as conversas oceânicas que eles deviam ter tido? Morri e fui para o céu milhares de vezes no lugar imaginário dele."

Quando pergunto por que ela foca mais em Cleo do que na traição de Ethan, ela afirma: "A questão não é tanto o fato de ele ter cometido uma transgressão, mas de ter transcendido. Fui ultrapassada por sua amante nova e aprimorada. Cada uma das fotos com legenda criava na minha mente febril outra camada indicando que ele tinha encontrado o grande amor da vida dele e eu estava ferrada. É por isso que, para mim, termos como 'traição' ou 'transgressão' não captam a ideia: são carregados de condenação que me vingam como vítima, mas furtam-se a expressar como me senti nos contornos turvos do meu eu, incapaz de manter o fascínio". A violência da autoflagelação de Morgan nasce da mistura venenosa de inveja com ciúme. Sob a fixação escondem-se a vergonha e a insegurança. Seguindo em frente com a autoflagelação, ela imagina Ethan e Cleo falando dela como "a súcubo sombria de cujas garras ele felizmente escapou".

Temos a impressão de estar nus ao imaginar o parceiro falando de nós com a amante — expondo nosso mundo secreto, nossos segredos, nossas fraquezas. Ficamos obcecados: "O que ele falou de mim?". "Ela se pôs como vítima de um casamento infeliz?" "Ele me difamou para ficar bem na fita?" Não podemos controlar o parceiro que nos larga e menos ainda as histórias a nosso respeito que opta por contar.

Rememorando um ano inteiro de luto, como se fosse uma viúva, Morgan me diz: "As imagens e sensações me vinham sem parar, como uma cripta de sonhos. No começo, se apossavam dos meus pensamentos a todo instante. Com o tempo, passou a ser a cada trinta segundos. A certa altura, eu conseguia aguentar um minuto inteiro, depois horas, depois dias. Você sabe o que é não ter liberdade de pensamento?".

A eloquente descrição que Morgan faz da perda de seu eu soberano traz à tona a voz da autora francesa Annie Ernaux. No romance *L'occupation* [A ocupação], ela descreve a situação de estar totalmente consumada pela outra mulher. Compara o ciúme a estar em território ocupado — em que a existência de alguém é invadida por uma pessoa que talvez nunca se tenha conhecido. "Eu estava, nos dois sentidos da palavra, ocupada [...] de um lado havia o sofrimento; do outro, meus pensamentos, incapazes de focar em algo além do fato e da análise desse sofrimento."[14]

Morgan encontrou alívio no apoio dos amigos, nos livros e nos filmes. Sentindo como se estivesse "viciada", ela queria saber como outros haviam afrouxado o abraço da serpente. Precisava saber que não era louca. E não era. A antropóloga Helen Fisher, que estudou imagens por ressonância magnética do cérebro apaixonado, nos diz que o amor romântico é literalmente um vício, iluminando as mesmas áreas do cérebro que a cocaína e a nicotina. E, quando um amante é rejeitado, o vício permanece — essas mesmas áreas do cérebro continuam se acendendo quando ele vê imagens do amado. Deixar de pensar obsessivamente sobre um amor perdido, ela conclui, é parecido com romper uma dependência química.[15] Os amantes sempre souberam disso, e a metáfora cativou nossa imaginação muito antes de existirem aparelhos de ressonância magnética.

Além desses circuitos biológicos acionados, Morgan também estava enredada nos circuitos psicológicos de perdas na primeira infância. Estava revivendo diversos abandonos, alguns deles ocorridos antes que sequer se entendesse por gente, embora seu corpo tivesse "registrado o placar", nas palavras da psiquiatra Bessel van der Kolk. O amor ferido se assenta sobre outros amores feridos. Como um efeito rebote ao longo do tempo, uma ruptura no presente pode desencadear o eco de todas as rupturas do passado.

No decorrer do tempo, Morgan relembra, "os neurônios começaram a esfriar" e ela "superou a loucura". Dois anos depois, Ethan apareceu em sua caixa de entrada pedindo outra chance. E seu instinto de sobrevivência disse não. "Investi muito esforço para me reconstruir a partir dos escombros. Mas uma pergunta eu ainda não sei responder: o que vai ser necessário para que eu volte a confiar?"

RECUPERANDO O AMOR

Para Morgan, a competição com a rival a deixou à beira da aniquilação de si. Ela precisava romper o domínio da outra mulher para recuperar a autoconfiança.

Para Polly, no entanto, a competição foi excitante. Ver Nigel cobiçado por outra a arrancou do torpor conjugal e o restabeleceu como objeto de desejo sexual, e ela mesma como uma mulher à caça. Não há nada como o olhar erotizado de um terceiro para desafiar a percepção domesticada que temos um do outro.

Um ano após a revelação, tenho a oportunidade de verificar como estão Polly e Nigel. Eles me dizem que vão bem. Nigel exprimiu sincero remorso e se comprometeu totalmente com a reconstrução do relacionamento. Existe só um assunto delicado. Polly *ainda* não consegue parar de pensar "naquela mulher".

Ela me conta que tem se consultado com uma terapeuta que a diagnosticou com transtorno de estresse pós-traumático. Vem lidando com os pensamentos intrusivos através da atenção plena, de exercícios de respiração e de longas sessões de contemplação com Nigel a fim de restabelecer os laços e a confiança. "Minha esperança é de que, me sentindo mais segura, não volte a ter esses pensamentos."

"É claro que você sentiria um alívio tremendo se esse quadro-negro fosse apagado", eu lhe digo. Mas recordando-me das primeiras conversas com Polly, proponho uma nova maneira de ver a questão. "Por que abrir mão dos pensamentos? Eles me parecem naturalíssimos. E também parecem ter feito muito bem a você!" Ela parece menos uma vítima de trauma do que uma mulher revigorada pelo amor e o ciúme. "Me permita sugerir que 'aquela mulher' foi uma bela fonte de inspiração. Você está radiante — mais vivaz, mais interessada, mais ativa fisicamente e mais aventureira do ponto de vista sexual —, e tudo isso faz bem à sua relação."

Nigel me olha com apreensão, sem saber como Polly vai encarar o comentário. Mas ela sorri. É comum eu perceber que, para casais nessa situação, pode ser um alívio enfim sair da narrativa impotente do trauma e voltar a um belo drama antigo — a história perene do amor fraturado. Na verdade é uma postura mais fortalecedora, mais humana do que patológica.

Incentivada pelo sorriso de reconhecimento de Polly, retribuo o sorriso. Uma ideia me passa pela cabeça — uma ideia nada convencional, no mínimo, mas que talvez dê a Polly o tipo de alívio que ela procura. "Vamos dar mais um passo", eu lhes digo. "Quem sabe, em vez de banir Clarissa, vocês não a eternizam? Imaginem construir um altar a essa mulher para expressar sua gratidão por todo o bem que ela lhes fez. E todo dia, pela manhã, antes de sair de casa, separar um tempo para reverenciar e agradecer à sua improvável benfeitora."

Não tenho como saber se essa sugestão extremamente subversiva libertará Polly de seu drama. Mas sei o que estou procurando: restituir seu poder. No jargão clínico, esse gênero de intervenção homeopática é chamado de prescrever o sintoma. Como os sintomas são involuntários, não podemos apagá-los, mas, se os prescrevermos, podemos assumir o controle sobre eles. Além disso, encenar um ritual confere um novo significado a um sofrimento antigo. E o toque especial é que o criminoso se torna o libertador. Um breve contato com Polly alguns meses depois confirma que a brincadeira deu resultado. Claro que esse tipo de abordagem não é para todo mundo. Mas eu jamais esperaria que funcionasse com tamanha frequência.

PODEMOS – E DEVEMOS – EVOLUIR A PONTO DE VENCER O CIÚME?

Nenhuma conversa sobre o ciúme pode desviar do atual debate entre natureza e criação. Seria o ciúme inato, forjado nas profundezas dos recessos do nosso passado evolutivo? Ou uma reação aprendida, um construto social oriundo de ideias antiquadas acerca da monogamia? Esse argumento está no primeiro plano do discurso mais contemporâneo sobre o tema.

Os psicólogos evolucionistas reconhecem a universalidade do ciúme em todas as sociedades. Eles postulam que deve ser um sentimento inato, geneticamente programado, "um mecanismo de adaptação perfeitamente talhado que servia bem aos interesses de nossos ancestrais e provavelmente continua a servir aos nossos interesses atuais", nas palavras do pesquisador David Buss.[16]

Os psicólogos do desenvolvimento nos dizem que o ciúme aparece no começo da vida do bebê, por volta dos dezoito meses, mas bem depois da alegria, da tristeza, da raiva ou do medo. Por que tão tarde? Assim como vergonha e culpa, trata-se de um sentimento que exige um nível de desenvolvimento cognitivo em que já se pode reconhecer o eu e o outro.

Outra controvérsia relevante no debate sobre ciúme é o gênero. No mapa clássico, os homens o ancoram no risco da incerteza acerca da paternidade, e as mulheres, na perda do compromisso e dos recursos necessários para cuidar dos filhos. Consequentemente, a teoria popular sustenta que o ciúme feminino é sobretudo emocional e o masculino é sexual. O curioso é que pesquisas mostram o inverso entre homossexuais: mulheres lésbicas tendem a expressar mais ciúme sexual do que homens gays, e homens gays demonstram mais ciúme emocional do que as lésbicas. É bastante provável que essa inversão ressalte que nos sentimos mais ameaçados onde nos sentimos menos seguros.

Nos últimos anos, conheci muitas pessoas determinadas a explodir as ideias e posturas convencionais sobre ciúme, principalmente aquelas que praticam a não monogamia consensual. Algumas levam a experiência de Polly a outro patamar, usando propositalmente o ciúme como estímulo erótico. Outras se esforçam para transcendê-lo por completo. Muitas que se definem como poliamorosas alegam ter desenvolvido uma nova reação emocional chamada compersão — uma sensação de felicidade ao ver o parceiro aproveitar o contato sexual com outra pessoa. No compromisso com o amor plural, se empenham ativamente para superar o ciúme, vendo-o como parte integral do paradigma de relação possessiva que estão tentando vencer.

"De vez em quando, ao vê-la com uma das outras namoradas, sinto ciúme", Anna me explicou. "Mas lembro a mim mesma que esses são meus sentimentos e que cabe a mim lidar com eles. Não a culpo por instigá-los, tampouco me dou permissão para me guiar por eles de alguma forma que restrinja a liberdade dela. Sei que ela toma cuidado para não desencadear propositalmente essas reações, e ajo da mesma forma por ela, mas uma não é responsável pelos sentimentos da outra." Esse não é o tipo de postura que costumo ver nos casais mais tradicionais, que tendem a esperar que o outro evite que os sinais indesejados sequer apareçam. Dito isso, no entanto, já conheci muitos casais não monogâmicos que lutam contra acessos de ciúme intensos.

Só o futuro poderá dizer se podemos — ou devemos — evoluir a ponto de vencer esse atributo demasiado humano. Com certeza o ciúme enraizado nas noções patriarcais de posse precisa ser reexaminado. E relações em que casais buscam reivindicar a posse de todos os pensamentos do outro podem muitas vezes ser fortalecidas por meio do afrouxamento das garras. Mas antes de relegar o coração enciumado às páginas da história, vamos escutar os sussurros de eros. Em um mundo em que tantas relações duradouras sofrem bem mais com a monotonia e o hábito do que com sensações perturbadoras como o ciúme, essa fúria erótica talvez sirva a algum propósito se estivermos dispostos a suportar a resultante vulnerabilidade.

7. Autorrecriminação ou vingança
A faca de dois gumes

> *Minha língua vai expressar o ódio do meu peito porque, se
> me contenho um pouco mais, meu coração estoura.*
> Shakespeare, A megera domada

A faca da traição romântica é afiada de ambos os lados. Podemos usá-la para nos cortar, para apontar nossos defeitos, para salientar nossa autodepreciação. Ou podemos empregá-la para devolver a ferida, para fazer o assassino vivenciar a dor lancinante que nos infligiu. Certas pessoas viram o gume para dentro; outras apontam a lâmina para os culpados da vida real ou imaginários. Oscilamos da depressão à indignação, da inércia à ira estrondosa, do desmoronamento ao contra-ataque.

"Um dia eu acho que vou deixar isso para trás e no outro sou tomada de ódio a ponto de achar que nunca mais vou conseguir olhar para ela de novo", Gaia me diz. "Fico brava comigo mesma por ser sossegada demais nisso tudo, compreensiva demais, e aí fico muito nervosa pensando que sou uma otária, e tenho vontade de pegar minhas chaves de volta e contar para a nossa filha o que ela fez. Odeio a montanha-russa que ela causou na minha cabeça. Fico ressentida por ela bagunçar minha vida só porque precisava 'se sentir melhor consigo mesma'. O egoísmo dela me mata."

Para Buddy, o desdém por si mesmo e o rancor da esposa infiel culminaram em um momento de desespero: "Me peguei deitado na cama, aos prantos, com uma escopeta na boca, estalando o gatilho com o dedo. Foi meu fundo do poço", ele relata. Mas a frase seguinte revela o outro gume da faca. "Quando minha esposa me mandou uma mensagem perguntando se eu estava bem, respondi: 'Claro, se estar com uma escopeta na boca significa estar bem'." À beira do suicídio, nunca levado a cabo, Buddy mistura autodestruição com culpa. "Está vendo o que você me levou a fazer?"

Nossas reações geralmente são imprevisíveis, até para nós mesmos. Ming é uma mulher gentil, uma cuidadora consumada que jamais levanta a voz. Ela elevou a arte da autocensura à perfeição. Não se lembra de uma época em que não pensasse que, se havia algo errado, era por sua causa. "Minha infância pode ser resumida em quatro palavras", ela diz. "A culpa é minha." Mas o urro que soltou ao descobrir as perambulações virtuais do marido surpreendeu praticamente mais a ela mesma do que ao marido. Fazia anos que não explodia daquele jeito. "Sempre que ele tentava se defender, eu dizia para ele calar aquela merda de boca. Era como se um alter ego tivesse surgido para me defender. Fazia muito tempo que eu o deixava agir feito um imbecil, botando a culpa de tudo em mim, e minha reação sempre foi a de me esforçar mais. Ele tentou me culpar pelo caso. Disse que os amigos ficam com pena porque ele só transa duas vezes por semana. Eu acabei com ele."

A LÓGICA CRUEL DA AUTORRECRIMINAÇÃO

"Como o chuveiro estava ligado, entrei para avisar que eu tinha chegado e lá estava ela, nua, com meu melhor amigo." Dylan estremece ao relembrar. "O que acho mais incrível é que, quando ela me falou que não era nada, que tinham ido correr e estavam tomando um banho, eu acreditei. Como é possível alguém ser tão burro?"

Dylan e Naomi se recuperaram do incidente e as coisas pareciam ter voltado ao normal. Então, um dia, quando ele estava passeando com o cachorro, "tive um lampejo de intuição de que ela estava tendo um caso com ele". Dylan achou os diários dela e tudo se desenrolou a partir daí. "Ela continuou mentindo e eu continuei jogando verde. Nossa terapia foi péssima, recebemos péssimos conselhos dos amigos. O pior é que eu sempre sentia que ela não me amava tanto quanto eu a amava, mas ela sempre dizia que era só insegurança minha. Agora eu sei que não era insegurança, que eu tinha razão. Ou que pelo menos tinha razão para ser inseguro."

Após a traição, não raro nos sentimos totalmente sem valor, nossas imperfeições temidas enfim confirmadas. Aquela velha voz conhecida talvez se erga em meio à confusão para relembrar que, na verdade, é provável que a culpa seja nossa. Em certa medida, desconfiamos de que fizemos por merecer.

Se uma pessoa opta por ter um caso, porém, na maioria das situações, ambos são responsáveis pelo contexto relacional em que ele ocorre. Quando chega a hora certa, no decorrer da terapia, os casais precisam encarar uma análise de duas vias. Mas, nesse processo, é necessário fazer sempre uma distinção: assumir a responsabilidade por criar condições que possam ter contribuído para o caso é bem diferente de se culpar pelo caso. Em estado de choque, é facílimo confundir os dois. A autocondenação exacerbada pode rapidamente transformar tudo de que você não gosta em si em razões para o parceiro ter pulado a cerca.

Dylan é suscetível a esse tipo de grandiosidade negativa. Sua autocomiseração logo degringola em autocensura. "Imagino que eu a tenha jogado nos braços dele. Ela reclamava que eu era um sanguessuga. Dizia que queria um cara com instinto assassino, não um desses meninos sensíveis e carentes que pregam paz e amor."

A falta de confiança de Dylan foi agravada pela percepção de que fazia quase um ano que a maioria das pessoas ao seu redor sabia o que estava acontecendo. Descobrir que você foi "o último a saber" é um golpe duro e faz com que você se sinta desprezível — como se dissessem, "ninguém te valoriza ou respeita o suficiente para te contar". Dylan não fora traído só pela namorada e o melhor amigo: perdera o status social aos olhos dos amigos. Ele os imagina fofocando pelas suas costas, na melhor das hipóteses sentindo pena, na pior das hipóteses rindo.

"VOCÊ ME FEZ SOFRER, AGORA VAI PAGAR!"

Dylan jogou tudo em cima de si mesmo. Fiquei esperando que sua raiva de Naomi emergisse. Ele sabia haver força na indignação justa, mas precisou de um longo ano para acessá-la. Entretanto, para muitas das pessoas que atendo, acontece o oposto: raiva primeiro, luto e autoanálise depois. E a raiva provoca a ânsia mortal de retaliação — o rito antigo dos feridos.

O coração vingativo tem uma imaginação maldosa. "Desencavei os processos judiciais contra ele e mandei para os pais dela. Achei que eles deviam saber com quem a filha estava trepando." "Um dia, fervi as peças de roupa preferidas dele junto com os lençóis. Opa." "Contei para as mulheres do grupo de pais o que ela fez comigo. Eu não iria gostar que meus filhos fossem para a casa de uma mãe dessas." "Abri a garagem e pus todos os pertences dele à venda quando ele foi passar o fim de semana fora trepando com aquela puta." "Joguei o vídeo da nossa transa no PornHub." O amor rejeitado busca represálias. "Você não vai escapar dessa ileso. Vai ter que pagar por isso."

A vingança implica uma tentativa de "ficar empatado", muitas vezes colorida pela desforra e a satisfação esperada. Heróis vingadores desfilam na mitologia grega, no Velho Testamento e em inúmeras histórias de amor, e embora a cultura contemporânea possa se declarar menos selvagem, também temos nossas celebrações da retaliação, sobretudo quando o delito é a infidelidade. Gostamos de ver o descarado receber a devida punição. Aumentamos o volume e cantamos junto quando Carrie Underwood diz que pegou um taco de beisebol e quebrou os faróis do carro do namorado enquanto ele dançava com uma "loira aguada vagabunda" dentro do bar. Até sob as roupagens mais fatais, não raro os chamados crimes passionais são tratados com mais leniência do que o assassinato a sangue-frio, sobretudo em culturas latinas.

AJUSTE DE CONTAS

Com a revelação do caso, de repente o placar do casamento se ilumina: o dar e receber, as concessões e as exigências, a distribuição de dinheiro, sexo, tempo, sogros, filhos, tarefas. Todas as coisas que nunca quisemos fazer mas fizemos em nome do amor são despidas do contexto que lhes dava sentido. "Claro que me mudo para Cingapura para você aceitar o emprego dos seus sonhos. Tenho certeza de que consigo fazer novas amizades." "Vou circuncisar meu filho porque sua religião acredita que é a atitude certa." "Estou disposta a deixar minha carreira em suspenso por você e criar nossa família." "Deixo sua mãe vir morar com a gente embora isso signifique que eu é que vou ter que cuidar dela." "Se é tão importante assim para você, vamos ter outro filho." Quando a infidelidade nos rouba o futuro pelo qual vínhamos trabalhando, invalida nossos sacrifícios passados.

Quando as coisas vão bem em um relacionamento, há um espírito de abundância e amor que produz generosidade. "Fiz isso por nós dois" faz sentido contanto que haja confiança nessa unidade básica chamada "nós". Mas a traição íntima transforma essa graciosa boa vontade em farsa. O meio-termo que funcionava tão bem ontem se torna o sacrifício que não defenderemos mais hoje. Limites saudáveis se tornam muros intransponíveis. A divisão harmoniosa de poder que existia ontem é o cabo de guerra total de hoje. Agora, olhando para trás, somamos todas as vezes que quebramos o galho. Montes de arrependimentos e rancores guardados desabam, exigindo reparação.

Quando Shaun descobriu que Jenny estava dormindo com um colega de doutorado, sentiu que anos de apoio incondicional eram pagos com um tapa na cara. "Consegui me segurar para não espancar o cara, mas foi por pouco." Preferiu ligar para os pais dela (menos perigoso, mais danoso), porque achava que eles precisavam saber quem a filha deles era *de verdade*. "Trabalhei tanto para dar tudo de que ela precisava — para que pudesse largar o emprego de período integral e fazer aquele doutorado em história medieval caro e inútil —, e é isso que eu ganho? Que aquele filho da puta entende ela? Que ele a *inspira*? Os 100 mil dólares gastos na educação dela não eram inspiradores o suficiente?" Shaun se sente roubado. E agora quer saquear a vida de Jenny assim como ela saqueou a dele. Eles romperam, mas o ódio o mantém colado nela, mais ainda do que quando estavam juntos.

A vingança geralmente parece mesquinhez, mas passei a respeitar a mágoa profunda que ela esconde. Incapazes de resgatar os sentimentos que esbanjamos, pegamos a aliança de noivado. E, se a aliança não bastar, sempre existe a possibilidade de mudar o testamento. São todas tentativas desesperadas de retomar o poder, de cobrar indenização, de destruir quem nos destruiu como forma de autopreservação. Cada dólar, cada presente, cada livro querido que tiramos dos escombros corresponde a uma peça quebrada por dentro. Mas, no fundo, é um jogo de soma zero. O ímpeto de ajustar as contas faz jus à veemência da vergonha que nos corrói. E a maior vergonha é de que fomos burros o suficiente para confiar o tempo inteiro.

Tentar utilizar a lógica para convencer Shaun é inútil. Do ponto de vista intelectual, ele entende a inutilidade da retaliação, mas, emocionalmente, ele está fervendo. A essa altura, meu foco é duplo. Primeiro, contenção. Peço que ele me envie uma lista das "piores coisas que tem vontade de fazer com ela" para que eu guarde a sete chaves. O segundo passo é desafiar o revisionismo. A história editada da relação, que ele conta agora, deixa de fora grande parte do contexto das decisões tomadas tanto por ele como por Jenny. Omite o fato de que ela o sustentou quando ele fazia faculdade, por exemplo, e outras diversas responsabilidades compartilhadas. À medida que desconstruímos a visão unilateral, revelamos a dor por trás da raiva.

TRAINDO O TRAIDOR

O coração vingativo nem sempre está pronto para dar ouvidos à razão. Às vezes não basta nada menos que infligir dor igual. Na tradição antiquíssima do castigo espelhado, a infidelidade retaliatória encabeça a lista de estratégias comuns de punição. Duas mulheres me ensinaram muito sobre essa arte lúgubre.

Jess se apaixonou por Bart, vinte anos mais velho, e ficou felicíssima quando ele trocou a esposa por ela. Os filhos dele, já adultos, não ficaram nada felizes. Enfurecidos porque a "golpista" tinha usurpado o lugar da mãe, tiveram a esperteza de vazar informações a Jess sobre a mulher ainda mais jovem que fazia companhia a Bart nas viagens de negócios. "Como é que ele foi fazer isso comigo?!", ela indaga. Jess também não fora uma santa no tocante à fidelidade em suas relações anteriores; na verdade, sempre se fiara no triângulo para se proteger da vulnerabilidade do par. Com Bart, no entanto, era diferente, ela explica. Ela entrou "de cabeça".

Agora está imersa em rejeição. "Ele não só mentiu para mim como fez isso durante a fase da lua de mel! Entendo alguém se entediar depois de anos, mas bem no comecinho, quando os dois estão que nem coelhos?"

Jess procura retomar seu poder. Querendo que Bart sinta exatamente o que ela sentiu, decidiu que será olho por olho. O ex-namorado, Rob, fica extasiado quando ela bate à porta. "Que serventia tem isso?", pergunto. "Eu precisava de um amigo", ela responde, na defensiva. Para mim, contudo, está claro que Jess não quer empatia: ela quer ter margem de manobra. "Você está me dizendo que a honestidade é importantíssima para você", pondero. "Podemos admitir que Rob é uma apólice de seguro?"

Em um gesto louvável, ela cede prontamente. "Não acho legal o que estou fazendo, sei que não faz bem pra mim. Mas é um jeito de incomodá-lo, e ele merece, depois do que me fez." O fato de Bart ter sido o primeiro a pular a cerca leva Jess a se sentir totalmente justificada em sua traição corretiva.

Volta e meia ouvimos que a vingança é doce, mas as pesquisas e a vida provam o contrário. Cientistas comportamentais observaram que, em vez de suprimir a hostilidade, fazer justiça ou trazer uma sensação de encerramento, a vingança pode manter vivo o dissabor de uma ofensa. A exultação do falso moralismo é um prazer raso que nos aprisiona em uma obsessão com o passado. Na verdade, quando não temos a oportunidade de cobrar uma punição, seguimos em frente mais rápido.

Jess e eu discutimos o significado de sua volta calculada com o ex--namorado. Sugiro que ela valoriza demais a relação que teve com ele para torná-lo um instrumento de seu plano. Sua esperança é ficar com Bart, mas Rob ainda espera voltar com ela. Há formas melhores de curar seu coração do que partir o dele.

Lailani é dez anos mais nova que Jess, mas suas estratégias foram tiradas do mesmo manual consagrado pelo tempo. Descrevendo-se como uma garota fácil de uma vizinhança barra-pesada de Oakland, na Califórnia, ela sempre usou o corpo para conseguir o que queria, a começar pelo "namorado com carro que fazia meu dever de casa" quando estava com treze anos.

Lailani aprendeu cedo a vencer os homens no jogo deles. "Eu já esperava que fossem me dar o fora, então, para ficar bem na fita, dava o fora neles antes." Porém, aos 29 anos, ela resolveu que já era hora de procurar outra coisa. Conheceu Cameron pelo OkCupid e teve logo a impressão de que ele era diferente dos outros. "Ele era confiável, responsável *e* bonito."

Ao longo de dois anos, parecia perfeito. Assim como Jess, ela mudou de postura e se permitiu confiar. "Pela primeira vez, eu não estava procurando uma saída. Então, um dia, em meio à minha felicidade inocente, recebi uma mensagem no Facebook de uma mulher que eu desconhecia: 'Não te conheço, mas você devia saber que seu namorado e eu andamos saindo. Ele nunca fez menção a você, mas achei suas fotos on-line. Quero que saiba que, de agora em diante, não quero mais nada com ele. Me desculpe."

Quando Lailani entrou na internet para averiguar, Cameron tinha apagado todos os seus vestígios digitais. Ela o confrontou, e ele negou completamente. Mas ela não seria dissuadida. "Um mentiroso reconhece o outro", afirma. "Resolvi esperar até estar com tudo organizado. Dei um tempo para que ele confessasse, e ele continuou negando descaradamente. É isso que ainda me deixa boquiaberta." Ela escreveu para a outra mulher no Facebook e pediu que mandasse alguma prova. A amante desprezada, que se sentia igualmente traída, ficou feliz em mostrá-la. Lailani não se surpreendeu. "Regra número um: se é para ter uma amante, ela precisa saber que é a amante! Ela estava furiosa." Com os indícios digitais nas mãos — mensagens de texto, mensagens sexuais e bate-papos —, ela por fim o acuou.

No momento em que Cameron foi obrigado a assumir a verdade, "fui de espantada a arrasada", conta Lailani. "Passei a vida inteira sendo a cachorra, usando os caras para conseguir o que fosse possível e depois os largando. Essa foi a primeira relação que levei a sério e para a qual dei uma chance de verdade. Imaginei ter conhecido um cara realmente bom, e ele acabou sendo a prova de que todos os homens são incorrigíveis. *Eu* é que fui enganada. Que carma ruim."

Na hora do ajuste de contas, Lailani se perguntou: "Seria um castigo por toda a merda que fiz com os outros?". Mas conversou com as amigas e também com alguns amigos, e eles botaram lenha na fogueira. "Todos falaram a mesma coisa — dê uma lição nele, senão ele vai continuar fazendo essas merdas."

Lailani concordou — e tem um plano: "Ele também merece um carma ruim. Eu sempre quis fazer um ménage à trois, e agora sinto que posso ir em frente. E, se ele descobrir, vou ficar feliz. Seria bom magoá-lo. Ele merece".

Era de se imaginar que tanto Lailani como Jess, por causa de seu comportamento transgressivo, fossem mais compreensivas com os parceiros traidores. Mas as pessoas geralmente têm suas próprias balanças de justiça e a convicção de que aquilo que foi feito com elas é pior do que o que elas mesmas fizeram — um duplo padrão curioso.

Escuto Lailani e Jess e me entristeço por elas. Suas reações são compreensíveis, mas os planos de batalha, no fundo, são ineficazes. Elas estão empacadas em um padrão de demonstração de superioridade. Assim como muitas mulheres que lutam por paridade no que ainda é um mundo masculino, elas lutam para conciliar "suave" e "poderosa". Estão confusas entre "Quero que você volte para mim" e "Não vou deixar você voltar para mim: é perigoso demais".

As duas se arriscaram e acreditaram no toque redentor de uma relação que parecia diferente de todas as outras. Ambas sentiram o golpe. Agora, correm o risco de que uma única traição as mande de volta para detrás dos muros de autoproteção. Nenhuma mulher deveria dar a um homem plenos poderes de destruir seus ideais românticos. Existe uma enorme diferença entre dizer "Essa pessoa me decepcionou e estou magoada" e "Nunca mais vou amar outra vez". Mas essas duas mulheres não estão preparadas para fazer essa distinção. Pensam que o mundo lhes oferece duas opções — magoar ou ser magoado. Nas palavras de Lailani: "Eu devia ter continuado a ser cachorra. Ninguém magoa a cachorra".

LUTANDO COM A RETALIAÇÃO

Mesmo no mais iluminado dos seres, o desejo de vingança pode atacar de repente. Meu amigo Alexander, com quem já tive inúmeras conversas profundas sobre essas questões, se considerava um homem evoluído, não monogâmico. Ele e a namorada, Erin, são dançarinos profissionais que excursionaram e se apresentaram juntos e separados em todos os continentes. Faz cinco anos que formam um casal — enfrentando os desafios do amor à distância em fusos horários diversos. Eles logo perceberam que, com o estilo de vida que levavam, era bem provável que a tentação lhes acenasse, portanto optaram pelo namoro aberto desde o início. O compromisso que têm é um com o outro; o corpo é livre para se deitar em outros lugares. Alexander resume o acordo "não pergunte, não conte": "Sei que ela dorme com outros homens, mas não quero ouvir sobre o assunto".

Além disso, na estreita comunidade de dança, nenhum deles aprecia a ideia de involuntariamente dividir o palco, o camarim ou o quarto de hotel com amantes do companheiro. "Falei para ela: 'Jamais quero ir te visitar em uma excursão e estar em um jantar em que todo mundo sabe que você está trepando com outro, quem sabe até alguém à mesa, e parecer um idiota. Em contrapartida, você nunca vai precisar me visitar em uma excursão e se preocupar com a possibilidade de que eu ande trepando com uma das garotas da companhia, e de que todo mundo saiba e tenha pena de você e ache que estou te fazendo de boba.'" Eles estabeleceram limites claros: nada de amantes dentro do pequeno e incestuoso universo da dança, e nada de se apaixonar. "Se isso começar a acontecer, vamos conversar."

"Micah era quem eu sempre usava como exemplo de um cara fora de cogitação", Alexander me conta. Colega de dança e rival de longa data, Micah sempre consegue os papéis que Alexander acha que deveria ganhar. Embora forçado a engolir essas derrotas no palco, de jeito nenhum toleraria Micah no papel de amante de Erin na vida real.

Até agora a "não monogamia ética" funcionou. Como inúmeros casais e grupos que optam por configurações mais abertas, eles não concordam com a visão de ciúmes como algo inato e inevitável, como pregam os psicólogos evolucionistas. Acreditam que se trata de uma reação aprendida que pode ser desaprendida. No entanto, não são ingênuos acerca dos desafios desse processo. Ayala Pines, que estudou o ciúme romântico entre pessoas com casamento aberto, grupos poliamoristas e praticantes de swing, concluiu que "é complicado desaprender a reação enciumada, principalmente quando se vive em uma sociedade que incentiva a possessividade e o ciúme".[1] Alex e Erin entenderam a necessidade de negociar limites e estabelecer acordos para refrear essas emoções demasiado humanas.

Erin quebrou o acordo. Na última turnê, dividiu o palco e algo mais com Micah. "Como eu soube que ela transou com ele? Como eu disse, trabalhamos em um mundo pequeno. As pessoas comentam", Alex diz com um sorriso sarcástico. Sua imaginação enfurecida é descritiva. "Não só conheço o cara como passei horas vendo-o se vestir, tirar a roupa e dançar. Sei como ele se mexe. Então, consigo imaginar exatamente como ficam juntos. As imagens rodam na minha cabeça como urubus em torno da presa."

Sentindo-se derrotado, Alexander tem vontade de partir para o ataque. Ele zomba da péssima escolha que ela fez. "É sério que você não conseguiu nada melhor do que ele? Ou você estava tentando me magoar de propósito?" Então ele trama a contraofensiva. Imagina-se aproximando-se de Micah e lhe dando um soco, cuspindo insultos bem ensaiados na cara dele. "Estou sempre buscando aquele equilíbrio perfeito entre desprezo e vingança — demonstrar que ele não me machucou de verdade, mas ainda assim fazer seu nariz sangrar e deixá-lo com cara de doninha chorona, ranhosa. Fico dando voltas na mesa, empacado nessa fantasia violenta, o coração disparado, a respiração ofegante, os punhos fechados."

A raiva é um analgésico que por um tempo entorpece a dor e uma anfetamina que provoca uma onda de energia e confiança. Mais biologia do que psicologia, a raiva temporariamente atenua a perda, a insegurança e a impotência. Embora às vezes possa ser um motivador positivo, o psicólogo Steven Stosny adverte que "os acessos de raiva e ressentimento sempre o levam a se sentir mais para baixo do que se estava no começo".[2]

Alexander me diz: "Eu literalmente tenho sangue nos olhos. É uma coisa física, primitiva. Estou tentando reagir de forma mais evoluída, mas tem sido difícil".

As emoções e pensamentos que ele descreve não são loucos: são humanos. Entretanto, se nos guiamos por eles, em um surto de indignação, não acabamos mais poderosos nem menos vulneráveis. É muito comum que atos de retaliação romântica no fundo sejam autodestrutivos. Vingar-se do outro não é um jeito de reconquistá-lo.

Alexander precisa achar uma válvula de escape segura para essa fúria absoluta e a dor palpável que fica logo abaixo. Primeiro, ele precisa saber como continuar com seus sentimentos quando não tem outra opção, e como fugir deles quando pode.

Nos momentos em que somos tomados pela emoção, é importante saber como nos regular. Exercícios de respiração, banhos escaldantes, lagos geladíssimos, passeios na natureza, cantar e dançar com a música e esportes dinâmicos podem ser úteis. Tanto a calmaria como o movimento podem ser fontes de alívio.

Porém, o desejo de vingança cala fundo. Como o ciúme, é difícil bani-lo totalmente, portanto prefiro ajudar as pessoas a aprender a metabolizá-lo de forma saudável. Conforme destaca o psicanalista Stephen Mitchell, não existe amor sem ódio, e temos de fazer amizade com nossa agressividade em vez de erradicá-la. Um meio de fazer isso é criar espaço para o ímpeto, mas não para a ação. A fantasia de represália pode ser extremamente catártica. Abrigadas no santuário da mente ou escritas em um diário particular, fantasias podem ser um modo de expurgar os pensamentos infames e a ira homicida que nos alimenta. Deixe sua imaginação correr solta. Compre um cadorninho e o intitule "Minha vingança", e, no miolo, faça o pior que puder. Mas fixe um limite de tempo. Sete minutos por dia, no máximo. E, ao guardar o caderno, deixe de lado os pensamentos.

Fantasias de vingança criativas podem ser surpreendentemente satisfatórias. Questione-se: o que será preciso para que você se sinta melhor? Cinco anos de doses mínimas diárias de tortura chinesa? Ou gostaria de inventar um castigo perfeito, que encerre o assunto de uma vez por todas?

Se a fantasia não basta, às vezes atos de vingança são convenientes. Já ajudei muitos casais a chegarem a um acordo sobre a medida da retaliação que ambos acham justa e levarem-na a cabo — estratagemas que fariam Maquiavel corar. E não se esqueça do humor. Uma vez, o marido, do ramo da política, teve de mandar um cheque polpudo de sua aposentadoria para o rival que mais desprezava nas eleições municipais. "Prefiro que vá para ele a ir para a prostituta", sua esposa declarou em tom alegre. Ficou satisfeita. Vingar-se na medida certa é uma arte.

Alexander encontra alívio nas fantasias, mas está em compasso de espera enquanto Erin pensa no que quer. "Acho uma fraqueza imensa esperar", ele reclama. "O poder está todo nas mãos dela. Enquanto ela compara todas as opções, eu fico aqui sentado como um refém."

Seu dilema ecoa os legados da virilidade. Que tipo de homem deixa a mulher dar a última palavra? Não é por acaso que os heróis corneados das grandes tragédias e óperas tendem a matar as amadas em vez de lhes dar a liberdade de não escolhê-los. A morte — dela, dele ou de ambos — é a única saída honrada. "O coração que sangra almeja que o sangue leve embora a humilhação", entoa Canio no *Pagliacci* de Leoncavallo.

Proponho a Alexander que pense que esperar a decisão de Erin não é renunciar ao orgulho ou poder — é uma demonstração de amor. Aos poucos, ele passa da perniciosidade à mágoa. Parou de tentar voltar com Erin, preferindo lhe dizer como ficou arrasado. Eles se envolveram de novo e estão mais interessados do que nunca em criar um acordo que funcione para os dois. Ele me conta que há pouco tempo viu Micah atuar com Erin, "e aquele lugar sombrio acenou para mim. Mas tomei a decisão consciente de deixar para lá".

A ARTE DA JUSTIÇA RESTAURATIVA

Talvez a vingança não seja sempre doce, mas de vez em quando ela atinge um ponto em que fortalece a parte magoada e permite ao casal deixar o passado para trás. Todos temos necessidade de justiça. Entretanto, é importante distinguir entre justiça retributiva e justiça restaurativa. A primeira busca apenas a punição; a segunda lida com a reparação.

Já observei um elo interessante entre as reações dos meus pacientes à traição e o tipo de justiça que provavelmente buscarão. Alguns lamentam a perda do laço. "Estou magoado porque te perdi." Outros lamentam a perda do prestígio. "Não acredito que você me fez de idiota." A primeira é uma ofensa relacional; a segunda, narcísica. Corações feridos; orgulho ferido. Não surpreende que a pessoa focada no relacionamento tenha mais capacidade de vivenciar a compaixão e a curiosidade quanto ao caso do companheiro, o que contempla uma reação reparadora quer decidam ou não ficar juntos. A pessoa que se concentra na ferida narcísica é muito menos conciliadora. É difícil que reúna muito interesse no que estimulou o parceiro a pular a cerca, já que está absorta na sede de vingança.

A justiça restaurativa pode ser bastante criativa. Sempre que penso nos prazeres de distribuir apenas sobremesas, a astúcia de uma jovem francesa, Camille, me vem à cabeça. Ela me escreveu após comparecer a uma palestra para dividir a história da "infidelidade do meu marido, minha reação e as coisas boas que surgiram daí".

Camille, de 36 anos, é de uma família tradicional de Bordeaux. Fez dez anos que é casada com Amadou, de 45, que cresceu no Mali e se mudou para a França aos vinte e poucos anos. Eles têm três filhos. O problema começou há cinco anos. Camille se lembra vividamente do momento. "Estava sentada à mesa do café da manhã com os meus meninos quando uma amiga me ligou para contar que meu marido tinha se envolvido com uma colega dela. No começo, não acreditei, então ela pôs a moça no telefone."

Apesar da mágoa e da raiva, Camille realmente não queria perder o marido. Havia lutado para se casar com ele, em virtude da desaprovação dos pais. Ela o confrontou, em tom calmo porém firme, e em seguida recorreu às amigas em busca de apoio moral. "Entrei em um buraco fundo, atravessando todos os sentimentos típicos. Tirei uma semana de licença médica. Chorei no ombro das minhas amigas, esmurrei a parede e tomei muito café e pastis. E elas me consolaram, me escutaram, dividiram meu sofrimento."

Em seguida, sentiu-se pronta para o desafio de explicar ao marido que, na sua cultura, a conduta dele não era aceitável. "Ele cresceu em um contexto em que a poligamia era normal", esclarece. "Então ele escutou e se sentiu mal pela minha tristeza, mas dava para ver que não sentia culpa pelo que havia feito." Camille também sabia algo mais sobre o passado do marido: ele fora criado em uma cultura extremamente supersticiosa, animista. A partir desse dado, entendeu o que era necessário fazer. "Resolvi entrar no mundo *dele* e conversar na língua dele. Fui logo trocando o papel de vítima pelo de protagonista, o que mudou totalmente o que eu sentia. Ver que eu podia tomar a iniciativa me ajudou a relaxar."

Devido à criatividade, a história de vingança de Camille é um deleite. "Primeiro, contatei um dos amigos do meu marido, um homem mais velho e muito respeitado na comunidade africana. Ele veio nos visitar e repreendeu Amadou pela escolha que fez — não a de ter duas mulheres, mas o fato de que a outra fazia parte do nosso círculo." Ela sabia que não conseguiria convencê-lo a não ter várias esposas, mas também sabia que a condição para a poligamia, na cultura dele, era que o homem pudesse cuidar das duas mulheres — material e sexualmente. Ela fez questão de reclamar de seu desempenho sexual insuficiente, uma revelação constrangedora, para dizer o mínimo.

No dia seguinte, Camille foi ao abatedouro halal. "Comprei duas patas de cordeiro, entreguei uma à esposa desse amigo mais velho do meu marido e levei a outra para casa, para cozinhar para Amadou. Sabia que, ao chegar em casa, o amigo já teria lhe contado do meu presente, e é claro que ele perguntou assim que abriu a porta. Falei que eu tinha ido com o imame abater um cordeiro como sacrifício para salvar nosso casamento. Sou vegetariana, mas veja só: ele acreditou. Melhor ainda, ficou impressionado."

Depois, ela quis uma apólice de seguro. "Peguei manteiga de karité [um produto natural que na África é usado para inúmeras coisas, mas também como lubrificante] e misturei com uma pimenta-malagueta bem ardida. Escondi no guarda-roupa do meu quarto. Resolvi que, se um dia descobrisse que ele estava com ela de novo, ficaria feliz em massageá-lo com essa mistura no lugar onde ele tanto gosta de calor."

Suas intervenções não pararam aí. Ela também foi conversar com a outra. "Avisei que, se ela tivesse a audácia de chegar perto dele outra vez, eu apareceria no trabalho dela e faria um escândalo. Desculpe o meu francês, mas demarquei meu território que nem um cachorro."

Camille continuava insatisfeita. "Por fim, escondi um frasco de sangue, também do abatedouro, no nosso jardim, em um lugar que eu achava que um dia ele iria descobrir. Segundo a tradição africana, isso pode trazer azar ou boa sorte." O frasco ainda não foi descoberto.

Esses ritos de justiça são originários de uma cultura bastante diferente da dela, mas deram paz a Camille, além de algo ainda mais potente. Em vez de simplesmente servirem para castigá-lo, serviram para fortalecê-la e melhoraram muito a relação. "Tive de aprender a viver sem a certeza de que ele nunca mais vai agir assim, mas, no final das contas, ganhei outro tipo de certeza: confio e acredito em mim mesma."

O desejo de sangue ainda não se extinguiu — estava apenas adormecido. Ano passado, ao buscar os filhos na aula de música, Camille se deparou com a outra mulher, cujo filho cursava o mesmo programa. Foi tomada por um acesso de raiva. "Eu ainda tinha muita agressividade — tive vontade de praticar alguns dos meus golpes de caratê nela. Mas então, pensando bem, percebi que eu queria mostrar que estava feliz: comigo mesma, com Amadou e com as crianças." Camille intuiu uma das lições mais relevantes acerca da vingança: se, no processo de ajustar as contas, você acaba se machucando mais do que castiga o outro, você não ganha nada. A arte da justiça restaurativa é se levantar em vez de simplesmente denegrir quem causou a mágoa.

Na semana seguinte, antes de ir à escola de música, Camille pôs um vestido africano vibrante, batom, perfume etc. Passou pelo carro da moça de cabeça erguida. "Ser feliz foi uma vingança bem melhor do que qualquer golpe de caratê seria."

8. Contar ou não contar?
A política do segredo e da revelação

> *Uma verdade dita com má intenção*
> *Bate todas as mentiras passíveis de invenção.*
> William Blake, "Augúrios da inocência"

Segredos e mentiras de todos os matizes vêm à tona no meu consultório. Em geral, o casal chega com um caso recém-exposto, uma ferida aberta impossível de ignorar. Mas outros se sentam no meu sofá com o segredo entre os dois — óbvio para mim, mas não mencionado. Nenhum dos parceiros quer contar ou descobrir. Também já tive inúmeras sessões em que uma pessoa pergunta à outra, "Você está tendo um caso?", e a resposta é uma negação total, embora o inquiridor tenha provas irrefutáveis. Às vezes, o parceiro infiel dá pista atrás de pista, mas o cônjuge parece não ligar os pontos. Outras vezes, o desconfiado está chegando perto, com um dossiê de indícios incriminadores na mão, porém espera o momento certo para o confronto.

Já vi todo o leque de insinceridades, de simples omissões a verdades parciais e mentiras brancas ao embarulho escancarado e usurpação mental. Já vi o segredo em sua versão cruel e em sua versão benevolente. Alguns mentem para se proteger; outros mentem para proteger o companheiro; e existe também a irônica inversão de papéis, em que o traído acaba mentindo para proteger quem o enganou.

Os trançados e emaranhados das mentiras são infinitos. Muitos cônjuges infiéis me dizem que seus casos amorosos representam a primeira vez que deixaram de mentir para si mesmos. Paradoxalmente, envolvidos em uma relação baseada em engodos, é muito comum terem a sensação de que pela primeira vez estão chegando perto da verdade, estabelecendo conexão com algo mais essencial, autêntico e franco do que sua suposta vida real.

Durante os dois anos de caso com o dono de uma loja de bicicletas, Megan se cansou de se esconder de todos que a rodeavam. Mas, agora que pôs fim à vida dupla, ela se sente ainda pior. "Agora estou mentindo para mim mesma. Estou me iludindo, fingindo que tudo bem viver sem ele."

Não são apenas os casais que lutam com a questão do sigilo. Segredos inundam a paisagem social da infidelidade. Uma mulher pega emprestado o telefone da amiga casada e encontra mensagens galanteadoras de um homem desconhecido. A mãe sabe que o filho não estava com ela no último sábado, conforme ele disse à esposa, mas não tem certeza se quer saber onde realmente estava. E é claro que existem "a outra" e "o outro". Eles não somente têm um segredo, mas são o segredo.

Segredos e mentiras estão no âmago de todos os casos, e aumentam tanto a empolgação dos amantes como a dor dos traídos. Eles nos jogam em uma rede de dilemas. Precisam ser revelados? Em caso afirmativo, como? A revelação existe em uma escala, de "não pergunte, não conte" a uma detalhada necropsia. A sinceridade pede uma calibragem cuidadosa. Existe exagero? Será que às vezes é melhor manter o caso às escondidas? E aquela velha máxima segundo a qual o que os olhos não veem, o coração não sente?

Para alguns, a resposta é simples: guardar segredo é mentir, e mentir é errado. O único rumo aceitável é a confissão, a transparência total, o arrependimento e a punição. A visão dominante parece ser a de que a revelação é o sine qua non para restaurar a intimidade e a confiança após um caso. Mentir, hoje em dia, é considerado uma violação dos direitos humanos. Todos merecemos a verdade, e não há circunstância em que sonegá-la seja justificável.

Eu gostaria que fosse simples assim — que pudéssemos usar princípios tão categóricos para organizar nossas bagunçadas vidas humanas. Mas os terapeutas não trabalham com princípios — eles trabalham com pessoas de verdade e situações da vida real.

DILEMAS DA REVELAÇÃO

"A aluna de pós-graduação com quem venho dormindo está grávida, e está decidida a ter o bebê", declara Jeremy, um professor universitário que imaginava estar conseguindo manter a aventura estritamente casual. "Não tenho nenhuma intenção de arruinar meu casamento, mas não quero que meu filho cresça em segredo."

"Um cara com quem transei acabou de me contar que tem herpes", diz Lou, em tom constrangido. "Meu namorado corre risco. Tenho de contar para ele?"

"Uma menina com quem fiquei me marcou em uma foto do Instagram depois que eu falei que não poderia mais sair com ela", relata Annie. "Nós só nos beijamos, mas minha namorada não vai encarar dessa forma. Ela está checando minhas redes sociais obsessivamente — vai acabar vendo a foto."

Muitos talvez concluam que, nessas situações, a decisão certa é a revelação. Mas nem todas as situações são tão claras.

"Foi um lapso de julgamento momentâneo — estava bêbada e me arrependo muito", diz Lina, que estava noiva fazia poucos meses quando uma noite de festança depois da reunião da faculdade terminou na cama de um ex. "Se eu contar ao meu noivo, sei que ele vai ficar arrasado. A primeira mulher foi embora com o melhor amigo dele, e ele sempre falou que, se eu o traísse, estava tudo acabado." Sim, ela deveria ter pensado nisso antes. Mas será que a escorregada deveria descarrilhar uma vida inteira?

"Por que contar à minha esposa?", Yuri questiona. "Desde que conheci Anat, a gente não briga mais por sexo. Não imploro e não incomodo minha mulher, e minha família está indo bem."

Em um gesto de provocação, Holly se apaixonou loucamente por outro dono de yorkshire que conheceu no parque. Ela adoraria contar a seu marido "sórdido, controlador". "Seria de grande serventia." Mas o preço da sinceridade seria alto. "Com o contrato pré-nupcial que ele me obrigou a assinar, eu perderia as crianças."

A atual paquera de Nancy com um pai nos jogos de futebol americano do filho reacendeu sua sensualidade há muito adormecida. "Fico contente pelo despertar dessa parte de mim que não é apenas mãe, esposa ou empregada. Fico ainda mais contente por não ter levado isso a cabo", ela declara. O marido está encantado com sua recém-descoberta energia erótica. Mas ela tem se questionado: será que precisa lhe contar do "caso mental"? Nancy acredita piamente que a sinceridade significa transparência total.

Em circunstâncias como essa, seria mais inteligente para o companheiro em questão ficar calado e lidar com o problema sozinho? A verdade pode ser terapêutica, e às vezes confessar é a única reação adequada. Quando aconselha os pacientes sobre a sabedoria de contar a verdade, minha colega Lisa Spiegel usa uma fórmula simples e eficaz: pergunte a si mesmo, é sincero, é útil e é bondoso?

A verdade também pode ser irrevogavelmente destrutiva e até agressiva, enunciada com um prazer sádico. Não raro vejo a franqueza causar mais danos do que benefícios, o que me leva a perguntar: será que a mentira às vezes é uma proteção? Para muitos, essa ideia é inconcebível. Entretanto, já vi cônjuges informados berrarem: "Queria que você não tivesse me contado!".

Em um treinamento para terapeutas, uma participante que trabalhava com cuidados paliativos me pediu conselhos. "O que eu posso dizer a um paciente com doença terminal que quer confessar à esposa uma vida inteira de infidelidades antes de morrer?" Eu respondi: "Embora eu entenda que, para ele, 'confessar tudo' depois de todos esses anos pode parecer uma expressão genuína de grande amor e respeito, ele tem de saber que talvez morra aliviado, mas que ela vai viver atormentada. Enquanto ele estiver descansando em paz, ela vai se revirar na cama, passar meses em claro imaginando cenas que provavelmente são muito mais tórridas do que os casos foram. É esse o legado que ele quer deixar?".

Às vezes o silêncio é um cuidado. Antes de descarregar sua culpa em um parceiro crédulo, pondere: você está pensando no bem-estar de quem? Lavar a alma é tão altruísta quanto parece? E o que seu parceiro deve fazer com essa informação?

Já vi o outro lado dessa situação no meu consultório quando tentei ajudar uma viúva a lidar com o luto duplo de perder o marido para o câncer e perder a imagem que tinha do casamento feliz para as confissões que ele fez no leito de morte. Respeito não é necessariamente contar tudo, mas pensar em como será para o outro ouvir as informações. Ao explorar os prós e contras da revelação, não pense apenas em termos de ou-isto-ou-aquilo ou de abstrações, mas tente se imaginar na situação de fato com a outra pessoa. Encene a conversa: onde você está? O que diz? O que lê no rosto do outro? Como ele reage?

A questão "contar ou não contar?" se torna ainda mais pesada quando as normas sociais deixam as pessoas especialmente vulneráveis. Enquanto houver países no mundo onde mulheres meramente suspeitas de olhar para o lado podem ser apedrejadas ou queimadas vivas, ou onde homossexuais podem ser impedidos de ver os próprios filhos, a sinceridade e a transparência devem sempre ser pensadas de acordo com o contexto e a situação individual.

TERAPEUTAS DEVEM GUARDAR SEGREDOS?

Terapeutas que lidam com infidelidade têm de atacar o espinhoso problema dos segredos. A abordagem tradicional estipula que os clínicos, nas terapias de casais, não podem manter as coisas sob sigilo; e, para que a terapia seja produtiva, o infiel tem de terminar o caso ou confessar tudo. Do contrário, tem de ser encaminhado à terapia individual. Volta e meia ouço de colegas americanos que não há nada que se possa fazer com um segredo no meio da sala. O curioso é que meus pares internacionais dizem algo bem diferente — dá para fazer muita coisa contanto que o segredo não seja revelado. Depois de abrir a cortina, não existe forma de voltar atrás. Eles advertem contra a revelação gratuita citando a dor desnecessária imposta ao parceiro e o dano ao relacionamento.

Nos últimos anos, uma pequena parcela de terapeutas, como Janis Abrahms Spring e Michele Scheinkman, passou a desafiar a ortodoxia americana em torno dos segredos, declarando a abordagem tradicional inútil, limitante e até nociva. Eu optei por adotar o que Spring chama de política dos segredos abertos. Assim que conheço um casal, informo que atenderei os dois tanto individualmente como juntos, e nossas sessões individuais serão sigilosas. Ambos têm a garantia de um espaço particular para examinar suas questões. Os dois têm de concordar com isso. Assim como Spring, vejo a decisão de revelar ou não revelar como parte da terapia em si, não como precondição para a terapia.

Esse método não é desprovido de complicações, e lido com elas constantemente. Já tive de responder que sim à pergunta "Você sempre soube disso?" quando um lado descobriu que fora enganado. Embora a situação seja dolorosa para todos os envolvidos, não é uma violação ética sob os termos de nosso acordo. E, por enquanto, acho essa a postura mais produtiva. Conforme escreve Scheinkman, "a política de não haver segredos torna o terapeuta refém, incapaz de ajudar no que é provavelmente um dos momentos mais críticos da relação do casal".[1]

Essa política não se aplica somente a casos. Na verdade, o divisor de águas, para mim, foi uma sessão em que uma mulher me disse que, nos últimos vinte anos, mal aguentava esperar que o sexo com o marido acabasse. Não gostava do cheiro dele e fingia orgasmos. Sabendo que isso não mudaria e não considerando esse fator um empecilho conjugal, ela não via motivos para falar com ele. Dispus-me a continuar com a terapia ciente do fingimento. Portanto, tive de me perguntar: qual é a diferença fundamental entre esse segredo e outros?

Era menos grave do que um caso clandestino? Será que o marido ficaria menos magoado se soubesse que ela vinha mentindo para ele aquele tempo todo do que ficaria ao descobrir que ela dormia com outro? Devo insistir para que ela revele o desagrado a fim de continuarmos a terapia? Segredos sexuais têm diversas formas. Porém, os terapeutas tendem a lutar mais com mentiras a respeito do sexo extraconjugal do que com décadas de mentiras sobre sexo intraconjugal. Guardamos muitos segredos sem passar por um conflito ético. A infidelidade nem sempre ganha a medalha de ouro na hierarquia das revelações essenciais.

DIZER A VERDADE EM VÁRIAS LÍNGUAS

"Vivemos em uma cultura cujas mensagens acerca do segredo são de fato confusas", constata Evan Imber-Black em *The Secret Life of Families* [A vida secreta das famílias].[2] "Se, antigamente, normas culturais transformavam muitos acontecimentos da vida humana em segredos vergonhosos, hoje lutamos com o inverso: a suposição de que contar segredos — não importa como, quando ou a quem — é moralmente superior a guardá-los e leva à cura automática."

Para entender a visão americana do segredo e da confissão da verdade, precisamos examinar a definição atual de intimidade. A intimidade moderna é banhada na revelação de si, o compartilhamento sob confiança de nosso material mais pessoal e particular — nossos sentimentos. Desde cedo, o melhor amigo é aquele para o qual contamos os segredos. E como hoje em dia se presume que o parceiro seja o melhor amigo, acreditamos: "eu deveria poder te contar qualquer coisa, e tenho o direito de obter acesso imediato e constante a seus pensamentos e emoções". Esse pretenso direito de saber, e a suposição de que o saber equivale à proximidade, é uma característica do amor moderno.

Nossa cultura reverencia o éthos da franqueza absoluta e eleva a confissão à perfeição moral. Outras culturas creem que, estando tudo às claras e a ambiguidade abolida, pode ser que a intimidade não cresça, e sim seja posta em risco.

Como um híbrido cultural, exerço em várias línguas. No âmbito da comunicação, muitos de meus pacientes americanos preferem sentidos explícitos, franqueza e "discurso cristalino" a opacidade e alusões. Meus pacientes da África Ocidental, das Filipinas e da Bélgica são mais propensos a levar a ambiguidade por um tempo do que optar pela simples revelação. Procuram os desvios em vez do caminho direto.

Ao considerarmos esses contrastes, também temos de levar em conta a diferença entre privacidade e segredo. Como explica o psiquiatra Stephen Levine, a privacidade é um limite funcional com o qual concordamos por convenção social. Há questões que sabemos existir mas escolhemos não discutir, como menstruação, masturbação ou fantasias. Segredos são questões sobre as quais enganaremos os outros de propósito. As mesmas ânsias e tentações eróticas que são particulares para um casal são secretas para outro.[3] Em algumas culturas, o normal é que a infidelidade seja tratada como assunto particular (pelo menos para os homens), mas, na nossa cultura, em geral trata-se de um segredo.

É quase impossível discutir diferenças culturais sem parar um instante para mencionar o tema predileto de comparação sexual dos Estados Unidos: *les Français*. Debra Ollivier diz que os franceses "preferem o implícito ao explícito, o subtexto ao contexto, a discrição à indiscrição e o escondido ao óbvio — nisso, são o exato oposto dos americanos".[4] Pamela Druckerman, uma jornalista que entrevistou gente mundo afora para o livro *Na ponta da língua*, analisa como essas predileções moldam as atitudes francesas perante a infidelidade. "A discrição parece ser o pilar do adultério na França", escreve, observando que muitas das pessoas com quem conversou pareciam preferir não contar e não ficar sabendo.[5] "Os casos franceses podem ser vistos como conflitos da Guerra Fria, em que nenhum dos lados puxa as armas."[6]

Já na fazenda, as armas estão em chamas. Embora os americanos tenham baixa tolerância ao sexo extraconjugal, o engodo geralmente é visto com mais rigidez do que a transgressão que busca ocultar. A ocultação, a dissimulação e todas as histórias fantásticas são os ingredientes principais da afronta e são consideradas uma falta radical de respeito. A implicação é que mentimos apenas para quem está abaixo de nós — filhos, eleitores e empregados. Assim, o refrão ecoa de quartos particulares a audiências públicas: "não é por você ter me traído, é por ter mentido para mim!". Mas nos sentiríamos realmente melhor se o parceiro nos desse aviso prévio de suas imprudências?

TRADUZINDO SEGREDOS

Amira, uma americana de ascendência paquistanesa de 33 anos, aluna de pós-graduação em assistência social, ainda se lembra nitidamente do dia em que começou a desvendar o segredo do pai. "Meu pai estava me ensinando a dirigir. Tinha um enfeite japonês bizarro pendurado no retrovisor. Um dia, tentei tirar o enfeite dali, mas ele me parou e disse que era um presente de Yumi, a secretária dele. O nome me veio de novo sete anos depois, quando meu pai me pediu para procurar um endereço no telefone dele e achei uma série de mensagens de uma pessoa chamada Y. Então eu entendi."

"Ele sabe que você sabe?", eu lhe pergunto. Ela faz que não.

"Você pretende falar?"

"O que eu queria mesmo falar é 'Vê se aprende a deletar as suas mensagens de texto!'. Quem sabe um dia eu mostre a ele como se faz isso. Só queria que ele tivesse escondido as pegadas. Não gosto de me sentir cúmplice da enganação da minha mãe."

"Você já pensou em falar para ela?", indago. Ela diz que não no mesmo instante.

Imigrante de segundo grau cujos pais se mudaram para os Estados Unidos antes de seu nascimento, Amira tem os pés nos dois mundos. Ela sabe que seu silêncio destoa do convencional aqui. "Minhas amigas americanas iriam logo contar para as mães. Achariam que revelar o segredo é a atitude mais correta e generosa." Mas, apesar de ter frequentado uma escola no subúrbio do Kansas, no tocante a assuntos familiares, o código de Amira está enraizado em Karachi. "Sim, nós damos valor à sinceridade e à confiança", ela diz, "mas damos ainda mais valor à preservação da família."

A decisão de Amira veio quase como uma certeza. A lógica foi a seguinte: "E se eu contar para ela? A família se separa? Tudo que nos esforçamos para construir é dividido? Vamos nos comportar que nem americanos — de forma impulsiva e egoísta — e acabar passando o fim de semana com um e os dias de semana com o outro?".

Ela sentiu raiva e rancor em nome da mãe. "Mas meus pais se amam", ela acrescenta, "e fique sabendo que o casamento deles foi arranjado. Sei que minha mãe fica muitíssimo desconfortável com o tema do sexo, mas meu pai não se sai muito melhor. O instinto me diz que ele escolheu o caminho que possibilitava à nossa família continuar junta. Talvez minha mãe prefira não ser incomodada. Isso me parece justo, então consegui ficar em paz com a situação. Além dessa única mancha, meu pai é um excelente pai, marido e cidadão. Por que eu iria querer arruinar todas essas coisas incríveis que ele tem?"

"E quanto ao desrespeito à sua mãe?", pergunto.

"Sob o meu ponto de vista, meu pai achou mais respeitoso não abalar o cerne da nossa família se abrindo conosco sobre algo insuportável. E, quanto a mim, achei mais respeitoso guardar segredo dos fatos com que me deparei. Eu não teria a audácia de envergonhar meus pais trazendo essa verdade à luz do dia. Para quê? Para que a gente possa ser 'sincero'?"

Claramente, a convicção de que dizer a verdade é um sinal de respeito não é universal. Em inúmeras culturas, é mais provável que o respeito se manifeste em inverdades sutis que visam preservar a face e a paz de espírito. Essa opacidade protetora é considerada preferível à revelação que possa causar humilhação pública.

O raciocínio de Amira é parte de um legado cultural de longa data que vai além do Paquistão, chegando a todas as sociedades baseadas em laços familiares. O referencial dela é coletivista, em que a lealdade familiar exige a transigência em torno da infidelidade — e dos segredos. É claro que poderíamos examinar sua situação pela ótica das políticas de gênero e ver suas explicações como uma desculpa triste mas engenhosa para o patriarcado. Além disso, não podemos nos dar ao luxo de minimizar os efeitos danosos que guardar segredos pode ter sobre as crianças. Conforme ressalta minha colega Harriet Lerner, o sigilo "cria uma rachadura no alicerce da relação com ambos os genitores e funciona como um rio subterrâneo de confusão e dor que influencia tudo. Não é raro que provoque um comportamento sintomático e atos impulsivos nas crianças e adolescentes, que então são mandadas para uma terapia em que a verdadeira fonte de ansiedade e sofrimento jamais é identificada".[7]

Mas a escolha de Amira seria ainda mais sofrida do que a de outra estudante chamada Marnie? A nova-iorquina de 24 anos ainda é assombrada pelo dia em que pegou o "telefone secreto" da mãe e o jogou escada abaixo, nas mãos do pai. "Ele merecia saber que ela o estava traindo!"

Marnie sabia do caso da mãe com o quiroprático havia alguns anos. "Ela escondia o telefone secreto no cesto de roupa suja e ficava horas 'passando roupa'. Ah, claro. Ela não tinha o menor pendor para dona de casa." Naquele fatídico dia, "minha mãe começou a chorar desesperadamente e a dizer: 'Meu Deus do céu, o que foi que você fez? O que foi que você fez?'. Meu mundo caiu em questão de horas. Agora nossa família está totalmente dividida. Não tem mais jantar para quatro no TGI Fridays, não tem mais festa de família nos feriados. A última vez que vi minha mãe e meu pai na mesma sala, eu tinha quinze anos".

Marnie ainda sofre por causa das consequências dolorosas e irreversíveis do arremesso do telefone, mas jamais lhe ocorreu questionar a plataforma moral da qual lançou o aparelho. Seu sistema de valores, embora extremamente diferente do que é seguido por Amira, é igualmente instintivo. Em seu modelo individualista, o "direito de saber" pessoal ultrapassa a harmonia familiar. Para Marnie, mentir é categoricamente errado; para Amira, depende da situação.

Volta e meia testemunho a tensão entre essas duas visões de mundo. Uma acusa a outra de falsidade e falta de transparência. A outra repudia o destrutivo despejo de segredos em nome da sinceridade. Uma entra em choque com a distância que a outra parece impor entre homens e mulheres. A outra considera a objetividade desbragada prejudicial ao amor e contrária ao desejo. Tanto as culturas coletivistas como as individualistas administram o manifesto e o velado, com os prós e os contras de todos os lados. Como a tendência é ficarmos presos no nosso próprio paradigma, é instrutivo saber como um vizinho de outro país lida com a mesma situação com uma lógica relacional e ética bem diferente. Entretanto, no nosso mundo globalizado, é comum sermos filhos de várias culturas, e tais diálogos acontecem em nossos corações e mentes.

O QUE CONTAR E O QUE NÃO CONTAR?

Os dilemas da revelação não terminam quando o caso é exposto. A cada passo, as perguntas continuam a surgir: o que confessar? Até que ponto? E como fazer isso? Além do mais, o que contamos aos outros depende do que estamos dispostos a admitir para nós mesmos. Pouquíssimas pessoas que conheço mentem para seus entes queridos a sangue-frio. É bem mais comum que tenham construído andaimes complexos a fim de legitimar seus atos, normalmente conhecidos como racionalizações.

"A propensão à infidelidade depende em grande medida da capacidade de justificá-la para nós mesmos", escreve Dan Ariely, especialista em economia comportamental.[8] Todos queremos ser capazes de olhar para o espelho e nos sentirmos bem quanto à pessoa que vemos, ele explica, mas também queremos fazer coisas que sabemos não ser totalmente decentes. Portanto, fazemos uma ponderação interna de nossas várias formas de traição a fim de manter uma autoimagem positiva — um truque ético que Ariely chama de "fator de correção".

Ao lidar com as consequências da infidelidade, é importante analisar essas racionalizações; caso contrário, nos arriscamos a simplesmente jogá-las em cima do parceiro em nome da verdade. Fazia anos que Kathleen estava de antenas ligadas, mas, quando já não aguentava mais a ausência emocional e sexual do marido, Don, ela examinou mais a fundo seu iPad. Suspeitas confirmadas, ela agora quer a verdade, a verdade toda, nada além da verdade. Don recorreu a mim em busca de conselhos sobre como responder às perguntas dela.

Nascido em Chicago e vigoroso aos sessenta e poucos anos, ele teve uma infância pobre, com um pai que lutava para manter seus trabalhos e uma mãe venerada que dava conta de dois empregos. Ele se esforçou muito para criar uma vida cômoda e requintada, e se dedicou a servir seu distrito eleitoral como líder comunitário. Kathleen é sua segunda mulher — faz 22 anos que são casados. Desde o instante em que Don pisa no meu consultório, fica claro que trata-se de um sujeito com profundas contradições. Ele ama a esposa, sempre se dedicou a ela, mas nunca lhe foi fiel.

Para começar, peço que me deixe a par da situação. Kathleen está ciente de suas duas amantes, Lydia e Cheryl. Também sabe que elas fazem parte de sua vida há décadas e moram convenientemente em costas opostas, a uma distância segura da casa da família. À medida que ele apresenta a logística de sua vida tripla, percebo uma leve irritação com o fato de ter sido pego. Afinal, manejou o tríptico com grande zelo e discrição. O prazer que extraía dos casos, ele assume, era a sensação de controle que tinha enquanto seu mundo pessoal ludibriava os olhos da sociedade.

Agora Kathleen sabe dos fatos básicos. O que ela está lhe perguntando é: por que isso aconteceu?

"Então, o que você vai dizer para ela?", indago.

"Bom, a verdade é que eu tinha as outras mulheres porque a intimidade que eu tinha em casa não era satisfatória."

Das centenas de verdades que não contou à esposa, é com essa que ele opta por começar? Está claro que temos muito trabalho pela frente. Peço a Don que pense em como ela se sentiria. E, mais importante ainda, sua declaração é mesmo tão verdadeira quanto ele acredita ser? Ou seria apenas uma de suas racionalizações?

"Você acha mesmo que, se o sexo com a sua esposa fosse melhor, não teria amantes?", é minha pergunta quase retórica.

"Acho", ele insiste. Don me conta uma história longa e confusa sobre menopausa, hormônios, a inibição crescente da esposa, a própria dificuldade em manter a ereção. Com as namoradas, não tem esse problema. Não me causa nenhuma surpresa. Mas antes de contar à esposa que agiu assim porque faltava algo nela, ele precisa se questionar: em que medida ele não estava em falta com ela? Desconfio que, se eu perguntasse a Kathleen, ela provavelmente concordaria que, dado o isolamento emocional de longa data do marido, pouco surpreende que a vida sexual deles tivesse se tornado desinteressante e monótona. Visto que Don parece desconfortável, sigo em frente.

"Imaginação — essa é a palavra-chave aqui. Com os seus casos, sua excitação começa com o voo até a cidade. Você não precisa do comprimido azul porque o estímulo é a maquinação, o planejamento, as roupas escolhidas com cuidado. A expectativa é o que nutre o desejo. Se você volta para casa e a primeira coisa que faz é tirar as roupas boas e vestir o moletom velho, ninguém vai se excitar."

Don parece se assustar com a minha falta de rodeios, mas presta atenção. Ele não é, de jeito nenhum, o primeiro homem ou mulher que me procura para se queixar do tédio sexual em casa. Não nego que a domesticidade tenha um efeito silenciador do erotismo. Mas o sexo com a esposa não tem nem chance se ele dedica toda a sua energia às andanças. Em vez de culpar o sexo medíocre que faz em casa pelos casos, talvez ele devesse culpar os casos pelo enfado sexual que vive com a esposa. Além disso, faz muito tempo que vem perambulando, no primeiro casamento e em todas as relações que teve desde então. O problema não tem a ver com hormônios, idade ou excitação. Tem a ver com ele.

"Agora você entende que aquilo que gostaria de dizer à sua esposa não tem nem um pingo de verdade? Essas são as suas racionalizações — histórias que conta a si mesmo para justificar o fato de continuar fazendo o que quer. Agora, vamos tentar achar alguma coisa mais sincera para você dizer a ela."

No decorrer de nossas conversas, passo a conhecer e gostar de Don. Ele não é um Don Juan que se diverte com as conquistas. Parece estranho dizer isso, mas trata-se de um homem com amor e respeito genuínos pelas mulheres. Elas o criaram e o moldaram — a mãe, as irmãs, as tias, as mentoras. Quando menino e adolescente, faltava-lhe confiança, pois tinha extrema consciência de sua educação fraca e infância humilde. Ele se deu conta de que uma das maneiras de se sentir mais viril era se cercando de mulheres fortes, talentosas. Suas duas amantes de longa data têm mestrado ou doutorado (assim como a esposa), agem conforme a idade, têm os próprios filhos e não estão procurando algo mais — uma compatibilidade perfeita, já que ele sempre deixou claro para elas que jamais largará a esposa. Ele é cuidadoso, respeitoso e leal. Alguns diriam que é o perfeito cavalheiro.

Elas sabiam uma da outra?, eu indago. Ele presume que a Amante 1 sabe da Amante 2, mas a Amante 2 só sabe da esposa. E ele prometeu à Amante 1 que pararia de dormir com a Amante 2, uma promessa que não cumpriu. Nesse ínterim, disse às duas aquela mesma meia verdade que me disse: que suas necessidade sexuais não são saciadas em casa. Aos poucos, à medida que desemaranhamos a rede complexa de seus casos, ele percebe que vem mentindo para as três.

Levar uma vida tripla teve um preço colossal. No início, Don teve uma vida com um segredinho em paralelo. Mas o tempo foi passando e a confusão foi cada vez mais estruturando sua vida toda. A tendência dos segredos é de virarem cogumelos. Você não pode falar para o parceiro onde esteve de seis às oito porque aí terá de contar onde esteve de quatro às cinco. Você imagina estar segurando todas as pontas, mas a verdade é que está ficando mais fragmentado. Enquanto suas peças se juntam novamente em um todo coeso, Don se torna menos dissociado e vem se abrindo mais consigo mesmo e com a esposa.

"O que mais Kathleen tem perguntado?", indago.

"Prometi que nunca mais vou agir assim, mas ela me questiona: 'O que vai te impedir se tiver a oportunidade?'. Falei para ela que não vou fazer isso de novo porque sei que, se ela descobrir, não existe esperança de restaurar nossa relação."

Don enfatiza o medo de ser pego no flagra. É sincero, mas tem mais. O que aconteceria se ele fosse direto com Kathleen sobre o fato de não ser por natureza um cara de uma mulher só?

Ele se surpreende com essa ideia. "Não, eu nunca disse isso. Sempre tive medo de qual seria a reação dela. Acho que ela diria que isso não fazia parte do nosso acordo."

"Faz sentido. E não estou sugerindo que você lhe imponha um harém. Mas a questão é que as mentiras tampouco faziam parte do acordo. Você nunca deu opção. Por definição, se você faz uma coisa pelas costas do outro, está agindo de forma unilateral."

A surpresa de Don dá lugar ao alívio. "Amo minha esposa, mas também amo outras mulheres. Sempre fui assim. O simples fato de admitir isso já é de grande ajuda. Nunca falei nada disso, nem para a Kathleen, nem para mim mesmo." Agora estamos atingindo um novo patamar de verdade. É bem comum, na esteira de uma infidelidade, eu ouvir parceiros arrependidos jurarem que nunca mais vão sentir atração por outra pessoa. Isso só gera mais lorotas. Seria mais realista dizer: "Sim, posso sentir atração, mas, como eu te amo e te respeito, e como não quero mais te magoar, vou optar por não ir em frente". Essa é uma declaração mais franca — e mais digna de confiança.

Agora que esclarecemos o que Don quer dizer à esposa, voltamos nossa atenção para a forma. Sugiro que ele comece com uma carta. Escrita à mão, pois assim é mais pessoal, e entregue em mãos.

A meta é tripla. Primeiro, assumir a responsabilidade por seu comportamento pernicioso, sobretudo a forma com que racionou sua proximidade, dando-lhe apenas parte de seu eu. Segundo, ser vulnerável com ela acerca de suas propensões e de como, por anos a fio, as justificou para si à custa dela. E terceiro, extravasar seu amor por ela e lutar pela relação dos dois.

Ao longo dos anos, descobri que cartas de amor são bem mais capazes de levar à cura do que a prática terapêutica mais comum, na qual se pede que o parceiro infiel faça um inventário completo dos delitos — hotéis, encontros, viagens, presentes. Achei que Don precisava reconhecer que era o mestre da dissimulação. Não achava que teria alguma serventia à esposa saber os detalhes de cada uma das mentiras.

Na semana seguinte, quando Don volta, ele me conta que Kathleen ficou comovida com o empenho e a sinceridade que pôs na carta, mas também circunspecta — querendo acreditar, mas temendo confiar. Tenho esperanças para o casal. Apesar de se conceder privilégios ocultos e egoístas, Don sempre amou a esposa. Desde a primeira sessão, deu para perceber pelo jeito como falava dela — com reverência, carinho e admiração. Kathleen ficou profundamente magoada, mas as vidas paralelas de Don não romperam seu amor e consideração pelo marido — ou o respeito por si. Ela estava decidida a não deixar que essa crise reescrevesse a história toda deles.

Nos meses seguintes, guio Don à medida que ele termina as relações de longa data com Cheryl e Lydia com o máximo possível de integridade e cuidado, e continua a reconstruir o laço com a esposa. Mais de uma vez, ele sucumbe à reação automática de mentir quando Kathleen pergunta sobre suas idas e vindas. Ele vai ter de se esforçar muito para quebrar esse péssimo hábito, mas está comprometido com essa missão. E, sempre que ele lhe dá uma resposta direta, fica atônito com a simplicidade da negociação. O suplício deles não acabou, mas tenho a impressão de que sairão dessa crise mais fortes e mais próximos.

ATÉ QUE PONTO VOCÊ QUER SABER?

Trabalho de ambos os lados da divisa da desonestidade — orientando mentirosos habituais como Don, mas também aconselhando quem foi enganado. É normal presumirmos que as pessoas querem saber de tudo, e não perdemos tempo em julgar a autoilusão daqueles que optam pela ignorância voluntária.

Carol sempre soube que o marido era alcoólatra. O que ela não sabia era que gostava de misturar a bebida com garotas de programa. Depois de contemplar suas opções, ela diz não ter certeza de querer saber mais. "A escolha é sua", eu lhe digo. "Tudo bem se você não quiser todos os detalhes. Deixe que ele carregue o fardo dessas informações e assuma a responsabilidade de descobrir quem ele almeja ser como homem, como pessoa."

Outros sentem a necessidade de se empanturrar de minúcias. Na tentativa de protegê-los do excesso de informações, lembro que, depois de saber, temos de lidar com as consequências de saber. Volta e meia questiono: você realmente quer a resposta para a sua pergunta ou quer que seu parceiro saiba que você tem uma pergunta?

Faço distinção entre dois tipos de pergunta — as perguntas detetivescas, que escavam os detalhes sórdidos, e as perguntas investigativas, que escavam os significados e as motivações.

Fazem parte das perguntas detetivescas: quantas vezes você dormiu com ele? Vocês transaram na nossa cama? Ela grita quando goza? Quantos anos você falou que ela tem? Você chupou o pau dele? Ela estava depilada? Ela deixou você fazer anal? Perguntas detetivescas criam novas cicatrizes e muitas vezes renovam o trauma, provocando comparações em que você sempre perde. Sim, você precisa saber se ele se protegeu ou se você deve fazer exames. Você precisa saber se deve se preocupar com a sua conta bancária. Mas talvez não precise saber se ela era loura ou morena, se os seios eram verdadeiros, se o pênis dele era maior. As interrogações, as recomendações e até as provas forenses não aplacam seus medos fundamentais. Além disso, dificultam muito a reconciliação, e, se você decidir se separar, servirão de material para o processo judicial. Uma outra linha de investigação talvez seja mais proveitosa para restabelecer a confiança.

Perguntas investigativas são o reconhecimento de que a verdade muitas vezes está além dos fatos. São, entre outras: me ajude a entender o que o caso significou para você. Você estava procurando ou simplesmente aconteceu? Por que agora? Como era quando você voltava para casa? O que você vivenciou que não tem comigo? Você se sentia merecedor do seu caso? Você queria que eu descobrisse? Você teria terminado o caso se eu não descobrisse? Você está aliviado por estar tudo às claras ou preferiria que tivesse continuado em segredo? Você estava tentando me largar? Você acha que deve ser perdoado? Você teria menos respeito por mim se te perdoasse? Você tinha esperança de que eu te largasse para não se sentir responsável por ter dividido a família? A abordagem investigativa exige perguntas mais esclarecedoras, que sondam o significado do caso, e se concentra na análise e não nos fatos.

Às vezes fazemos uma pergunta, mas a verdadeira questão se esconde por trás dela. "Que tipo de sexo você fez com ele?" volta e meia substitui "Você não gosta do sexo entre nós?". O que você deseja saber é legítimo, mas a maneira como você pergunta faz toda a diferença para a sua paz de espírito. Meu colega Steven Andreas sugere que, a fim de transformar uma pergunta detetivesca em investigativa, é de grande valia se questionar: se eu soubesse todas as respostas para todas as minhas perguntas, o que isso faria comigo? Isso pode levá-lo a uma linha de investigação mais proveitosa, que respeita o intuito da pergunta inicial mas evita as ciladas das informações desnecessárias.

Meu paciente Marcus sente que, para confiar de novo, precisa saber de tudo. Ele atormenta Pavel obsessivamente, querendo um relato preciso de suas atividades no Grindr. "Eu te fiz uma pergunta; quero uma resposta." Embora entenda a necessidade que Marcus tem de se reorientar, sugiro que essa caça ao tesouro, em vez de trazer conforto, provavelmente causará mais raiva, menos intimidade e mais vigilância.

É plenamente razoável, logo após o ocorrido, que casais concordem com certos limites para manter a paz de espírito — por exemplo, parar de ver e se comunicar com o parceiro de caso ou ir direto para casa depois do trabalho em vez de parar no bar. Mas é muito comum a suposição de que o traidor não tenha mais direito à privacidade. Na era digital, a título de reconstruir a confiança, é comum que o parceiro enganado exija acesso a celulares, senhas de e-mail, login de redes sociais e assim por diante. O psicólogo e autor Marty Klein destaca que, em vez de aumentar a confiança, essa atitude impede que ela exista. "Não dá para 'impedir' que alguém traia outra vez.[9] Ou a pessoa escolhe ser fiel ou não. Quem quiser ser infiel não vai ser impedido nem com todo o monitoramento do mundo."

Confiança e verdade são grandes companheiras, mas precisamos admitir que há muitos tipos de verdade. Quais são as verdades úteis para nós como indivíduos e como casais, à luz das escolhas que provavelmente faremos? Alguns tipos de informação trazem clareza; outras só nos dão visões com as quais nos torturar. Voltar nossas perguntas para o que significa o caso — as ânsias, os medos, os desejos, as esperanças — confere um papel alternativo àquele de vítima transformada em policial. A curiosidade autêntica cria uma ponte — um primeiro passo em direção à intimidade revigorada. Nos tornamos colaboradores no entendimento e na reparação. Casos são empreitadas solo; criar sentido é um projeto conjunto.

Parte III

Significados e motivações

9. Até pessoas felizes traem
Uma exploração dos sentidos dos casos

> *Às vezes consigo sentir meus ossos tensos sob o peso*
> *de todas as vidas que não estou vivendo.*
> Jonathan Safran Foer, *Extremamente alto e incrivelmente perto*

> *O sexo tira proveito da emoção da descoberta, muitas e muitas vezes, de que*
> *somos desconhecidos de nós mesmos. [...] O que contribui para a aventura não*
> *é apenas a novidade do Outro, embora isso ajude, mas a Alteridade do eu.*
> Virginia Goldner, "Ironic Gender, Authentic Sex"
> [Gênero irônico, sexo autêntico]

E se o caso não teve nada a ver com você?

Essa questão geralmente parece ridícula para o companheiro deixado de lado por um amante secreto, ludibriado, iludido pelo único amor. A traição íntima parece intensamente pessoal — um golpe certeiro no lugar mais vulnerável. Entretanto, olhando pela lente do dano causado ao parceiro lesado, vemos somente um lado da história. Trair é o que eles fizeram com o companheiro, mas o que estavam fazendo consigo mesmos? E por quê?

Manter a dupla perspectiva — o sentido e as consequências — é parte essencial do meu trabalho. A fase 1 é focada principalmente em "o quê": a crise, a briga, a mágoa e a vida dupla. A fase 2 se concentra no "porquê": o sentido, as motivações, os demônios, a experiência sob os próprios termos. Escutar essas revelações de cabeça aberta é uma parte crucial do processo de cura para todos os envolvidos.

"Por que as pessoas pulam a cerca?" é uma pergunta que venho fazendo sem parar nos últimos anos. Enquanto na literatura somos convidados a bisbilhotar os anseios complexos de canalhas casados, na minha área suas motivações tendem a se resumir a um de dois pontos: ou é um problema do casamento ou é um problema do indivíduo. Assim, como ressaltou Michele Scheinkman, "o que outrora era para Madame Bovary a procura do amor romântico é hoje [...] encaixado em um contexto de 'traição' que diz menos respeito ao amor e ao desejo e mais aos sintomas em busca de uma cura".

A tese do "sintoma" é a seguinte: um caso simplesmente nos alerta para uma condição preexistente, seja uma relação problemática ou uma pessoa problemática. E, em muitas situações, isso é verdade. Muitas relações culminam em um caso para compensar uma carência, para preencher um vazio ou criar uma saída. O elo frágil, a tentativa de evitar conflitos, a falta prolongada de sexo, a solidão ou apenas os anos a fio empacado requentando as mesmas discussões — inúmeros adúlteros são motivados pela disfunção conjugal. E muito já foi escrito sobre problemas gerarem problemas. No entanto, os terapeutas enfrentam diariamente situações que desafiam essas razões bem documentadas. Como interpretá-las?

A ideia de que a infidelidade pode acontecer na ausência de problemas conjugais sérios é difícil de aceitar. Nossa cultura não acredita em casos sem faltas. Assim, quando não é possível culpar a relação, nossa tendência é culpar o indivíduo. A literatura clínica é bem provida de tipologias de traidores — como se o caráter sempre superasse as circunstâncias. O jargão da psicologia substituiu a linguagem religiosa e o pecado foi eclipsado pela patologia. Não somos mais pecadores: somos doentes. Ironicamente, era bem mais fácil nos purificarmos dos pecados do que é nos livrarmos de um diagnóstico.

Por mais estranho que pareça, quadros clínicos se tornaram uma moeda cobiçadíssima no mercado da cura para o adultério. Alguns casais chegam ao meu consultório com o diagnóstico na mão. Brent está louco para envergar o manto da patologia se com isso conseguir uma desculpa para vinte anos de aventuras. A esposa, Joan, não está tão entusiasmada e me diz o que pensa sobre isso: "A terapeuta dele disse que ele tem um transtorno de apego porque o pai o abandonou e o deixou cuidando sozinho da mãe e da irmã. Mas falei para ele: 'Você não consegue mais ser um canalha? Precisa de diagnóstico?'".

A esposa de Jeff, Sheryl, acabou de descobrir um monte de indícios de que ele anda navegando por sites de BDSM* e transando com estranhas. Após inúmeras sessões com uma terapeuta, Jeff tem a convicção de que é um "viciado em sexo" que trata sua depressão na masmorra. Sheryl concorda, e talvez seja mesmo verdade. Mas a medicalização de seu comportamento não deve servir para se esquivarem de explorar com franqueza o território incômodo de suas preferências excêntricas. É mais fácil rotular do que investigar.

Se diagnósticos psicológicos não são convincentes, há sempre o universo estrondoso da neurociência popular. Nicholas, cuja esposa, Zoe, tem um caso há mais de um ano, estava visivelmente mais animado ao chegar a nossa última sessão brandindo o *New York Times*. "Olha!" Ele apontou para a manchete: "'A infidelidade à espreita nos genes'. Eu sabia que, por causa do casamento aberto dos pais, o senso de moralidade dela era mais frágil. É hereditário!".

Não há dúvida de que muitos cônjuges traidores dão sinais de depressão, compulsão, narcisismo, transtorno de apego ou pura sociopatia. Assim, às vezes, o diagnóstico certo enfim joga luz sobre uma conduta inexplicável e negativa, tanto para a pessoa que a leva a cabo quanto para aquela que sofre as consequências. Nessas situações, é um instrumento útil que ajuda a traçar um caminho para a observação e a recuperação. Mas é muito comum, quando pulamos direto para um diagnóstico, provocarmos um curto-circuito no processo de criação de sentido.

Minha experiência me instigou a procurar mais, a ir além da tese bem difundida de que a infidelidade é sempre sintoma de uma relação ou indivíduo defeituoso. A causalidade mais aparente não é sempre a mais exata. Aprendi essa lição ao escrever *Sexo no cativeiro*. Sempre ouvi dizer que problemas sexuais são resultantes de problemas de relacionamento, e que, se você arruma a relação, o sexo segue o mesmo rumo. Embora esse tenha realmente sido o caso para inúmeros casais, eu tratava outros que não paravam de me dizer: "Nós nos amamos muito. Temos uma relação ótima. A não ser pelo fato de que não transamos". Estava claro que o impasse sexual não era apenas sintoma de

---

* Abreviação sobreposta de bondage e disciplina (BD), dominação e submissão (DS), sadismo e masoquismo (SM).

um romance que deu errado. Tivemos de procurar em lugares menos óbvios as raízes da morte erótica — o que significava falar de sexo sem rodeios, algo que em geral os terapeutas de casais preferem evitar.

Paralelamente, a sabedoria convencional defende que uma boa intimidade garante fidelidade. Nosso modelo de amor romântico presume que, se uma união é saudável, não existe necessidade de pular a cerca. Se é em casa que você se sente seguro, visto, estimado, respeitado e desejado, para que ficar perambulando por aí? Segundo esse ponto de vista, um caso é um produto factual de um déficit. Consequentemente, a terapia bem-sucedida visa identificar e curar os problemas que provocaram o caso para que o casal possa ir embora com um certificado de vacinação na mão. Mas será que esse método de solução de problemas pode neutralizar os limites e as complexidades do amor?

Acredito que não. Primeiro, porque sugere que exista algo parecido com um casamento perfeito, que nos vacina contra aventuras. E segundo porque, sessão após sessão, atendo pessoas que me garantem: "Amo minha mulher/meu marido. Somos melhores amigos e somos felizes juntos. Mas estou tendo um caso".

Muitos desses indivíduos foram fiéis durante anos, às vezes décadas. Parecem ser mulheres e homens equilibrados, maduros, carinhosos, muito preocupados com a relação. Porém, um dia cruzam a linha que jamais imaginaram que cruzariam, arriscando tudo que construíram. Por um vislumbre do quê?

Quanto mais ouço essas histórias de transgressões improváveis — de transas de uma noite só a casos de amor impetuosos —, mais me vejo tentada a buscar explicações menos óbvias. Por que pessoas felizes traem?

Com esse fim, incentivo os infiéis a me contarem suas histórias. Quero entender o que os casos significam para eles. Por que você fez isso? Por que ele? Por que ela? Por que agora? Foi a primeira vez? Foi você quem tomou a iniciativa? Você tentou resistir? Como você se sentiu? Você estava procurando alguma coisa? O que foi que encontrou? Todas essas perguntas me ajudam a sondar os significados e motivações das infidelidades.

As pessoas traem por diversas razões, e, sempre que imagino ter ouvido todas, uma nova versão emerge. Mas um tema volta e meia vem à baila: casos como forma de autodescoberta, a busca por uma identidade nova (ou perdida). Para essas pessoas, é menos provável que a infidelidade seja sintoma de um problema, e é mais comum que seja descrita como uma experiência vasta que engloba crescimento, investigação e transformação.

"Vasta?", ouço algumas pessoas exclamarem. "Que autodescoberta, que nada! Claro, soa melhor do que falar em sair trepando em um motel barato! Você pode botar o rótulo extravagante que bem entender, mas traição é traição! É cruel, egoísta, desleal e abusiva." De fato, para quem foi traído, pode ser isso tudo. Mas o que significou para o outro?

Depois que a crise inicial se acalma, é importante criar espaço para a exploração da experiência subjetiva dos casos além da dor que podem causar. O que para o Parceiro A pode ter sido uma traição angustiante foi transformador para o Parceiro B. Entender por que a infidelidade aconteceu e o que significou é crucial, tanto para casais que optam por terminar a relação quanto para aqueles que desejam continuar juntos, reconstruir e revitalizar o seu laço.

EM BUSCA DE UM NOVO EU

Às vezes, quando buscamos o olhar de outro, não é para o nosso parceiro que viramos a cara, mas para a pessoa que nos tornamos. Não estamos exatamente à procura de outro amante, mas de outra versão de nós mesmos. O ensaísta mexicano Octavio Paz descreve o erotismo como uma sede de alteridade.[1] Não raro, o *outro* mais inebriante que as pessoas descobrem durante o caso não é o novo parceiro: é o novo eu.

A primeira carta de Priya era pura confusão e sofrimento. "A maioria das descrições de casamentos problemáticos não se encaixam na minha situação", ela começou. "Colin e eu temos uma relação maravilhosa. Três filhos ótimos, nenhum estresse financeiro, carreiras que adoramos, grandes amigos. Ele é um fenômeno no trabalho, lindo pra caralho, é um amante atencioso, está em forma, e é generoso com todo mundo, inclusive meus pais. Minha vida é *ótima*."

Contudo, Priya está de caso com o sujeito que removeu a árvore que invadiu a garagem do vizinho depois do Furacão Sandy. "Não é uma pessoa que eu namoraria — nunca, jamais, em tempo algum. Ele dirige caminhão e tem tatuagens. É tão clichê que me dói dizer em voz alta — que nem o chefe de meia-idade e a secretária jovem e gostosa. E é perigoso. Pode destruir tudo que construí, o que não quero que aconteça. Minha terapeuta é a única pessoa que sabe, e ela me mandou bloquear o telefone dele e nunca mais falar com ele. Eu sei que ela tem razão e já tentei, mas sempre volto atrás."

Ela me conta sua experiência, meio fascinada e meio horrorizada. "Não temos para onde ir, então sempre nos escondemos no caminhão dele ou no meu carro, em cinemas, em bancos de praça — as mãos dele dentro da minha calça. Me sinto uma adolescente com o namorado." Ela não para de enfatizar o toque de colegial que há na história. Eles só fizeram sexo meia dúzia de vezes durante a relação inteira; tem mais a ver com se sentir sexy do que com fazer sexo. E ela está no meio do comuníssimo dilema entre adúlteros: "Não posso continuar com isso. Mas não consigo parar".

Priya não entende por que está nessa confusão. Ela também comprou a ideia de que essas coisas acontecem somente quando há algo faltando no casamento. Enquanto se vangloria dos méritos de sua vida conjugal, no entanto, começo a desconfiar de que o caso não tem a ver com o marido ou com a relação deles.

Procurar obstinadamente causas matrimoniais em casos como esses é um exemplo do que se costuma chamar de "efeito poste de luz", em que o bêbado procura as chaves sumidas não onde as perdeu, mas onde a luz está. Seres humanos são propensos a procurar as coisas onde é mais fácil procurá-las e não onde é provável que as encontrem de verdade. Talvez isso explique por que a imensa maioria dos terapeutas de casais adere à teoria do sintoma. Assim, eles podem se concentrar no território conhecido da relação em vez de mergulhar no atoleiro da transgressão. É mais fácil botar a culpa em um casamento fracassado do que atacar os imponderáveis existenciais de nossas ambições, nossos desejos e nosso enfado. O problema é que, ao contrário do bêbado, cuja procura é vã, os terapeutas são sempre capazes de achar problemas no casamento. Mas eles talvez não sejam as chaves certas para destravar o significado do caso.

Um exame forense do casamento de Priya sem dúvida renderia algo: sua posição impotente como a pessoa que ganha menos; a tendência a reprimir a raiva e evitar conflitos; a claustrofobia que sente de vez em quando; a fusão gradual de dois indivíduos em um "nós", resumida de forma tão sucinta na frase "Nós gostamos daquele restaurante?". Se ela e eu tomássemos esse rumo, talvez o papo fosse interessante, mas não seria o papo que precisávamos ter. O fato de um casal ter "questões" não significa que essas questões levam ao caso.

"Acho que isso diz respeito a você, não ao seu casamento", sugiro a Priya. "Então me fale de você mesma."

"Sempre fui boa. Boa filha, boa esposa, boa mãe. Obediente. Aluna nota dez." Priya vem de uma família de imigrantes indianos de recursos modestos. Para ela, "o que eu quero?" nunca foi separado de "o que eles querem de mim?". Ela nunca frequentou festas, bebeu ou ficou na rua até de madrugada, e provou o primeiro baseado aos 22 anos. Depois da faculdade de Medicina, se casou com o cara certo e até recebeu os pais em casa antes de lhes comprar uma casa em um condomínio de aposentados. Aos 47, resta-lhe a questão torturante: "Se eu não for perfeita, eles ainda vão me amar?". No seu inconsciente, existe uma voz que se pergunta como é a vida para quem não é tão "bom". São mais solitários? Mais livres? Divertem-se mais?

O caso de Priya não é nem sintoma nem patologia; é uma crise de identidade, um rearranjo interno de sua personalidade. Em nossas sessões, falamos de dever e desejo, de idade e juventude. As filhas estão virando adolescentes e curtindo uma liberdade que ela nunca teve. Ao mesmo tempo que as apoia, tem inveja. Aproximando-se da marca do meio século, ela está vivendo sua rebeldia adolescente tardia.

Essas introspecções podem parecer superficiais — problemas banais de primeiro mundo. A própria Priya disse isso. Ambas concordamos que ela tem uma vida invejável. E no entanto ela está arriscando tudo. Isso basta para me convencer a não fazer pouco da situação. Meu papel é ajudá-la a compreender seus atos. Está claro que não se trata de uma história de amor destinada a se tornar uma história de vida (como de fato acontece com alguns casos). É um caso que começou e terminará como tal — espero que sem destruir seu casamento nesse processo.

Isolado das responsabilidades cotidianas, o universo paralelo do caso geralmente é idealizado, incutido da promessa de transcendência. Para alguns, é um mundo de possibilidades — uma realidade alternativa em que podemos nos reimaginar e reinventar. Porém, é vivenciado como algo irrestrito justamente porque é contido pelos limites de sua estrutura clandestina. É um parêntese radiante, um interlúdio poético na prosa da vida.

Portanto, histórias de amores proibidos são utópicas por natureza, sobretudo em comparação com as restrições mundanas do casamento e da família.[2] Uma característica primordial desse universo liminar — e o segredo de seu poder irresistível — é ser inatingível. Casos são, por definição, precários, ilusórios e ambíguos. A indeterminação, a incerteza, o não saber quando vocês vão se ver de novo — sentimentos que jamais suportaríamos na nossa relação principal — se tornam lenha para a expectativa no romance às escondidas. Como não podemos *ter* o amante, está garantida nossa insatisfação, já que sempre queremos o que não podemos ter. É esse toque inalcançável que confere aos casos uma aura erótica e assegura que a chama do desejo se mantenha acesa.

O que reforça essa separação do caso e da realidade é o fato de que muitos, assim como Priya, escolhem amantes que não poderiam ou não gostariam de ter como companheiros de vida. Ao se apaixonar por alguém de uma classe, cultura ou geração bem diferente, jogamos com possibilidades que não poderíamos cogitar como realidade.

A infidelidade promete "vidas que jamais poderiam ser a minha", como a jornalista Anna Pulley observa em um belo ensaio sobre seu caso com uma mulher casada.[3] "Eu era", ela escreve, "uma estrada que ela jamais tomaria [...] O nosso era um amor dependente da possibilidade — o que podíamos oferecer uma à outra era potencial infinito. A realidade nunca teve chance diante desse tipo de promessa [...] Ela representava uma perfeição singular, e tinha mesmo de representar, pois não continha nenhuma das armadilhas de uma relação de verdade [...] Em certa medida, era perfeita por ser uma fuga, e parecia sempre proporcionar mais."

O curioso é que pouquíssimos casos assim sobrevivem à descoberta. Seria de se imaginar que uma relação pela qual se correu tanto risco aguentaria a transição rumo à luz do dia. Sob o feitiço da paixão, amantes falam com desejo de tudo que poderão fazer quando enfim ficarem juntos. Porém, quando a proibição é suspensa, quando o divórcio é finalizado, quando o sublime se mistura à normalidade e o caso adentra o mundo real, o que acontece? Alguns se acomodam à legitimidade feliz, mas é maior ainda o número dos que não o fazem. Na minha experiência, a maioria dos casos acaba, mesmo quando o casamento também chega ao fim. Por mais autêntico que seja o sentimento amoroso, o galanteio destinava-se apenas a ser uma bela ficção.

O caso vive à sombra do casamento, mas o casamento também vive no âmago do caso. Sem a deliciosa ilegitimidade, a relação com o amante pode continuar sedutora? Se Priya e o namorado tatuado tivessem o próprio quarto, ficariam tão eufóricos quanto na carroceria do caminhão?

Conheci inúmeras mulheres (e homens) como Priya. Reconheço o poder da experiência que viveram. Não a trato como banalidade, egoísmo ou imaturidade. Mas, ao mesmo tempo, desafio a arrogância dos amantes que acham que a epifania de sua ligação tornou insípido tudo o mais em suas vidas. Apaixonar-se, conforme declara Francesco Alberoni, "rearranja todas as nossas prioridades, atira o supérfluo ao mar, projeta uma luz brilhante sobre o que é superficial e imediatamente o descarta".[4] Como aviso a Priya, quando o voo poético se espatifar no chão, é bem provável que ela se dê conta de que sua vida prosaica é muito relevante.

O PODER SEDUTOR DA TRANSGRESSÃO

Não há conversa sobre relacionamentos que possa evitar o tema espinhoso das regras e do nosso desejo demasiado humano de quebrá-las. Triturar as regras é uma afirmação da liberdade sobre a convenção, da possibilidade sobre as restrições e do eu sobre a sociedade. Talvez Priya esteja perplexa e aflita por estar colocando seu casamento em risco. Mas é exatamente nisso que está o poder da transgressão: no ato de arriscar as coisas que nos são mais queridas. Bem cientes da lei da gravidade, sonhamos em voar. As consequências podem ser transformadoras ou destrutivas, e às vezes não conseguimos separar as duas.

Não raro, Priya se sente uma contradição ambulante: alternando-se entre estarrecida por sua conduta temerária, encantada por sua atitude valente, atormentada pelo medo de ser descoberta e incapaz (ou relutante) de pôr um fim nisso. Sem dúvida, neurocientistas explicariam que, na vida cotidiana, ela segue os comandos racionais do córtex frontal, mas, no caso, o sistema límbico assume o controle com firmeza.

Da perspectiva psicológica, nossa relação com o proibido lança luz sobre os aspectos mais sombrios e menos objetivos da nossa humanidade. A transgressão está no cerne da natureza humana. Além disso, como muitos de nós lembramos da infância, existe um barato em se esconder, ser sorrateiro, ser mal, ter medo de ser descoberto, e em escapar ileso. Quando adultos, vemos nisso um potente afrodisíaco. O risco de ser pego em flagrante fazendo alguma travessura ou obscenidade, a quebra dos tabus, o alargamento dos limites — todas essas são experiências excitantes. Segundo observa o sexólogo Jack Morin, a maioria retém a ânsia infantil de demonstrar superioridade sobre as regras. "Talvez", ele sugere, "seja por isso que encontros e fantasias com sabor de transgressão tantas vezes deixem os transgressores com a sensação de autovalidação ou até de orgulho."[5]

Segundo a agora famosa "equação erótica" de Morin, "atração mais obstáculos é igual a emoção".[6] Altas doses de excitação, ele explica, fluem da tensão entre problemas persistentes e soluções triunfantes. Nossa excitação está mais intensa quando estamos meio desestabilizados, em dúvida, "suspensos no perigoso limiar entre o êxtase e o desastre".[7]

Essa constatação de nossas propensões humanas ajuda a esclarecer por que pessoas com relações felizes, estáveis, são atraídas pela carga da transgressão. Para Priya, a questão é fascinante: e se somente dessa vez eu agir como se as regras não se aplicassem a mim?

Enquanto para alguns a quebra das regras é um sonho muito adiado, para outros a sensação de merecimento é um estilo de vida. Eles simplesmente supõem estar acima das regras. O narcisismo lhes dá permissão para romper todas as convenções. Para eles, infidelidade é oportunismo — traem impunemente pelo simples fato de que podem. Sua grandiosidade é a grande narrativa.

Todos os casos são marcas da sensação de direito adquirido, mas estou interessada sobretudo no significado do direito adquirido para quem passou a vida sendo responsável, obediente, comprometido. O que a rebeldia representa para esses cidadãos honrados? O que devemos pensar da natureza autocontraditória de suas transgressões, quando os limites que estão desafiando são os mesmos que eles criaram?

Nossas conversas ajudam Priya a ter uma claridade maior sobre sua situação confusa. Ela fica aliviada por não precisarmos destrinchar sua relação com Colin. Mas ter de assumir toda a responsabilidade faz com que se sinta cheia de culpa. "A última coisa que eu queria era magoá-lo. Se ele soubesse, ficaria arrasado. E saber que não teve nada a ver com ele não faria a menor diferença. Ele nunca acreditaria nisso."

Priya está em uma encruzilhada. Poderia falar do caso com o marido, algo que muita gente a aconselharia a fazer, e depois lidar com as consequências. Poderia guardar segredo e terminá-lo, torcendo para que nunca descobrisse. Ou poderia continuar a deslizar pelos dois trilhos paralelos por enquanto. Minha preocupação com a primeira opção é que, embora eu não seja conivente com a dissimulação, sei que, no momento em que o caso for revelado, a narrativa sofrerá uma mudança irrevogável. Não será mais uma história de autodescoberta, mas de traição. Não sei muito bem o que eles vão ganhar com isso.

E o que dizer da segunda opção, de terminar o caso sem fazer barulho? Ela já tentou várias vezes: deletou o número do telefone dele, fez outro caminho depois de deixar os filhos na escola, disse a si mesma como a história toda é um erro. Mas os cortes que se impôs viraram regras novas e eletrizantes a quebrar. Três dias depois, o nome falso está de volta ao telefone.

Quanto à terceira opção, o tormento de Priya cresce na mesma proporção dos riscos que assume. Ela está começando a sentir os efeitos corrosivos do segredo e se tornando cada dia mais desleixada. É perseguida pelo perigo em todos os cinemas e estacionamentos isolados.

Levando em conta tudo isso, espero conduzi-la rumo a uma quarta opção. O que ela está me dizendo, na verdade, é: preciso acabar com isso, mas não quero. O que vejo, e que ela ainda não percebeu, é que o que ela teme perder não é ele — é a parte de si que ele despertou. "Você acha que teve um namoro com o caminhoneiro", eu lhe digo. "Mas, na verdade, você teve um contato íntimo consigo mesma, mediado por ele."

A distinção entre o indivíduo e a experiência é crucial para ajudar as pessoas a se libertarem de seus casos. A incursão extraconjugal se encerrará, mas os suvenires continuarão a viajar com elas. "Não espero que acredite em mim neste momento, mas você pode terminar a relação e continuar com o que ela lhe deu", afirmo. "Você se reconectou com uma energia, um viço da juventude. Sei que acha que, se o largar, irá cortar uma corda de segurança que a liga a tudo isso, mas quero que saiba que com o tempo você vai descobrir que parte disso também vive dentro de você."

Discutimos como fazer a despedida. O rompimento drástico não funcionou porque enfatiza apenas os aspectos negativos e não reconhece a profundidade da experiência. Priya e o amante também tentaram a abordagem lenta e amena, passando horas a fio debatendo como terminar. Sei como esse tipo de conversa transcorre: casais passam noites inteiras planejando as despedidas, mas acabam se sentindo mais próximos e mais ligados em virtude da separação iminente.

Apresento um tipo diferente de conversa: um adeus genuíno, que não renega todos os pontos positivos, mas comporta a contradição: "Não quero terminar, mas foi isso que eu vim fazer". Ela deveria expressar sua gratidão pelo que a relação lhe deu e dizer que sempre guardará com carinho as lembranças do tempo que estiveram juntos.

Ela me pergunta: "Preciso fazer isso hoje, não é?".

"Você vai precisar fazer isso durante muitos dias", respondo. "Você vai precisar aprender a se apartar dele. E não vai ser fácil. Às vezes vai parecer um tratamento de canal. Ele se tornou uma presença tão forte na sua vida que, não podendo vê-lo, a princípio você vai andar por aí entorpecida e vazia. É de se esperar e talvez leve tempo."

Em certas situações, o processo pode ser questão de uma única conversa esclarecedora; em outras, pode-se levar semanas ou meses para que o sentido seja metabolizado e o caso morra de morte natural após cumprir seu propósito. Com Priya, desconfio que seja o último. "Você vai ter que se forçar a não mandar mensagem, ligar, seguir ou passar de carro pela casa dele. Você talvez escorregue de vez em quando, mas um dia vai acabar conseguindo. Você vai se sentir perdida, vai sofrer e aos poucos vai aceitar. Vai sentir o alívio de não estar fragmentada. E, vez por outra, quando pensar nele, vai se sentir jovem de novo."

Talvez o que digo seja verdade e Priya se recorde com ternura do caminhoneiro. Mas sei que é igualmente possível que, daqui a um ano, pense nesse episódio e se pergunte: "O que é que eu estava pensando? Será que enlouqueci?". Ele continuará uma bela flor em seu jardim secreto, ou talvez ela o veja como uma erva daninha. Por enquanto, basta dizer que lhe dar permissão para internalizá-lo a ajudará a se desfazer dele.

É muito comum me perguntarem: "Um casal pode mesmo ter um vínculo autêntico, seguro, com um deles guardando um segredo como esse? Isso não torna a relação inteira uma farsa?". Não tenho uma resposta padronizada para essas questões. Em muitos casos, trabalhei rumo à revelação, esperançosa de que isso abrisse novos canais de comunicação para o casal. Mas também já vi um segredo revelado com descuido deixar cicatrizes imperecíveis. Quando estou com Priya, meu foco é fazer com que assuma sua experiência e lide com ela da forma mais zelosa possível. Hoje em dia, minhas mensagens substituíram as do amante no bate-papo do WhatsApp. Atuo como uma espécie de madrinha enquanto ela vai se desvencilhando da ratificação diária do amante e aos poucos busca restaurar a unidade de sua vida.

O FASCÍNIO DAS VIDAS QUE NÃO FORAM VIVIDAS

A procura do eu inexplorado é um tema contundente da narrativa adúltera. O universo paralelo de Priya a transportou para a adolescente que nunca foi. Outros se veem atraídos pela memória da pessoa que já foram um dia. E há também aqueles cujas quimeras os levam de volta até as oportunidades perdidas, aqueles que escaparam, e a pessoa que poderiam ter sido. Como escreve o ilustre sociólogo Zygmunt Bauman, na vida moderna, "existe sempre a desconfiança [...] de que estamos vivendo uma mentira ou um engano; de que algo de crucial importância passou despercebido, foi omitido, negligenciado, não foi tentado ou explorado; de que uma obrigação vital para com o eu autêntico não foi cumprida ou de que certas chances de felicidade desconhecida, totalmente diferentes de qualquer felicidade vivenciada antes, não foram adotadas com o tempo e estão destinadas a se perder para sempre se continuarem negligenciadas".[8] Ele fala diretamente à nossa nostalgia pelas vidas não vividas, identidades inexploradas e rotas não tomadas.

Quando crianças, temos a oportunidade de representar outros papéis; quando adultos, é comum nos vermos confinados por aqueles que nos atribuíram ou os que escolhemos. Ao escolhermos um parceiro, nos comprometemos com uma história. Porém, continuamos eternos curiosos: de que outras histórias poderíamos ter feito parte? Os casos nos oferecem uma janela para essas outras vidas, uma espiadela no estranho dentro de nós. Não raro, o adultério é a vingança das possibilidades abandonadas.

Dwayne sempre se lembrou com carinho da namorada de faculdade, Keisha. Foi a melhor transa de sua vida e ainda aparecia bastante em sua vida fantasiosa. Ambos sabiam que eram novos demais para firmar um compromisso e se separaram com relutância. No decorrer dos anos, ele volta e meia se perguntava o que teria acontecido se o momento fosse outro.

Entra o Facebook. O universo digital proporciona oportunidades inéditas de nos reconectarmos com pessoas que saíram de nossas vidas há muito tempo. Nunca tivemos tanto acesso a nossos ex e tanto material para nossa curiosidade. "O que será que aconteceu com a fulaninha de tal? Será que ela se casou?" "Fiquei sabendo que ele está com problemas no namoro." "Ela ainda é tão bonita quanto eu lembro que era?" As respostas estão a um clique de distância. Um dia, Dwayne procurou o perfil de Keisha. Pasmem: os dois estavam em Austin. Ela, ainda gata, era divorciada. Ele, por outro lado, estava casado e feliz, mas foi vencido pela curiosidade e em pouco tempo "adicionar aos amigos" virou uma namorada secreta.

Tenho a impressão de que, na última década, casos com ex proliferam graças às redes sociais. Esses encontros retrospectivos ocupam um espaço qualquer entre o conhecido e o desconhecido — juntando a familiaridade de alguém que conhecemos em outra época e o frescor criado pela passagem do tempo. O caso com uma velha paixão propicia a mistura singular de confiança inerente, tomada de riscos e vulnerabilidade. Além disso, é um ímã para a nostalgia arraigada. A pessoa que já fui, mas perdi, é a pessoa que você conhecia.

Todos temos várias personalidades, mas, nas relações íntimas, com o tempo, a tendência é reduzirmos a complexidade a uma versão encolhida de nós mesmos. Um dos elementos essenciais da cura é achar formas de reintroduzir as muitas peças que foram abandonadas ou exiladas ao longo do caminho.

O RETORNO DAS EMOÇÕES EXILADAS

Enquanto algumas pessoas se surpreendem ao descobrir que são muitas coisas diferentes, Ayo conhece bem suas diversas personalidades. Ele sempre se definiu, redefiniu e se desenvolveu por meio de suas relações — com amigos, mentores e parceiras íntimas. "Tenho camadas ou grupos de amigos correspondentes a cada fase da minha vida, em várias partes do mundo", ele me conta. "Cada um evoca a pessoa que fui nos anos em que essas relações se formaram. Acho estimulante me vivenciar de novo em diversas etapas da vida simplesmente optando por passar um tempo com um ou outro círculo de amizades."

Nos últimos dois anos, entretanto, a pessoa mais influente no atual projeto de desenvolvimento pessoal de Ayo é Cynthia, também consultora de desenvolvimento internacional. Ele descreve o caso de dois anos entre eles como "um acelerador de desenvolvimento vital" — induzindo-o a ter uma nova experiência de si mesmo.

A infidelidade de Ayo serve de exemplo de uma história menos conhecida mas não incomum em homens. Existe um tipo de sujeito que passou a vida no lado durão do espectro emocional, destemido e sempre no controle. Para Ayo, que cresceu no Quênia e se mudou várias vezes durante a infância turbulenta, essa estratégia fazia sentido. "Tenho a impressão de que queria muitas das partes boas do amor — o carinho, a proteção, o cuidado, a amizade e o romantismo —, mas não as partes porosas — a vulnerabilidade, a fragilidade, o medo e a tristeza", reflete.

A esposa, Julie, lhe proporcionava exatamente isso. Conheceram-se em Londres 27 anos atrás, quando ambos embarcavam em uma carreira na mesma área. "Ela era linda, de uma inteligência excepcional, atlética, nem muito introspectiva nem frágil, o que me caía bem." Vieram cinco filhos, com Julie resolvendo abandonar a carreira e criar a prole enquanto Ayo continuava viajando o mundo.

O casamento deles era feliz. Era, segundo descreve Ayo, "baseado na premissa da liberdade extraconjugal respeitosa" — liberdade de que se aproveitou várias vezes ao longo dos anos, curtindo encontros casuais em todos os fusos horários. Julie fazia vista grossa às suas "escapadas", como as chamava ("tiravam parte da pressão de cima de mim"), e também chegou a ter um caso breve, sobre o qual contou ao marido.

O primeiro encontro de Ayo com Cynthia se deu através dos escritos dela, que ele achou "brilhantes" — sua voz "encantadora, divertida, genuína e sábia". Quando se conheceram pessoalmente, ela era tudo isso, além de elegante e graciosa. "Caímos de amores", ele diz, "nos conhecemos por meio do trabalho e trocamos cartas intermináveis — milhares de páginas nos últimos dois anos." A relação deles tem inúmeras facetas — grande respeito profissional, parceria criativa, coleguismo intelectual, paixão erótica e humor.

No começo, Ayo e Cynthia planejavam contar aos respectivos cônjuges na esperança de que os limites flexíveis que caracterizavam os dois casamentos se alargassem para incluir a conexão deles. Mas sabiam que a relação era mais séria do que as aventuras anteriores e provavelmente "testaria os limites da tolerância de nossos pares".

Antes que pudessem seguir em frente com o plano, a vida interveio sob a forma do diagnóstico de câncer de Cynthia. A decisão de contar foi por água abaixo, assim como os limites restantes. "Mergulhei de cabeça na vida dela e passei o máximo de tempo possível com ela", Ayo relembra. "Me apaixonava cada vez mais. Pela primeira vez, me permiti ter medo, ficar triste."

Ayo descreve ter entrado em contato com as emoções que sempre foram suprimidas, descobrindo uma nova curiosidade, empatia e tolerância à incerteza. Sempre introspectivo, ele resume assim o que aconteceu: "Adquiri um nível de conhecimento do espaço emocional que me faltava". Esse homem mais delicado também surgia quando fazia amor — "era mais brincalhão, mais equilibrado e menos voltado para os resultados".

Quando Julie descobriu Cynthia, Ayo ainda tinha esperanças de que ela talvez "desse de ombros", como fizera com suas aventuras anteriores, e aceitasse o caso como parte de um novo acordo poliamoroso. Para a surpresa e desalento dele, aconteceu o oposto. "Ela afundou na agonia." Quando ele me escreveu pedindo uma sessão de casal, estava tentando achar uma forma de sair desse impasse.

"A verdade é que amo a Julie", ele afirmou, "sua energia infinita, o compromisso inquestionável com nosso casamento e família, a invulnerabilidade, a consideração com os outros, suas certezas bem fundamentadas e sua rica base de valores. O muito que temos em comum nos manterá interessados até a velhice. E o fato é que estou apaixonado por Cynthia — sua graciosidade, o requinte de sua inteligência emocional, o brilhantismo, a vulnerabilidade, as incertezas ontológicas e a complexidade de sua mente. Adoro o fato de mostrar o melhor lado de mim quando estou com ela. Tantas partes diferentes de mim me puxam em direções opostas. Com as duas na minha vida, me senti o homem mais sortudo do mundo."

Quando nos conhecemos, Ayo havia rompido com relutância a parte sexual de sua relação com Cynthia, mas insistia em manter a relação criativa — algo que desagrada muito Julie. Ele me diz francamente que está ponderando várias opções. Em parte, espera que eu convença Julie a deixá-lo continuar o casamento e o caso. Espera também que eu "crie juízo nele e lhe dê uma sacudida para acabar com suas ilusões", de modo que possa se concentrar apenas no casamento. Porém, existe outra parte dele que se questiona se o objetivo da encruzilhada seria levá-lo a uma nova vida, e ele espera que eu possa ajudá-lo a encarar as consequências. Ele não sabe por qual resultado deveríamos lutar.

Julie, nesse ínterim, quer entender a atração irresistível que Cynthia exerce sobre Ayo e a veemência de sua própria reação. "Por que isso te atingiu de forma diferente dos casos anteriores dele?", pergunto a ela. Todos conhecemos a história do homem de meia-idade que se relaciona com uma bela jovem e, em comparação, o sentimento de inadequação da esposa. Para Julie, no entanto, belas jovens nunca foram um problema. "Como não me sentia ameaçada por elas, resolvi ignorá-las", ela explica. Mas Cynthia foi um golpe duro. Uma mulher profissional, bem-sucedida, ela tem a mesma idade que Julie e se sobressaiu na área de que Julie se afastou décadas antes para se dedicar à maternidade.

À medida que a escuto, vai ficando claro por que a revelação fez com que mergulhasse em tamanho desespero. O marido não apenas se apaixonou por outra mulher — ele se apaixonou pela mulher que Julie poderia ter sido. Cynthia representa não só uma parte de Ayo que ele está descobrindo, mas tudo de que a esposa abriu mão. Poderia ser Julie trabalhando a seu lado, dividindo suas paixões e comemorando os sucessos obtidos juntos. Ela fez outra escolha e não tem como voltar atrás. Enquanto isso, ele tem a opção de reescrever sua vida.

Pela primeira vez na nossa sessão, ao contemplar o eu perdido, a circunspecção se quebrando, Julie começa a chorar. Quando a consulta termina, ela e Ayo estão diante de limiares bem incômodos e com novos desenvolvimentos, para usar um termo que Ayo adoraria. Será que ele consegue aplicar a recém-descoberta empatia à esposa, em vez de ficar surpreso por ela estar magoada? E será que ela consegue ir além da postura estoica e demonstrar vulnerabilidade? Como ela pode criar um novo senso de propósito?

Uma das opções que Ayo não incluiu no cardápio de resultados possíveis é a criação de um vocabulário emocional renovado entre ele e Julie. Se medo, tristeza e vulnerabilidade podem ser introduzidos no santuário deles, talvez encontrem novos eus em lugares jamais esperados. No fim de nossa única sessão de dia inteiro, me despeço deles considerando essa possibilidade.

São dramas da vida real como esses que, na minha opinião, destacam as limitações da teoria do sintoma. A infidelidade precisa ser vista não apenas como patologia ou disfunção. Temos de emprestar um ouvido cuidadoso à ressonância emocional de experiências transgressoras bem como a seus efeitos colaterais; caso contrário, perpetuamos a compartimentalização que fundamentou o próprio caso. Deixamos o casal sob o risco de mergulhar de volta no status quo. Destrinchar os significados do caso é preparar o palco para todas as decisões que serão tomadas depois. São coisas demais em risco para desperdiçarmos um tempo precioso procurando as chaves nos lugares errados.

10. Um antídoto para o torpor
A sedução do proibido

Hoje, alguns meses depois, sou uma mulher dividida entre o terror de que tudo mude e o terror de que tudo continue do mesmo jeito pelo resto de meus dias.
Paulo Coelho, *Adultério*

Na melhor das hipóteses, a monogamia pode ser o desejo de achar alguém com quem morrer; na pior, é uma cura para os horrores da vitalidade. É fácil confundi-las.
Adam Phillips, *Monogamia*

"'Vamos pela escada', ele disse quando estávamos esperando o elevador na frente do escritório. Aí a mão dele encostou na minha. Um toquezinho de nada, e eu senti a eletricidade. Me senti *viva*." Os olhos de Danica brilham com a lembrança. "E, sabe, foi um choque para mim, porque eu nem sabia que queria me sentir assim. Até aquele momento, não tinha percebido que fazia muito tempo que sentia falta dessa sensação."

O relato de Danica não me causa nenhum choque, tampouco o fato de que essa esposa e mãe zelosa não apenas seguiu escada acima o colega de trabalho mais jovem e brasileiro, Luiz, como teve com ele um caso totalmente maduro. Uma coisa que sempre ouço de pessoas que morderam a maçã proibida é esta: faz com que se sintam *vivas*.

Inúmeros viandantes narram suas excursões em termos similares: renascido, rejuvenescido, intensificado, revitalizado, renovado, vibrante, libertado. E muitos, como Danica, declaram não ter nem percebido a ausência desses sentimentos até serem pegos de surpresa. A sensação de vitalidade raramente é a motivação explícita de um caso — em muitas situações, não se sabe exatamente por que eles começaram —, mas é comum que seja o significado inesperado que foi encontrado nele. Na década em que venho estudando o amor rebelde, já ouvi essa emoção exprimida no mundo inteiro. Casos são a quintessência de tramas eróticas no sentido antigo do termo, de eros como energia vital.

"Tudo com Cindy era intenso", Karim me conta, refletindo sobre o caso de três anos. "O planejamento dos encontros era intenso. O sexo. As brigas... e as pazes. Acho que ela era ao mesmo tempo o que eu desejava e o que eu temia. Em comparação, meu casamento é normal. Não é ruim, só é meio sem graça."

"Nunca nem imaginei que me apaixonaria por outra pessoa", Keith declara. "Joe e eu estamos juntos desde a escola de artes. Mas aí conheci Noah em uma colônia de artistas e foi como se acordasse de uma longa hibernação de inverno. Eu nem tinha me dado conta de que estava adormecido. Ele me incentivava e inspirava. Me senti completamente energizado; com ele, estava fazendo as minhas melhores obras."

"Fazia mais de uma década que meu marido não conseguia me empolgar", exclama Alison. "Eu tinha 35 anos e estava convicta de que havia alguma coisa errada com a minha saúde. Em todos os outros sentidos, dividimos muita coisa. Ele é meu melhor amigo, meu copiloto, e, para quem olha de fora, somos um casal perfeito. Aí o Dino apareceu e, com poucas palavras e insinuações, fez o que todos os lubrificantes e brinquedos não conseguiram fazer comigo. Foi uma sensação incrível — como se ele tivesse me ativado."

Quando pergunto às pessoas o que é "estar vivo", elas apresentam uma experiência multifacetada. Poder, validação, confiança e liberdade são os sabores mais comuns. Acrescente o elixir do amor e você terá um coquetel inebriante. Há o despertar ou redespertar sexual, é claro, mas não é só isso. Quem desperta descreve uma sensação de movimento se antes se sentia espremido, uma abertura às possibilidades em uma vida que havia se reduzido a um único caminho previsível, uma onda de intensidade emocional quando antes tudo parecia insosso. Passei a pensar em encontros como esses como casos existenciais, já que chegam fundo à essência da vida.

Independentemente de como julguemos suas consequências, essas relações não são frívolas. O poder delas muitas vezes é tão desconcertante para a pessoa envolvida no segredo quanto para o cônjuge que o descobre. Mas depois de ouvir a mesma história tantas vezes, sei que existe ordem no caos — um mistério subjacente da natureza humana que leva as pessoas a transgressões inesperadas. Não raro, me sinto meio terapeuta e meio filósofa — explicando aos casais os paradoxos existenciais que tornam o que parece inconcebível também bastante lógico.

UM ANTÍDOTO À MORTE

Em um número surpreendente desses casos, pode-se traçar uma linha direta da aventura extraconjugal ao temor humano mais básico — o confronto com a mortalidade. Frequentemente testemunho casos que ocorrem logo após uma perda ou tragédia. Quando o anjo da morte bate à porta — o pai ou a mãe falece, um amigo se vai cedo demais, perde-se um bebê —, a sacudida do amor e do sexo oferece uma afirmação essencial da vida.

Há também perdas mais simbólicas. Más notícias no consultório médico podem pisotear nossa sensação de juventude e robustez em um instante. Já vi muitos homens e mulheres com diagnóstico de câncer que fugiam da ansiedade em relação à morte nos braços de um novo amor. A infertilidade nos põe cara a cara com a inabilidade de criar vida. O desemprego constante mina nossa confiança e nos dá a sensação de inutilidade. A depressão nos rouba a esperança e a alegria. Circunstâncias perigosas como guerras ou zonas de desastres nos instigam a assumir riscos emocionais extraordinários. Diante da impotência e vulnerabilidade que sentimos nesses momentos, a infidelidade pode ser um ato de resistência. Freud descreveu eros como um instinto de vida que trava batalhas com tânatos, o instinto de morte.

Talvez essas mesmas pessoas já tenham se sentido tentadas, mas me pergunto se é o confronto brusco com a brevidade da vida e sua fragilidade que as encoraja a aproveitá-la e agir. De repente, elas relutam em se acomodar com uma vida vivida pela metade. "É só isso mesmo?" Sentem fome de mais. Concessões que pareciam razoáveis ontem se tornam intoleráveis hoje. "A vida é curta, tenha um caso." O infame slogan do Ashley Madison pode até parecer grosseiro, mas é muito bem direcionado. Histórias como essas são tão comuns que sempre pergunto a meus pacientes: "Você sofreu alguma perda, falecimento ou tragédia nos últimos anos?".

Talvez seja a morte com M maiúsculo, ou talvez seja apenas a mortalidade que surge sorrateiramente do hábito entorpecente — seja qual for a situação, hoje em dia vejo esses casos como um forte antídoto. "O Amor e Eros despertam até a pessoa mais cansada", diz o sociólogo italiano Francesco Alberoni.[1] A sede de viver desencadeada em tal encontro nos derruba com uma força irresistível. Em geral, não é algo que se planeja ou busca. O impulso inesperado de desejo erótico nos estimula além do mundano, quebrando de repente o ritmo e a rotina do cotidiano. O tempo desacelera. O inexorável avanço da idade perde seu vigor. Lugares conhecidos assumem uma beleza renovada. Lugares novos acenam para a nossa curiosidade reestimulada. As pessoas relatam que todos os sentidos parecem aguçados — o gosto da comida melhora, a música soa mais doce do que nunca, as cores ficam mais vívidas.

"NÃO É POSSÍVEL QUE TENHA SIDO TUDO RUIM"

Quando o marido de Danica, Stefan, seguiu o rastro de mensagens e descobriu os dezoito meses de caso da esposa com um homem que a fazia se sentir viva, a sensação foi a de ter levado um soco no estômago. "Ainda sinto suas mãos pelo meu corpo inteiro", ela havia escrito. "Que tal a gente dar uma escapadinha no almoço outra vez? Me vesti especialmente para você." Mas ele também reconhecia nessas missivas a mulher cheia de vida e brincalhona pela qual se apaixonara — uma mulher que não via fazia anos.

Depois de superar o choque inicial, Stefan ficou "bizarramente otimista", nas palavras dele, esperançoso de que poderia haver um lado bom na situação. Danica expressou seu profundo arrependimento e insistiu que o caso estava terminado. Stefan me procurou e confidenciou que seu desejo era de que talvez a crise reavivasse o casamento outrora ardente, mas agora apático. Talvez ele também pudesse provar da mulher que escrevia essas mensagens sensuais para o colega de escritório.

Depois de algumas sessões canceladas, enfim vou conhecer Danica. Uma mulher elegante, discreta, de quarenta e poucos anos, ela é consultora da

Organização Mundial da Saúde. Por meio de Stefan, soube que é cética e ficou bastante irritada porque faz semanas que ele insiste que ela veja minhas palestras no YouTube. Sua atitude demonstra sem nenhuma dose de incerteza que ela poderia estar fazendo coisas muito mais importantes do que se encontrando comigo. Portanto, digamos apenas que não me sinto muito bem-vinda. Ela reluta em sequer falar do que chama de "erro". "Que relevância tem? Acabou. Só quero seguir em frente."

Tenho a impressão de que ela espera que eu a julgue como ela própria se julga. Mas ela já se sente mal o bastante, não tenho nada a acrescentar. Sua vergonha e desconforto são palpáveis, e ela descontou a experiência toda como um "erro".

Em momentos como esse, estou habituada a ajudar adúlteros arrependidos a exprimir mais pesar e remorso autêntico. Porém, com essa mulher, me vejo na situação oposta. Sua autorrecriminação radical bloqueia todas as vias de entendimento e mudança, tanto para ela como para o casamento. Temos de separar "errado" de "danoso" para que ela consiga reconhecer os aspectos positivos da experiência e ao mesmo tempo assumir a responsabilidade pela dor que causou. Do contrário, há pouca chance de que ela possa levar a recém-descoberta energia para casa. Stefan reconhece essa mulher e a quer de volta; Danica, contudo, está tão chocada com os próprios atos que insiste em dizer que a mulher que ganhava vida nos braços de Luiz "não era eu".

"Um caso costuma incluir elementos agradáveis", digo a Danica. "Você ficou loucamente apaixonada pelo cara, então não é possível que tenha sido tudo ruim. Sim, você sente culpa, mas ainda assim declara que ele a fez se sentir viva. Me conte um pouco mais sobre isso."

Ela então começa, hesitante. "Eu não estava querendo ter um caso. Fui abordada muitas vezes e nunca me dei o trabalho. Com o Luiz foi diferente. Ele não me cantava. Ele me dizia: 'Você tem uma energia linda, mas está toda bloqueada. Existe uma mulher de verdade bem lá no fundo, esperando ser libertada'. Ele me elogiava de um jeito que parecia bem mais denso que um elogio. E era insistente". Na verdade, acho que as palavras dele soam exatamente como cantadas. Mas sei do impacto que o mais simples dos comentários pode gerar quando cai no colo de um anseio intenso e inconfesso. O mero lisonjeio se transforma em um tônico estonteante.

Ela prossegue: "Tem tanta coisa acontecendo em casa. Se não são as crianças, são os meus pais. Volta e meia eu sinto que é demais. Nem tenho tempo de tirar o casaco quando piso em casa. Fico de um lado para outro e termino exausta. A situação mudou para mim no outono. Eu ia para o escritório e me sentia importante, à vontade, até meio tonta". O encontro com Luiz incutiu em sua vida uma sensação renovada de alegria e expectativa, poderosos ingredientes eróticos que tinham sumido de sua casa havia muito tempo.

Uma pena, pois a casa em questão já foi um sonho realizado. É um adorável chalé com vista para o Lake Zurich, com telhado vermelho e amplas sacadas. Ela e Stefan, um advogado bem-sucedido, moram na casa há uma década e meia, e Danica acompanhou com carinho os mínimos detalhes da reforma. Refugiada do conflito dos Bálcãs que escapou da Bósnia quando menina, ela havia passado a vida inteira ansiosa por um lar estável. Ela se apressa em me garantir que não tem vontade de deixar o marido — não foi esse o objetivo do caso —, mas está lutando para entender como acabou tão dividida. Como foi que esse lugar idílico se tornou tão entorpecente que ela procurou uma fuga? E ela fica ainda mais perplexa com o fato de que magoou Stefan, "o primeiro cara que fez com que eu me sentisse segura".

O ENIGMA DA SEGURANÇA E DA AVENTURA

Existe uma dolorosa ironia nos casos em que as pessoas percebem que estão se rebelando contra as mesmíssimas coisas que mais estimam. E no entanto esse é um apuro comum que reflete um conflito existencial dentro de nós. Buscamos estabilidade e pertencimento, qualidades que nos incitam a estabelecer relações de compromisso, mas também vicejamos com a novidade e a diversidade. Conforme o psicanalista Stephen Mitchell ressaltou com perspicácia, almejamos segurança *e* aventura, mas essas duas necessidades essenciais surgem de diferentes motivações e nos puxam em direções opostas ao longo da vida — representadas pelas tensões entre separação e união, individualidade e intimidade, liberdade e compromisso.[2]

Lidamos com esses ímpetos opostos desde que chegamos ao mundo — alternando entre a segurança do colo materno e os riscos que corremos no playground. Levamos essa dicotomia para a fase adulta. Uma mão se agarra ao conhecido e familiar; a outra se estende para tocar o mistério e a emoção. Procuramos a conexão, a previsibilidade e a confiabilidade para nos arraigarmos firmemente a um lugar. Mas também temos a necessidade de mudança, do inesperado, de transcendência. Os gregos entendiam isso, e portanto veneravam Apolo (representante da racionalidade e autodisciplina) e Dionísio (representante do que é espontâneo, sensorial e emocional).

O romance moderno cria uma promessa nova e irresistível: que saciemos as duas necessidades em uma relação. Nosso escolhido pode ser ao mesmo tempo a rocha estável, confiável, e quem nos leva além do mundano.

No começo de uma relação, essa mistura de opostos é perfeitamente razoável. É raro que segurança e aventura pareçam mutuamente excludentes. A fase de lua de mel é especial, pois junta o alívio do amor retribuído com a empolgação de um futuro ainda a ser criado. O que muitas vezes não percebemos é que a exuberância do começo é alimentada pelo sentimento subjacente de incerteza. Planejamos tornar o amor mais seguro e confiável, mas nesse processo é inevitável diminuirmos sua intensidade. A caminho do compromisso, trocamos alegremente um pouco de paixão por um pouco mais de certeza, um pouco de empolgação por um pouco de estabilidade. O que não esperamos é que o custo escondido que talvez tenhamos de pagar seja a vitalidade erótica da relação.

A permanência e a estabilidade que procuramos nos laços íntimos podem sufocar a chama sexual, acarretando o que Mitchell chama de "expressões de desobediência exuberante", também conhecidas como casos.[3] Os adúlteros se veem ávidos para se desenredar das restrições da segurança e das convenções — a mesma segurança que com tanta avidez procuraram estabelecer na relação primordial.

É um drama que Danica jamais imaginou que enfrentaria. Um homem como Stefan, filhos, um emprego estável e a tranquilidade de fazer planos para o ano seguinte — isso era tudo que sempre havia desejado. Mas os filhos vieram com uma nova apreensão — que no caso dela foi gravíssima. O caçula passara por uma cirurgia cardíaca antes do primeiro aniversário e exigia cuidados constantes; aos doze anos, o menino mais velho decidiu que já estava na hora de obter alguma atenção e foi muito criativo ao instigar o pânico dos pais.

Apesar de todos os estresses, Danica e Stefan tinham uma vida confortável. Stefan sentia falta do fogo no olhar da esposa, mas sempre ponderava que não podia querer mais, visto que ela já estava no limite de sua capacidade. Ele corria do trabalho para casa todos os dias para ficar com ela e os filhos, e ela estava absorta demais nas responsabilidades para sequer notar o torpor crescente dentro de si. "Nosso casamento não é ruim", ela insiste. "Ele nunca deixa passar nossos encontros semanais. Mas como esperar que eu seja romântica se estou preocupada com a saúde de um filho e as notas horríveis do outro, e sei que tenho de acordar às seis? Para ser sincera, eu preferiria pôr meus e-mails em dia antes de dormir, assim era uma coisa a menos para eu fazer de manhã."

A historiadora e ensaísta Pamela Haag escreveu um livro inteiro sobre casamentos como o de Danica e Stefan, que ela chama de "casamentos melancólicos".[4] Analisando o drama desses "casais semifelizes", ela explica:

> Um casamento acrescenta coisas à sua vida, e também tira coisas. A constância mata a alegria; a alegria mata a segurança; a segurança mata o desejo; o desejo mata a estabilidade; a estabilidade mata a lascívia. Ganha-se algo; uma parte sua desaparece. É algo sem o qual você pode viver, ou não. E talvez seja difícil saber antes do casamento que parte da sua personalidade é dispensável [...] e qual faz parte da sua natureza.

Para Danica, assim como para muitos outros, só quando alguém de fora do casamento a recordou dessa parte de sua natureza foi que ela percebeu que não era dispensável, afinal. Os galanteios cuidadosamente formulados de Luiz exploraram muito bem sua melancolia velada e despertaram uma personalidade que ela sem dúvida considera mais autêntica do que a mãe autocrítica, frustrada e multitarefas de hoje.

CASOS COMO SOLUÇÕES DUPLAS

Se precisássemos de evidências do desafio que é consolidarmos nossos ímpetos desarmônicos, a infidelidade seria a prova A. E talvez, como sugere Laura Kipnis, não se trate de mero subproduto do desejo demasiado humano por duas coisas ao mesmo tempo, mas de uma espécie de resolução. "O desejo adúltero se aloja nessa fissura psíquica fundamental", ela diz, e os casos propiciam "a solução elegante de exteriorização do conflito por meio dos agentes conflitantes desse triângulo feito sob encomenda".[5]

É óbvio que muitos saem em busca das coisas que *não conseguem* achar em casa. Mas o que dizer de quem procura em outros cantos as coisas que na verdade não *quer* em casa? Para alguns, o endereço físico não é um lugar adequado para as emoções conturbadas associadas à paixão romântica ou ao sexo desenfreado. De acordo com Mitchell, é bem mais arriscado soltar essas forças com a pessoa de quem dependemos para tantas coisas. Nessas situações, as aventuras extraconjugais não são motivadas pelo descaso com o que as pessoas têm em casa, pelo contrário: elas lhe dão tamanho valor que não querem mexer nisso. Recusam-se a perturbar a estabilidade da vida doméstica com a energia violenta de eros. Talvez queiram fugir do ninho aconchegante por um tempo, mas não querem de jeito nenhum perdê-lo. A infidelidade acena como uma solução bem segmentada: o risco e o ímpeto no quarto do amante; o conforto e a intimidade no domicílio conjugal.

Pelo menos em tese, um caso resolve o dilema de reconciliar segurança e aventura ao prometer as duas coisas. Ao terceirizar a carência de paixão e risco, o infiel consegue transcender o tédio da domesticidade sem abrir mão dela totalmente. Afinal, o leito adúltero não é necessariamente o lugar onde queremos fixar moradia — só queremos a liberdade de visitá-lo quando assim escolhermos. Contanto que tenhamos êxito em guardar segredo, existe a sensação de que podemos ter tudo. Conforme declaram os sociólogos Lise VanderVoort e Steve Duck, "o fascínio transformador de um caso é salientado por essa contradição — tudo muda mas nada precisa mudar. Um caso oferece a sedutora promessa de que é possível uma solução dupla — o ou-um-ou-outro da monogamia pode ser desafiado".[6]

O DESEJO DE UMA MULHER, PERDIDO E RECUPERADO

Danica não é nem de longe a primeira mulher a se fechar em casa e se abrir fora dela. Sua história é arquetípica do emudecimento de eros. Vejo mulheres assim o tempo todo — em geral, arrastadas para a terapia pelos maridos frustrados, cansados da rejeição noite após noite. A queixa típica é: ela está totalmente concentrada nos filhos e não tem nenhum interesse por sexo. "Não interessa quantos pratos eu lave: ela não me dá trela." Mas são essas mesmas mulheres, segundo descobri, que "ganham vida" em um romance completamente inesperado.

Muitos homens têm dificuldade de entender como uma mulher desinteressada no leito conjugal de repente tem casos tórridos em que jamais fica saciada.

Há anos, eles pensam que ela não tem interesse em sexo, ponto final; agora, com novos indícios à mão, eles repensam — "vai ver que ela não tem interesse em sexo comigo". Em certos casos, os desejos itinerantes da mulher são de fato uma reação ao marido sem criatividade, mas nem sempre. Na verdade, Stefan é um romântico que adora preparar o terreno para agradar a esposa, mas a reação dela, em geral, é: "não vamos fazer alarde por causa disso, o.k.?". Com Luiz, entretanto, ela se divertia com a lânguida brincadeira de fazer amor — e fazia com que o ato durasse ainda mais nas múltiplas mensagens que vinham depois.

A esposa mal pode esperar pelo fim do sexo. A amante gostaria que jamais chegasse ao fim. É fácil pensar que são os homens que fazem a diferença. Mas o contexto importa mais. E por contexto entenda-se a história que ela inventa para si e o personagem que nela interpreta. Faz uma eternidade que casa, casamento e maternidade são o objetivo de muitas mulheres, mas também o espaço em que elas deixam de se sentir mulheres.

Os artigos da ilustre pesquisadora Marta Meana são excepcionalmente esclarecedores acerca do enigma do desejo feminino. Ela desafia o senso comum de que a sexualidade feminina depende sobretudo da conexão relacional — amor, compromisso e segurança. Afinal, se esses pressupostos fossem verdadeiros, o sexo seria excelente em casamentos como o de Danica. Meana sugere que as mulheres não são apenas sentimentais, mas também provocativas — na verdade, "as mulheres podem ficar tão excitadas quanto os homens com o novo, o ilícito, o rústico, o anonimato, mas o valor excitante dessas coisas talvez não seja relevante a ponto de os trocarem por coisas a que dão mais valor (isto é, a conexão emocional)".[7]

Como costumo afirmar, nossas carências emocionais e nossas carências eróticas não precisam estar sempre perfeitamente alinhadas. Para certas pessoas, a segurança de uma relação lhes dá a confiança necessária para brincar, assumir riscos e desejar sem correr perigo. Mas, para muitas outras, as características aconchegantes que nutrem o amor são as mesmas que aos poucos abafam o desejo. Quando obrigadas a escolher, o que fazem as mulheres? Meana pressupõe que "as mulheres preferem relações boas ao prazer sexual".

Em outras palavras, desde tempos imemoráveis, as mulheres põem as necessidades emocionais acima das necessidades eróticas. Elas sabem o que as excita, mas também sabem o que é mais importante do que ser excitada. Elas sabem do que gostam, e sabem do que precisam. A escolha já foi feita por elas.

É compreensível que Stefan não tenha decifrado esse enigma dos sentidos femininos. Assim como muitos homens, quando a esposa se distanciou, ele concluiu que ela não gostava de sexo. Isso nos leva a outro mal-entendido comum ressaltado pela obra de Meana: interpretamos a falta de interesse sexual como prova de que o ímpeto sexual feminino é menos forte por natureza. Talvez fosse mais acurado pensar que trata-se de um ímpeto que tem de ser atiçado com mais intensidade e mais imaginação — e acima de tudo por ela, não apenas pelo companheiro.

Na transição rumo ao casamento, muitas mulheres percebem sua sexualidade mudar do desejo para o dever. Quando o sexo vira algo que *deveria* fazer, ela passa a não querer mais fazê-lo. Em contrapartida, quando a mulher tem um caso, leva uma certa autodeterminação a seu prazer. O que é ativado no caso é a sua vontade — ela busca a própria satisfação.

Stefan se sente mal por não ter notado a profundidade da queda de Danica, e chegou ao ponto de procurar o amante dela para tentar descobrir o motivo. Ele indagou: "Como você soube que ela estava morta por dentro? O que foi que você viu?". Luiz lhe disse: "Ela me lembrava uma árvore no inverno. Apesar de não ter folhagem, dava para imaginar seu verdadeiro estado de glória natural durante o verão". Ao ouvir essa versão poética do drama da esposa, Stefan sentiu tristeza e ciúmes. Por que Luiz conseguira fazê-la florescer de novo e ele não?

Eu lhe digo: "Com o Luiz, ela não tem de pensar nos filhos, nas contas, no jantar — todas essas coisas que a deixam apagada do ponto de vista erótico. Se ele assumisse o seu lugar, teria logo o mesmo destino".

"Silêncio erótico" é o termo que a psicoterapeuta e autora Dalma Heyn usa para descrever esse problema — um "amortecimento inesperado, inexprimível, do prazer e da vitalidade" que acontece com algumas mulheres depois que juntam as escovas de dentes.[8] "A sexualidade da mulher depende de sua autenticidade e cuidado consigo mesma", ela afirma. Porém, o casamento e a maternidade exigem um nível de altruísmo conflitante com o egoísmo inerente ao desejo. Ser responsável pelos outros torna mais difícil para as mulheres se concentrarem nas próprias necessidades, se sentirem espontâneas, expressivas sexualmente e despreocupadas. Para muitas, achar em casa o tipo de ensimesmamento essencial ao prazer erótico se mostra um desafio. O fardo de cuidar dos outros não é mesmo nada afrodisíaco.

Quando uma mulher luta para manter a conexão consigo mesma, é normal que um caso seja o espaço de reivindicar o poder sobre si. Assim como os heróis da mitologia antiga, ela sai de casa para se encontrar. O caso secreto se torna a única coisa de sua vida que só diz respeito a ela — um carimbo de autonomia. Quando tem um caso, você sabe que não o tem para tomar conta de mais ninguém. Os indivíduos estudados por Heyn confirmam a realização intrínseca a esse tipo de romance. "Se antes do caso essas mulheres sentiam seus corpos fragmentados, as vozes emudecidas, algum órgão vital ou aspecto de suas personalidades ausentes, durante o caso e depois dele elas mudam. Elas se libertam desses sentimentos sufocados e entram em uma realidade clara, repleta de cores e vibração, onde se sentem vivas, acordadas, fortes e focadas."[9]

Na minha experiência, esse tema da autonomia é mais pronunciado na infidelidade feminina, mas não é de modo algum exclusividade das mulheres, tampouco se limita a casais heterossexuais. As mulheres são mais propensas a dizer "eu me perdi"; os homens reclamam que "perdi minha mulher". Eles também começam a vagar não apenas em busca de mais sexo, ou de sexo mais excitante, mas de conexão, intensidade, vitalidade. A ironia é que a roda adúltera gira, e muitas vezes acabam conhecendo uma mulher que em casa se sente igualzinha à esposa deles e portanto busca o próprio despertar em outro canto.

A pesquisa de Meana com a também psicóloga Karen E. Sims confirma o destino erótico de tantas mulheres que de resto têm casamentos felizes.[10] Elas identificam três temas centrais que "representam forças que se arrastam no desejo sexual". Primeiro, a institucionalização dos relacionamentos — uma transição da liberdade e independência ao compromisso e responsabilidade. Segundo, o excesso de familiaridade que surge quando a intimidade e a proximidade substituem a individualidade e o mistério. Por fim, a natureza dessexualizante de certos papéis — mãe, esposa e governanta promovem a deserotização do ego.

Essas constatações fundamentam minhas observações clínicas de que o desafio de manter o desejo reside na condução dessas polaridades essenciais dentro de nós. E, de novo, desafiam as ideias convencionais acerca do desejo feminino, sobretudo o pressuposto de que as mulheres se fiam somente na segurança para se sentirem à vontade sexualmente. "Em vez de ancorado no 'lado seguro' do espectro", elas concluem, "o desejo sexual feminino exige o equilíbrio entre impulsos opostos [...] de comodismo e liberdade, de segurança e risco, de intimidade e individualidade."[11]

Para quem luta para manter esse delicado equilíbrio entre opostos, é fácil ver por que a infidelidade é uma proposta sedutora. A estrutura do caso é tudo menos institucionalizada, um caminho certeiro rumo à liberdade e independência. É, nas palavras de Sims e Meana, uma zona de "liminaridade" — a abdicação das regras e responsabilidade, a busca ativa do prazer, a transcendência dos limites da realidade. Sem dúvida, não existe o risco do excesso de familiaridade que surge quando o banheiro é dividido por décadas a fio. O mistério, a novidade e o desconhecido são garantidos. E o papel de amante é sexual por excelência, enquanto a mãe, a esposa e a governanta estão sãs e salvas, trancafiadas em casa.

"QUEM É VOCÊ QUANDO NÃO ESTÁ COMIGO?"

Quando recebo Stefan e Danica juntos, ele reitera que o que mais deseja é que a esposa retome seu erotismo com ele. "Não gosto do sacrifício constante que ela faz pelas crianças, sem deixar nada para ela mesma ou para nós. Quero dar apoio para que ela mude isso." Ele está cheio de ideias de como ajudá-la a reservar mais tempo e espaço para si — para recuperar tudo o que a fazia feliz. Vôlei. Ioga. Amigas. "Mas, por enquanto, não aconteceu", ele me diz.

Danica, percebo, está calada.

"Acho ótimo", eu lhe digo. "Mas existe um limite do que você pode fazer." Se ele continuar tentando resolver o problema para ela, todas as sugestões se somarão à sensação de pressão; paradoxalmente, reforçando a resistência dela. Ela precisa correr atrás do que ela quer, não do que ele quer dela.

Sempre digo aos meus pacientes que, se pudessem trazer para a sua relação ao menos um décimo da audácia, jovialidade e entusiasmo que levam para seus casos, a vida em família seria bem diferente. Nossa criatividade parece ser mais rica no tocante às transgressões do que aos compromissos. Porém, apesar de dizer isso, também me recordo de uma cena pungente do filme *A Walk on the Moon*. Pearl (Diane Lane) tem um caso com um vendedor de blusas, um sujeito de espírito livre. Alison, sua filha adolescente, indaga: "Você ama mais o vendedor do que todos nós?". "Não", responde a mãe. "Mas às vezes é mais fácil ser diferente com uma pessoa diferente."

Se é para esse casamento ser recuperado, não apenas do ponto de vista emocional como também erótico, Danica precisa achar um jeito de ser diferente ao lado da pessoa com que vive há muito tempo. E, embora não haja dúvida de que é complicado, não é impossível. Já vi várias mulheres, armadas de insolência e confiança eróticas renovadas, voltarem com a personalidade recém-descoberta para os braços dos companheiros, que talvez nem se deram conta do que acarretara a mudança, mas certamente gostaram. Encontros íntimos com terceiros podem dar vida a uma sexualidade adormecida (ou ressuscitá-la). Portanto, embora a infidelidade geralmente cause a desvalorização do capital sexual de um par, às vezes trata-se de uma adição.

Danica precisa aceitar a contradição interna e fazer as pazes com a mulher que buscou o próprio prazer com entusiasmo mesmo que para isso tivesse de trair o casamento. "Se você rejeitá-la, tornar o caso apenas feio e vexaminoso, cortará o cordão umbilical que liga você à sua vivacidade", explico. Mas ela ainda parece relutar, e a frustração de Stefan é palpável.

Para ele, a ferida mais profunda não está no fato de que ela pulou a cerca — mas de que ela lhe mostrou o que era possível e agora não consegue ou não quer dividir isso com ele. Enquanto achava que ela simplesmente não tinha mais vontade, ele se resignara. Agora, também sente que merece mais ânimo, e a ideia de voltar ao ritmo morno o apavora.

Infelizmente, levar a lascívia para casa se prova mais difícil do que ele imaginara. Quando me escreve, dezoito meses depois, ele continua esperando para ver a árvore florida do verão, e suas esperanças estão acabando.

Dados nossos desejos dialéticos, seria o conflito interno que leva à infidelidade inevitável? Somos predispostos a apreciar o hábito e a segurança de casa e fugir para outros lugares em busca de aventuras? Seria possível permanecer vivo com um companheiro de vida? Podemos experimentar a alteridade que almejamos em meio à familiaridade, e o que seria necessário para isso? A história de Danica e Stefan não é um grande incentivo, e você está perdoado caso se sinta desmotivado a esta altura. Mas ela é ilustrativa das realidades humanas que não podemos nos dar ao luxo de evitar. O amor e o desejo não têm de ser mutuamente excludentes. Muitos casais acham uma maneira de integrar suas contradições sem recorrer à compartimentalização. Mas primeiro temos de entender que jamais eliminaremos o dilema. A conciliação do erótico e o doméstico não é um problema a ser resolvido: é um paradoxo a ser administrado.

11. Sexo pode ser apenas sexo?
A economia emocional do adultério

> *Somente em Londres, há 80 mil prostitutas. O que são elas além de
> [...] sacrifícios humanos oferecidos no altar da monogamia?*
> Arthur Schopenhauer, *Estudos sobre o pessimismo* (1890)

Um homem entra no bar, tira a aliança de casamento, pega um maço de dinheiro e com um gesto pede que uma moça bonita dance para ele...

Imagino o que você está pensando. Talvez esteja ficando excitado; talvez esteja enojado. Talvez se apresse em julgar ou justificar. "Os homens são uns porcos!" "Homem precisa de sexo. Vai ver que a mulher não libera." "Babaca." "Tarado." "Ninfomaníaco." "Imbecil." Uma palavra que provavelmente não passou pela sua cabeça foi "amor". Mulheres traem por amor, segundo o senso comum, mas os homens? Eles traem por sexo. E esse pressuposto é mais reforçado ainda quando o sexo em questão é anônimo, transacional ou comercial. Tais encontros são feitos para serem livres de emoção. O fato de ele preferir não se lembrar do nome dela não prova que sexo é o único produto negociado?

Na intricada narrativa do adultério, entretanto, as coisas não são sempre o que parecem. Muitos casos tidos por mulheres são movidos pelo desejo físico. E muitas escapulidas dos homens são alimentadas por carências emocionais complexas — inclusive muitos casos em que o gênero de infidelidade tende às conquistas casuais ou comerciais.

Garth, de 55 anos, tem disfunção erétil crônica com a esposa, Valerie, há anos. "Não queria que ele se sentisse mal, então paramos até de tentar", ela relata. "Aí descubro que ele vem frequentando boates de striptease, surubas e prostitutas ao longo do nosso casamento!" Valerie, também na faixa dos cinquenta anos, está fora de si. "Eu acredito que ele me ame. Mas como ele consegue ser duas pessoas — um marido carinhoso mas com disfunção erétil em casa e um compulsivo por sexo anônimo na rua? E pensar que abri mão da minha sexualidade por isso!"

Scott, vinte anos mais novo que Garth, está em um namoro relativamente recente com Kristen, de 31. Costumavam transar todos os dias, ele declara, mas, depois de uns seis meses, ele não estava mais a fim. Não que não tivesse tesão — só preferia se refugiar em casa e se satisfazer com pornografia. Kristen ficou preocupada com o declínio da vida sexual deles, mas sabia que Scott passava por um momento atribulado, visto que os negócios iam mal e a mãe dele tinha acabado de falecer. Sua empatia se transformou em horror, porém, quando uma amiga lhe contou que vira Scott entrando em um elevador de hotel com duas moças. "Ele admitiu que achou as duas no Tinder quando estava procurando sexo a três. Uma delas passou uma DST para ele." À medida que ia escavando, Kristen se espantava com a extensão do vício em pornografia, dos matches no Tinder e das extravagâncias ocasionais com acompanhantes de mil dólares por noite de Scott. "Se eu o humilhasse, o importunasse ou o rejeitasse, eu entenderia, mas para mim isso não faz sentido."

E então temos Jonah, também na casa dos trinta anos, casado com Danielle, a namorada da faculdade. Eles têm dois filhos e sua vida sexual parecia ter sumido pouco a pouco, mas Danielle descobriu que as massagens semanais de Jonah eram do tipo com "final feliz" e que ele não dedicava as horas que passava no computador a jogar World of Warcraft.

Jonah, Scott e Garth são três dos inúmeros homens que já apareceram no meu consultório com suas esposas confusas, chocadas e não raro enojadas. Essa espécie de adúltero é quase sempre heterossexual e do sexo masculino. De modo geral, são casados ou estão namorando sério, e assim querem continuar. São pais, filhos, namorados ou maridos responsáveis, carinhosos, daqueles a quem todo mundo recorre quando precisa de ajuda, dinheiro ou aconselhamento. Poderiam ter um caso sem abrir a carteira se estivessem dispostos. E, ao contrário da crença popular, geralmente têm uma mulher atraente esperando em casa, ávida para dormir com eles. Contudo, terceirizam a vida sexual para prostitutas ou desconhecidas, strippers e profissionais do sexo que trabalham on-line, jogos eróticos ou pornografia.

Por que esses homens exportam a cobiça, e por que o fazem em encontros comerciais? Como suas esposas podem conciliar o homem afável que conhecem de casa com o cara que sai de fininho da boate para homens?

No passado, ir a uma prostituta era menos grave do que pular a cerca com a esposa do vizinho. Magoava, mas não botava o casamento em risco porque ele não abandonaria a esposa por ela. Na verdade, muita gente nem considerava traição dormir com trabalhadoras do sexo, e havia quem chegasse a declarar que as prostitutas existiam para que os homens não tivessem aventuras.

Hoje em dia, entretanto, muitas mulheres acham que trair com uma prostituta é pior do que ter um caso sem fins comerciais. A situação imediatamente traz à tona questões bem mais amplas e mais angustiantes sobre o tipo de homem com quem são casadas. O que devem deduzir a partir do fato de que ele pagaria por sexo ou procura sexo no que consideram ser uma forma tão degradante e degradada?

É fácil condenar esses homens, tanto por abandonarem as esposas como por participarem de uma indústria que, em seus formatos mais sombrios, trafica, explora e subjuga as mulheres. Existe o ímpeto de desdenhá-los por serem garotos insolentes, misóginos, hipersexuados. E alguns são mesmo. Mas trabalhar com homens como Garth, Scott e Jonah me instigou a ir mais fundo nas inseguranças, fantasias e confusões emocionais capazes de levar sujeitos legais a fazer hora extra nesse universo duvidoso. O que procuram em seus encontros fugazes? Se pagam, pelo que estão de fato pagando? Está claro que é sexo sem compromisso. É divertido, diferente, excitante, não será interrompido pelo choro do bebê. Mas a história termina aí? Esses homens me parecem uma subseção interessante dos infiéis, com algo a nos ensinar sobre o cruzamento de masculinidade, infidelidade, economia e cultura.

O DESEJO DE UM HOMEM: QUANDO AMOR E DESEJO SE SEPARAM

"Você vai me achar um babaca." É a minha primeira sessão a sós com Garth. Ele começa a me contar uma história "sórdida" das diversas infidelidades que ocorreram não apenas com Valeria, mas em seus dois casamentos anteriores.

"A mesma coisa aconteceu todas as vezes", ele observa. "Começa com empolgação. Mas depois de mais ou menos um ano, perco totalmente o interesse. Não consigo nem ter ereção. Pode parecer esquisito, mas me parece quase errado encostar nela."

O último comentário não me soa tão estranho — é uma pista importante acerca do impasse. Uma coisa é perder o interesse; existem muitas pessoas para as quais a voracidade vai se transformando em ternura. Mas o que ele descreve é mais visceral — uma reação sexual aversiva à parceira, quase como se isso significasse cruzar uma fronteira proibida. Essa sensação de tabu me alerta para a possível presença do que o terapeuta Jack Morin chama de "separação amor-desejo".

"Um dos principais desafios da vida erótica é criar uma interação confortável entre nossos impulsos sensuais e nosso desejo de vínculo afetivo com o amante", Morin explica.[1] Suspeito que a busca de Garth por sexo fora de casa é uma manifestação de sua incapacidade de conjugar proximidade e paixão sexual. Homens com esse problema não estão apenas entediados, procurando novidades, prontos para seguir adiante. "Acredite, não gosto disso", Garth afirma. "Não quero ser o tipo de cara que trai. Além disso, me sinto muito mal por não conseguir satisfazer Valerie, e tento compensar cuidando dela sob todos os outros aspectos. Ela imagina que a disfunção erétil se deve à minha diabetes, mas isso me aconteceu muito antes." Ademais, ele não tem dificuldade de ficar duro quando busca prazer nas escapadas.

Garth não se orgulha dos namoricos, mas se resignou com a ideia de que, para ele, amor e desejo não existem sob o mesmo teto, e sempre foi discreto. Foi apenas a descoberta de Valerie que o induziu a refletir mais. Quando nos conhecemos, ele já havia entendido que não tinha nada a ver com a atratividade da esposa ou a intensidade de seu amor por ela.

Confirmo as conclusões a que chegou por enquanto. "Para deixar claro, não acho você um babaca. Mas está claro que existe um padrão que já causou muito sofrimento — tanto para as suas esposas como para você mesmo. Ouvindo Valerie, creio que você sabe como amar. Mas existe alguma coisa na forma como você ama que torna difícil fazer amor com a mulher que você ama." Ajudar Garth a pôr um fim nas incursões extraconjugais terá um valor restrito a não ser que eu também o ajude a compreender o que move essa separação interna.

Peço que ele fale mais de sua infância. A presença de um bloqueio sexual recorrente, como o dele, geralmente indica a existência de um trauma subjacente. Nossas propensões e inibições eróticas se originam de nossas experiências iniciais e se desenvolvem ao longo da vida. Às vezes, certa investigação psicológica é necessária para desvendar bloqueios sexuais, mas pouquíssimos fatores de nossa psique erótica são obra do acaso.

A história de Garth é uma narrativa longa e triste em que o pai tem um papel central. Um homem alcoólatra e violento propenso a ataques de fúria, ele deixou marcas visíveis e invisíveis no primogênito. Na maioria dos casos, Garth optava por levar os socos a fim de proteger a mãe e o irmão caçula, ambos indefesos.

Terry Real, que já escreveu bastante sobre homens em relacionamentos, descreve um "triângulo profano" formado pelo "pai poderoso, irresponsável e/ou abusivo, a esposa codependente, oprimida, e o filho meigo que acaba no meio deles".[2] Esses filhos, ele prossegue, estabelecem um enredamento insalubre com as mães, e, quando adultos, "têm medo de sua própria gama de emoções". São almas generosas que imaginam ser necessário tolher seus sentimentos e assumir a responsabilidade pela felicidade da mãe e das mulheres que vêm depois. Real chama isso de "trauma intrusivo", que vive não só na psique como no corpo — por isso seu poder de inibir a intimidade física. Garth se encaixa bem no padrão, e isso já é um adianto na explicação de por que se sente tão endividado com as mulheres que ama, porém é incapaz de ser atiçado por elas.

O eco emocional entre sua relação com os pais e sua relação com a esposa é tão forte que leva a uma infeliz linha cruzada. Por isso a sensação de que o sexo é "errado", quase incestuoso. Quando a parceira começa a ficar muito familiar, o sexo inevitavelmente será a vítima. Por mais irônico que pareça, nesse momento o tabu da infidelidade parece menos transgressor do que o sexo em casa.

O amor sempre acarreta a sensação de responsabilidade e preocupação com o bem-estar de nosso amado. Mas, para alguns de nós, essas sensações naturais adquirem um peso extra, em especial quando o filho tem de ser pai de seus pais. Bem sintonizado com a fragilidade e inconsistência de quem ama, ele carrega um fardo que impede o relaxamento necessário para a intimidade e o prazer eróticos. Pense nas brincadeiras que fazemos quando pequenos, nas quais temos de nos permitir cair para alguém nos pegar. Isso também acontece no sexo: só podemos relaxar se confiarmos que o outro está firme e conseguirá receber a força do nosso desejo.

Para gente como Garth, o comportamento exterior reflete a divisão interior. Há inúmeras variações na separação amor-desejo, tanto para os homens como para as mulheres, mas, no caso de Garth, trata-se de um prolongamento das feridas de infância. Muitos meninos que apanhavam do pai prometem a si mesmos que jamais serão assim e se esforçam muito para reprimir qualquer tipo de agressividade. O problema é que, na tentativa de controlar essa emoção renegada, eles acabam abafando a capacidade de ser sexuais com quem amam.

Explico a Garth que o desejo precisa de certo grau de agressividade — não violência, mas uma energia vigorosa, belicosa. É o que nos permite ir atrás, querer, agarrar e até sexualizar a parceira. Robert Stoller, ilustre pesquisador da área de sexualidade, define esse tipo de objetificação como um ingrediente essencial à sexualidade — não tratar o outro como objeto, mas ver o outro como um ser sexual independente. Isso cria o distanciamento saudável que nos possibilita erotizar o parceiro, algo crucial para quem quer continuar a ser sexual com uma pessoa que vira parte da família.

Para os homens que têm medo da própria agressividade e buscam segregá-la, o desejo se separa do amor. Para eles, quanto maior a intimidade emocional, maior a relutância sexual. Homens com versões extremas dessa separação geralmente acabam sendo afetuosos mas assexuados com os parceiros e ao mesmo tempo consumindo avidamente pornografia barra-pesada e embarcando em diversas formas de sexo comercial. Nesses contextos sem emoções, o desejo pode se manifestar livremente, sem que temam magoar uma pessoa amada.

Talvez alguns associem a separação amor-desejo com o complexo de virgem-prostituta, e sem dúvida existe correlação. No entanto, a forma como conceituamos a divisão não diz respeito somente à maneira como a mulher é percebida, mas também à fissura na identidade do homem. A parte que ama, que se sente intensamente apegada e responsável, é o bom menino. A parte que deseja se torna o menino mau — insensível, subversivo, irresponsável. Eu poderia resumir do seguinte modo: eles só são capazes de dizer um "fode comigo" sexual depois que já disseram um "vá se foder" emocional. Por mais cruel que pareça, todo homem que já viveu com essa referência de relacionamento o reconhece de imediato.

Ao conversar com as companheiras desses homens, não raro me vejo destrinchando o encanto da garota no palco, em uma esquina ou na tela. A explicação óbvia é a de que ele estaria atrás de seus atrativos físicos. Mas esse é de fato o primeiro chamariz? O que eles destacam em nossas conversas não é o visual delas, mas a conduta. A cena apresenta uma mulher que pode ser qualquer coisa, menos frágil. É confiante do ponto de vista sexual, chega a ser exigente, e jamais traz à tona lembranças da mãe vitimada ou da esposa sobrecarregada. A segurança e disponibilidade que ela transparece são estímulos que o livram de qualquer responsabilidade de cuidar dela. Conforme escreveu o psicanalista Michael Bader, a luxúria dela aplaca o medo de que ele esteja lhe impondo seus desejos primitivos, até mesmo predatórios. Assim, o conflito interno em torno da própria agressividade, vivido por ele, é temporariamente suspenso. Ele se sente seguro para relaxar de uma forma que não consegue com a esposa, a quem ama e respeita.

Separações amor-desejo existem em diversos formatos. Para alguns, ocorre quando o parceiro é recrutado — de bom grado ou não — para o papel de pai ou mãe. Pode ser o clássico "casei com uma pessoa igual à minha mãe/meu pai" ou exatamente o contrário: "casei com uma pessoa que poderia ser a mãe/o pai que nunca tive". Talvez seja simplesmente o papel da maternidade. Uma mulher me disse que, com o primeiro bebê, o parceiro passou a não encostar nela desde o momento em que a barriga começou a aparecer até ela perder o peso. Com o bebê número dois, a mesma coisa. Ela tinha sede de toques, que dirá sexo, mas ele parecia sentir repulsa. Quando o bebê três chegou, ela preencheu o vácuo com um amante que se deleitava com o erotismo da fertilidade.

Independentemente de como aconteça, o excesso de familiaridade de um parceiro íntimo é um desastre para o sexo. A pessoa é despida de sua identidade erótica. A relação pode ser muito amorosa, afetuosa e terna, mas é desprovida de desejo.

A divisão amor-desejo é uma das situações de infidelidade mais desafiadoras que enfrento. É fácil imaginar que, se esses homens não tivessem suas aventuras, eles simplesmente levariam a libido para casa. Mas já vi inúmeros que apagam as brasas paralelas e se dão conta de que se fecharam e não conseguem reacender as chamas de casa. Para alguns, a divisão é tão enorme que é difícil ajudá-los a achar uma saída.

Mais comum ainda é haver uma armadilha à espreita. Um dos casos do marido aventureiro fica sério. Ele se apaixona e imagina ter achado o santo graal: pela primeira vez em muito tempo, ele ama e deseja uma mulher só. Convicto de que devia estar com a pessoa errada, ele larga a família e o casamento pela nova namorada, mas pouco tempo depois se vê no mesmo drama. Garth está na terceira tentativa.

A esposa, Valerie, sabe que suas chances são mínimas. Ela já viu isso acontecer antes, no papel de sua última amante. Agora é a esposa, e nem a pau ela vai ficar sentada, esperando ele pedir o divórcio. Primeiro, ela adota a abordagem pragmática. "Se você vai ter amante, eu também vou! Não quero passar meus últimos trinta anos de vida sozinha em casa, comendo sorvete. Pretendo ter uma terceira idade ótima." Mas Garth não quer saber.

"Isso não é casamento!", ele retruca. É normal que o mesmo homem que não encosta na esposa não aguente a ideia de que outra pessoa o faça. Existe ali dentro um menino pequeno apavorado com a possibilidade de perder a mamãe.

"Me recuso a viver com ele mentindo bem debaixo do meu nariz", Valerie se irrita. "É aviltante, e torna ele um frouxo! Ele não passa de um sujeitinho mentiroso, asqueroso. Como é que eu vou criar intimidade com uma pessoa por quem não tenho respeito?" Ela pede o divórcio na esperança de que, da próxima vez, encontrará um homem em que o amor e o desejo tenham um bom acordo.

DISSIPANDO A AURA MASCULINA

Scott vem sozinho ao meu consultório. Kristen foi bem direta ao lhe dizer que nenhuma de suas explicações faz sentido, e que é melhor ele "lidar com essa merda logo". Minha missão é ajudar o rapaz a entender por que ele perdeu o interesse na namorada bela e bem-sucedida, e por que todo dia passa horas escolhendo e assistindo a vídeos pornográficos.

Scott foi criado em Houston, Texas. Jogador de futebol americano bem popular durante o colegial e a faculdade, ele sempre teve montes de namoradas e sempre suplementou os compromissos oficiais com várias aventuras extracurriculares. Ele e Kristen, modelo que virou fisioterapeuta, namoram há quase dois anos.

"Me conta do começo da relação. No início, você não tinha dificuldade nenhuma de fazer amor com ela?"

"Nenhuma. Transávamos todos os dias — às vezes mais de uma vez por dia."

"Verdade?", questiono.

"É, bom, é o que se espera de mim, não é? Se não transar com ela todo dia, ela vai achar que não tenho interesse nela."

"Mas você queria transar todo dia?", cutuco.

"Para ser sincero, eu nem sempre tinha vontade, mas transava mesmo assim. Não estou querendo dizer que não gostava, mas às vezes eu me preocupava com a possibilidade de não durar muito tempo. Não sabia se ela tinha gozado ou se tinha curtido tanto quanto ela curtia com outros caras. Então arrumei uma receita de Viagra, e Kristen não sabia. Às vezes eu tomava mesmo estando excitado naturalmente, só para impressionar."

Indago se ele já perguntou a Kristen o que ela queria, ou se ele simplesmente supunha que ela estivesse em busca de um garanhão. Ele confessa que nunca perguntou.

"Então, o que foi que aconteceu quando o garanhão se cansou?", questiono. "Como foi que parou?"

Ele declara que no começo foi gradual, mas, com o tempo, ele se pegou passando mais tempo no telefone do que na cama. A princípio, ele nem se preocupou — afinal, via pornografia desde os doze anos.

A educação sexual de Scott começou no vestiário. "Um dos meus colegas de equipe mais velhos me mostrou uns sites bons." As meninas abundavam, mas, como ele não era muito confiante, começou a beber para "ficar menos tenso". Na faculdade, fez parte de uma fraternidade — cheia de caras que se gabavam de nunca passarem a noite sozinhos. "Sempre tive a sensação de que eu não estava à altura", ele confessa.

Para Scott, masculinidade se equipara a desempenho sexual, e ele carrega uma série de expectativas a respeito do amor, dos homens e das mulheres a que jamais conseguirá fazer jus. Enquanto isso, a namorada também tem suas expectativas: ela quer que ele seja mais carinhoso, comunicativo e aberto acerca de seus sentimentos. Mas ele também não quer ser um fanfarrão. Isso o deixa com um bando de ideologias conflitantes sobre o que significa ser homem.

Novas definições de masculinidade estão surgindo rapidamente, e os homens modernos são incentivados a adotar um novíssimo conjunto de habilidades emocionais que, por tradição, não faziam parte do repertório. Ao mesmo tempo, as definições antigas são duras na queda. Homens demais estão presos a ideais antiquados e fracassados de potência sexual masculina, que geram vergonha e humilhação. Irma Kurtz, autora de uma coluna de conselhos, resume o problema: "Os homens estão achando cada vez mais difícil se apertar com suas ereções no espaço de manobra cada vez menor entre ser covarde e ser estuprador".[3]

Um sujeito como Scott foi criado na cultura machista, em que só ouvia dos irmãos de fraternidade que os homens sempre querem sexo. Também leu vários artigos que defendem a mesma tese. Eu lhe informo que a maioria desses estudos é feita com universitários jovens; na verdade, sabemos muito pouco sobre a sexualidade de homens maduros. Não é de estranhar que tantos homens estejam confusos quanto a si e aos outros. A maioria não sabe com o que o cara ao lado está lidando no quesito sexual, e existe uma enorme pressão para que se gabem. No dia em que um grupo de homens reunidos em um vestiário começarem a falar que fingem ter dor de cabeça quando as namoradas pulam em cima deles, o mundo estará mudado.

Nesse ínterim, não surpreende que homens como Scott sejam obcecados com desempenho — bem como todos os pesquisadores. Estudos sobre desejo sexual são muito tendenciosos em relação às mulheres. Por que estudar o desejo masculino se imaginamos haver sempre uma vasta oferta? Assim, se não há ereção, trata-se de uma questão mecânica. Achamos que a excitação feminina faz parte de uma escala, mas para os homens é tudo ou nada, duro ou mole. Esses estereótipos não fazem bem à autoestima ou aos relacionamentos dos homens.

Scott está louco para chegar ao cerne da questão. "Então, o que você me diz sobre as traições?", indaga.

"Ainda vamos chegar nesse ponto", respondo. Ir mais fundo nas ideias de Scott sobre masculinidade nos ajudará a decodificar com mais precisão seu comportamento sexual. Na superfície, sua postura é o estereótipo do "homem à caça". Mas, se julgarmos pelas aparências, acabamos reforçando a imagem da masculinidade que, para começo de conversa, contribuiu para seu bloqueio erótico.

Scott comprou a definição muito propagada de que a sexualidade masculina é conduzida pela biologia, descomplicada, sempre disponível e sempre à procura de novidades. A finada psicanalista Ethel Person captou a ideia com perfeição: "Essa visão machista retrata um falo grande, poderoso, incansável, grudado a um homem tranquilo, cheio de autocontrole, experiente, competente e inteligente o bastante para deixar as mulheres loucas de desejo".[4]

Muitas pesquisas boas foram publicadas nos últimos anos para ressaltar a multidimensionalidade da sexualidade feminina — a subjetividade, o caráter relacional, a natureza contextual e a dependência de um equilíbrio delicado de condições. No entanto, um subproduto imprevisto é que, em contrapartida, essas pesquisas serviram para simplificar demais e reforçar conceitos reducionistas acerca dos homens. Depois que agraciarmos tanto homens como mulheres com uma compreensão mais nuançada da sexualidade de ambos, teremos um domínio melhor da infidelidade.

No tocante ao desejo, homens e mulheres são mais semelhantes do que diferentes. Nada no modelo sexual de Scott me leva a pensar que a sexualidade dele é menos complicada ou menos emocional do que a versão feminina. Tampouco é menos relacional. Quando ouço sobre a pressão que Scott impõe a si mesmo a fim de agradar à namorada, a forma como se avalia pelo número de orgasmos dela, e seu medo de que ela gostasse mais com os ex-namorados, ouço vergonha, ansiedade de desempenho e medo de rejeição. "Que outro nome dar a esses sentimentos senão relacionais?", eu lhe pergunto.

Auxilio Scott a fazer a conexão entre os problemas que tem no quarto e esses sentimentos inconfessos. A tristeza e depressão que sentiu ao perder a mãe sem dúvida têm relevância. Também falamos de sua ansiedade, e principalmente da sensação de que é uma fraude — projetando uma autoconfiança que é apenas fingimento. Ele admite que não contou a Kristen nem a um de seus amigos empreendedores que os negócios estão balançando. "Não quero que eles me achem um fracasso."

A sexualidade masculina depende da vida interior. É mais do que mero impulso biológico. Para os homens, sexo, gênero e identidade são profundamente interligados. Se um homem tem baixa autoestima ou se sente deprimido, ansioso, inseguro, envergonhado, culpado ou solitário, a forma como se sente no aspecto sexual é diretamente afetada. Se ele se sente desprezado no trabalho, pequeno demais, baixinho demais, gordo demais, pobre demais, a capacidade de se excitar pode sofrer um impacto direto.

Deixo que Scott absorva essas novas ideias por um tempo. Isso o ajuda a entender, ele afirma, por que perdeu o interesse por Kristen, sobretudo após a morte da mãe e durante os meses complicados para a empresa. "Mas como é que eu continuava interessado em sexo em qualquer lugar menos com a minha namorada?"

É aí que homens e mulheres são diferentes. Os homens são muito mais propensos a acalmar os estrondos internos se voltando para formas de sexo menos complicadas do ponto de vista emocional, inclusive o prazer solitário e o pago. Na verdade, imagino que o nível de dissociação que aplicam aos seus paliativos sexuais é uma reação direta a todos esses desconfortáveis turbilhões emocionais. Eu sugeriria que justamente porque a sexualidade masculina é muito relacional, muitos homens buscam espaços sexuais que são o exato oposto, em que não precisam enfrentar a ladainha de medos, ansiedades e inseguranças que deixaria mole até o maior garanhão. O grau de liberdade e controle que procuram em seus encontros anônimos é muitas vezes proporcional à intensidade de seus relacionamentos.

Talvez não cause nenhuma surpresa que, em um mundo em que homens recebem mensagens tão conflitantes sobre quem são e quem deveriam ser, tantos prefiram o pornô, o sexo pago ou encontros anônimos à intimidade do relacionamento. Não acho que é acidente eu ter observado o aumento de atos de infidelidade sem envolvimento emocional em conjunto com a ascensão do homem emocionalmente engajado. Ao ficar sentado em uma boate de striptease, contratar uma prostituta, acessar aplicativos ou ver pornografia, os homens podem dar um tempo da corda bamba da masculinidade moderna.

Parte do encanto do sexo pago é a promessa de que, pelo menos durante os sessenta minutos em que a prostituta está trabalhando, ela afastará essas complexidades. E a garota na tela é irresistível porque ele nunca terá de seduzi-la e ela jamais o rejeitará. Ela tampouco o faz se sentir incapaz, e seus gemidos lhe garantem que está se divertindo à beça. A pornografia atrai com uma promessa momentânea de blindar os homens de suas vulnerabilidades sexuais básicas.

Há muito a ser dito a respeito das diferenças entre prostitutas, boates de striptease, massagem de corpo inteiro e pornografia, mas nesse aspecto todos geram dividendos emocionais. Põem os homens no centro das atenções femininas, aliviados de qualquer pressão quanto ao desempenho e em uma posição em que são plenamente receptores.

Após ouvir as histórias dos homens, compreendi o seguinte: à luz das múltiplas transações emocionais em questão no sexo conjugal, a simples equação de grana por uma trepada anônima começa a parecer um negócio melhor. Quando ele prefere pagar para transar ou opta por uma sessão pornô solitária, ele compra simplicidade e uma identidade que parece descomplicada. Ele compra o direito de ser egoísta — uma breve hora de liberdade psicológica antes de entrar no trem e voltar para casa. Conforme mais de um homem me disse, você não paga a prostituta para ela vir — você paga para ela ir embora.

Ainda assim, é de fato possível chamar de "apenas sexo" uma iniciativa projetada para evitar certas armadilhas emocionais e saciar um monte de carências emocionais inconfessas? Quando um homem se sente solitário ou não amado; quando está deprimido, estressado ou incapacitado; quando está engaiolado pela intimidade ou incapaz de estabelecer um vínculo, é sexo o que ele compra ou é bondade, carinho, amizade, fuga, controle e aprovação, tudo isso entregue em uma negociação sexual?

A sexualidade é a linguagem sancionada pela qual os homens podem acessar um leque de emoções proibidas. Ternura, delicadeza, vulnerabilidade e zelo não foram, tradicionalmente, incentivados nos homens. O corpo é o lugar onde buscaram satisfazer essas necessidades disfarçadas em uma linguagem sexualizada. Falamos que os homens só querem sexo, mas talvez seja melhor não levar isso ao pé da letra. O sexo é a porta para a antecâmara emocional deles.

O curioso é que o contrário talvez seja verdade para as mulheres. Suas necessidades sexuais não foram culturalmente aprovadas, mas as necessidades emocionais são bem conhecidas. Talvez, na busca feminina do amor, se esconda um monte de desejos físicos que só possam ser justificados se embalados em um embrulho emocional. Isso vira de ponta-cabeça o velho ditado de que "os homens usam o amor para obter sexo e as mulheres usam o sexo para obter amor".

Tanto homens quanto mulheres aparecem no consultório do terapeuta quando seus desejos renegados os levam para a cama errada. Mas se interpretarmos seu comportamento literalmente e os rotularmos com as etiquetas antigas — homens são traidores, tarados ou coisa pior; mulheres são solitárias e carentes de amor —, suas verdadeiras motivações e angústias terão de cair na clandestinidade.

SEXO E O HOMEM SENSÍVEL

"Foi só uma punheta", Jonah disse a si mesmo, "então, tecnicamente, não foi traição." Foi assim que ele justificou o pendor para a massagem sensual, também conhecida como massagem com final feliz. Assim como Scott, ele tem trinta e poucos anos, vive com a mulher que ama e obtém seus orgasmos com um clique ou cartão de crédito. Mas a semelhança termina aí. Enquanto o modelo de gênero de Scott é baseado no machismo, Jonah é a quintessência do "novo homem". Criado pela mãe solteira, foi treinado nas artes da empatia, do entendimento das emoções, do consentimento e da igualdade — o que torna ainda mais interessante o fato de que os dois rapazes tenham acabado com problemas tão parecidos.

Após alguns meses frequentando a massagista, já não bastava para Jonah se deitar na maca. Ele iniciava o sexo oral com sua profissional predileta, Renée, e ela ficava feliz em retribuir. Jonah continuou racionalizando. "Como eu estava pagando, não era um caso. Não corria o risco de me apaixonar. Eu obtinha o alívio que não estava procurando em outros lugares, então estava preservando meu casamento."

O casamento em questão se tornara parte do fenômeno crescente de esposas profissionais e maridos donos de casa. Danielle e Jonah, ambos na casa dos trinta anos, estão juntos desde o primeiro ano de faculdade. Têm dois filhos pequenos e moram na região apelidada de Triângulo da Pesquisa, na Carolina do Norte. Há pouco tempo, Danielle se deparou com indícios do portfólio erótico alternativo do marido.

As aventuras sexuais de Jonah foram inspiradas em um compêndio de inseguranças familiares. "Eu era nerd, não me achava muito sexual, e não conseguia durar muito tempo. Não tive muitas namoradas antes da Danielle." Sentiu-se um sortudo por ter sido escolhido pela garota extrovertida, inteligente, linda, porém intimidado pelos namorados machões que vieram antes. "Sei que ela já esteve com atletas, e eu era o extremo oposto", ele explica.

Danielle me diz que adorou o lado sensível dele. Embora admita que às vezes deseja um amante mais assertivo, ela tinha a impressão de ter escolhido o homem perfeito sob todos os outros aspectos: carinhoso, leal e emocionalmente disponível, e, francamente, inseguro demais para correr atrás de outras mulheres como fazia seu próprio pai, um mulherengo. Ou era o que ela pensava.

Examino a outra ponta emocional da relação. Apesar de se apresentar ao resto do mundo como uma batalhadora confiante, Danielle queria não precisar estar sempre "ligada". Com Jonah, sentiu que poderia baixar a guarda, mostrar seus altos e baixos e até se permitir desmoronar, segura de que ele estaria a seu lado para juntar os pedaços. Sua confiabilidade emocional lhe possibilitava o luxo da vulnerabilidade. Valia o sacrifício de qualquer incompatibilidade sexual.

De sua parte, Jonah se sentia afirmado como homem por essa mulher poderosa e sexy, e esperava que ela o libertasse de se ver como um nerd. Que surpresa, portanto, quando aos poucos foi percebendo que ela queria que continuasse a ser o mesmo cara. Ele fora selecionado para um papel no qual era bom demais — cuidar das necessidades de uma mulher, exatamente o que fizera ao apoiar a mãe durante seu processo de divórcio. Mas no fundo se ressentia da hegemonia das necessidades da esposa. Para deixar claro, nem Danielle nem a mãe dele haviam pedido tal sacrifício — mas era isso o que garotos amáveis faziam.

Por anos a fio, Danielle e Jonah queriam mais prazer erótico, mas foram ambos coniventes na criação do vácuo. Danielle tinha interesse em manter Jonah no papel de cuidador e presumi-lo incapaz de pular a cerca. Ao dessexualizá-lo, tornou-o seguro. E o problema de Jonah não foi não conseguir sexualizar a esposa, mas não conseguir sexualizar a si mesmo.

Quando peço que descrevam sua corrosão erótica, Jonah declara: "Eu não tinha muita vontade". Danielle fazia muitas viagens a negócios, e ele começou a frequentar o universo crescente da pornografia on-line. Não precisava nem sair de casa, mas era uma viagem ainda assim. "Vinte minutos procurando para assistir trinta segundos", ele comenta. Foi a mesma sensação de aventura que acabou por tirá-lo da frente da tela e levá-lo para as cabines de massagem.

Por que um sujeito como Jonah preferiria se masturbar vendo pornô ou procurar uma massagista a ficar com a esposa que ama e de quem antigamente não conseguia tirar as mãos? Assim como fiz com Garth e Scott, tento analisar a economia emocional de seus riscos eróticos para entender melhor sua infidelidade.

Em sua vida paralela de luxúria, Jonah encontrou a fuga das limitações do cara gentil, sensível, domesticado. "Tenho a sensação de que nunca me desenvolvi totalmente no sentido sexual. Pela primeira vez, podia me expressar sem vergonha. Me sentia desejável, poderoso, mais do que aceitável, viril. Não era só um cara legal — podia ser mulherengo e traidor e mentiroso, e isso dava um grande barato. Me sentia mal — mas de um jeito bom."

E onde fica a esposa? Danielle também estava sexualmente insatisfeita com o casamento. A reviravolta é que, enquanto o marido ia atrás do próprio despertar sexual na cabine de massagem, ambiente condenado pela sociedade, ela ficava em casa, lendo *Cinquenta tons de cinza*, autorizado pela sociedade. Não estou dizendo que são equivalentes morais, mas, no mundo da fantasia, têm algo em comum, como ressalto para o casal. Ela lia sobre o cara que ele tentava ser em outro lugar — o cara que não queria que ele fosse em casa.

Vivemos uma época desconcertante para os casais. O erotismo não é sempre politicamente correto. As grandes dádivas da cultura ocidental contemporânea — democracia, construção de consensos, igualitarismo, justiça e tolerância mútua — podem, quando meticulosamente adotadas dentro do quarto, resultar em sexo bem tedioso. O reequilíbrio dos papéis de gênero representa um dos maiores avanços da sociedade moderna. Aprimorou nossos direitos sexuais de forma imensurável, mas, como Daphne Merkin escreveu na *New York Times Magazine*, "nenhuma lei de direitos sexuais se mantém de pé contra a paisagem sem lei e indomável da imaginação erótica".[5] O desejo sexual nem sempre cumpre as regras da boa cidadania. Isso não significa que devemos voltar aos sombrios velhos tempos de papéis de gênero estanques, privilégios patriarcais e submissão feminina. Mas é importante analisarmos nossas escolhas sexuais — tanto aprovadas como ilícitas — dentro do modelo da cultura vigente.

UM OUTRO TIPO DE FINAL FELIZ

Então, o que uma mulher faz quando descobre que o marido aparentemente banal tem um armário de temperos escondido? Em algumas situações, perceber que o companheiro tem toda uma persona sexual que nunca conheceu é irreconciliável com o resto da realidade. Em outras, pode ser o princípio de um novo espaço compartilhado. Alguns parceiros não conseguem se livrar da repulsa à forma que a infidelidade tomou. Seu dedo aponta direto para a porta. Mas também já vi momentos em que a descoberta de um ser erótico desconhecido instiga a curiosidade. Jonah e Danielle tiveram tanta sorte que caíram nessa segunda categoria. A infidelidade dele causou mágoa, mas também mostrou à esposa que ele tinha esse lado — podia ser viril, no final das contas. A impressão que tinha dele como "um cara de libido relativamente baixa" mudou da água para o vinho. A vida sexual dos dois floresceu. E junto com o aumento do sexo veio algo mais importante ainda: o aumento da franqueza sexual.

A franqueza sexual não é apenas divulgar os detalhes de suas infidelidades. É se comunicar com o parceiro de forma aberta e madura — revelando aspectos essenciais de si por meio da sexualidade. Às vezes significa tirar do armário segredos que ficaram a vida inteira escondidos — para ambos os parceiros. Apesar de a transparência emocional ser anunciada por todos os lados como o ponto crucial da intimidade moderna, me impressiona a escassez de comunicação sexual genuína entre parceiros. Parte do meu trabalho sobre pós-infidelidade abarca aconselhamento direto acerca de como, por quê, onde e quando falar de sexo.

Jonah levou as recomendações a sério. Quando Danielle avisou que estava pronta para ouvi-lo, ele lhe contou o que havia descoberto sobre si como homem durante as explorações sexuais. Um convidou o outro a entrar em seus bairros da luz vermelha particulares. "Coisas que eu pensava que seriam um desastre para a nossa relação — por exemplo, falar para ela que tenho a fantasia de transar com uma pessoa que nós conhecemos — na verdade abriram uma nova dimensão", ele diz. "À medida que me sentia mais aceito, me sentia mais atraído por ela."

Da parte dela, compreender melhor os recônditos da interioridade erótica de Jonah a ajudou a pôr a infidelidade do marido sob nova luz. Apesar de não ter levado a dor embora, o que antes era considerado uma rebeldia sexual se transformou em um portal para a revelação de desejos ocultos de longa data.

À medida que a vida sexual engrenava, começaram a experimentar mais. Assistiram a "pornô ético". Foram a uma boate de striptease e Danielle ganhou uma dança erótica. Ela lhe contou que sempre fantasiara em ficar com outra mulher. "A certa altura chegamos à ideia de tentar uma massagem sensual juntos", ele relata. "Queria que ela experimentasse o que tanto amo — a alegria de estar 100% no centro da atenção sexual de alguém e conseguir só se deitar e ser satisfeito."

Danielle escolheu a profissional e Jonah lidou com a logística. Assim, diz ele, "ainda pude vivenciar a emoção de organizar e esperar a sessão de massagem, e pude fazer isso sem botar em risco meu casamento e minha família." Ambos acharam a experiência muito estimulante. O que antes era proibido e danoso se tornou "uma aventura conjunta, partilhada".

Jonah se sente mais integrado e, consequentemente, menos propenso a saciar suas carências libidinosas em outros cantos. Para o casal, foi verdade que, conforme a sugestão provocadora de Janis Abrahms Spring, "você pode acabar descobrindo que precisava de uma explosão nuclear como um caso para demolir sua construção anterior e possibilitar que uma versão mais saudável, mais consciente e madura assumisse seu lugar".[6]

Para esclarecer, não estou receitando a infidelidade como solução para a paralisia conjugal. Tampouco sugiro que o sexo a três seja um bálsamo curativo para todos os corações partidos. Eu jamais seria capaz de prever o caminho inovador que Jonah e Danielle tomaram ao reimaginar a relação. Apesar de a opção deles não ser para todo mundo, ela confirma a resiliência e a criatividade dos casais.

Quando Danielle pergunta se ele faria aquilo de novo, Jonah confessa que sente falta da exclusividade de quando era o centro das atenções de Renée. E às vezes anseia pelo menino mau que acabou de descobrir. "Tenho saudade da parte de mim que era estimulada pelos segredos, o perigo, a emoção. Mas decidi que a situação excelente a que você e eu chegamos é valiosa demais para ser posta em risco." Em vez de assustá-la, sua sinceridade a acalma. Ela o entende melhor agora, e a confiança entre eles é fortalecida pela liberdade de dividirem seus pensamentos e desejos com franqueza, sem vergonha. A sensação crescente de aceitação sentida por ambos é uma das proteções mais fortes contra a traição futura.

VÍCIO EM SEXO: A MEDICALIZAÇÃO DO ADULTÉRIO

Cada uma dessas histórias de infidelidade engloba uma mistura complexa de fatores pessoais, culturais e físicos. Mas ao discutir esses casos com colegas, eles volta e meia oferecem uma explicação diferente: vício em sexo. Garth, Scott e Jonah se encaixam na maioria dos critérios comuns para essa doença *du jour* — toda organizada em torno da noção de "excesso" e falta de controle.

O vício em sexo é um assunto polêmico em círculos de terapeutas, e não é minha intenção me enfronhar nesse debate controverso. Entretanto, eu não poderia terminar um capítulo voltado para homens compulsivos em sua busca por sexo sem pelo menos gastar um instante com a questão.

Apesar de não haver diagnóstico oficial para o vício em sexo, muitos pesquisadores e clínicos se apressaram em definir o transtorno, tomando emprestados os critérios das definições clínicas da dependência química. Como reação, uma indústria inteira surgiu, inclusive clínicas caras de reabilitação e centros de tratamento. Alguns clínicos acolhem o rótulo como prova de que o que antes se considerava "homens sendo homens" não é mais normal ou admissível. Outros enfatizam a falta de indícios científicos, e veem o diagnóstico de vício em sexo como uma máscara medicinal para os juízos dos terapeutas sobre que tipo de sexo é ou não é saudável.

Seja sob qual denominação, o comportamento sexual compulsivo é uma questão séria para muitas pessoas, e tanto elas como seus entes queridos passam por dores e consequências tremendas. Vidas, reputações e famílias já foram destruídas assim. Para alguns homens, a capacidade de definir o próprio comportamento como uma doença é um passo positivo, que suspende a vergonha o bastante para que busquem a ajuda de que precisam desesperadamente. Porém, mesmo chamando esse comportamento de doença, ele ainda não perdeu o estigma. Já me sentei com mais de uma mãe que lutava para dizer aos filhos: "Estou largando o pai de vocês porque ele é viciado em sexo", mas que não sofreria a mesma aflição se o cônjuge fosse alcoólatra. Outra esposa insistiu que preferia o rótulo médico de viciado — a compulsivo —, porque isso queria dizer que o marido tinha um distúrbio autêntico. Mas o marido em questão também tinha sua preferência no tocante a rótulos: imbecil. Pelo menos assim tinha poder sobre o próprio comportamento e não era apenas um compulsivo fora de controle.

Temos que admitir que o diagnóstico de vício em sexo virou o último grito em uma velha guerra cultural. O problema do que é muito ou muito pouco sexo — o que é normal ou aberrante, natural ou anormal — preocupa e polariza a humanidade desde que o mundo é mundo. Todos os sistemas religiosos e culturais regularam licença e abstinência, permissão e proibição. Normas sexuais e patologias sexuais nunca existiram separadas dos costumes da época, e são inextricavelmente associadas a economia, ideais de gênero e estruturas de poder. Para exemplificar, quando a castidade feminina era preciosa, as mulheres eram diagnosticadas como ninfomaníacas; hoje, valorizamos a assertividade sexual feminina e investimos milhões na tentativa de resolver a nova maldição, "transtorno de desejo hipossexual". Da mesma forma, a ascensão do diagnóstico de vício em sexo é um estudo fascinante da construção sexual das doenças. Ele ecoa o medo milenar de que sexo demais, principalmente para os homens, seja uma bola de neve rumo a uma vida de desvios. (O interessante é que mulheres raramente são diagnosticadas com vício em sexo: preferimos vê-las como viciadas em amor — uma bola de neve que não é menor, porém é mais lisonjeira.)

Quando medicamos condutas como as de Garth, Scott e Jonah, temos de ficar atentos à arapuca da "avaliação prematura", de acordo com a denominação do meu colega Douglas Braun-Harvey. O grande leque de motivações — pessoais, familiares e sociais — tem de ser levado em conta se for para os homens entenderem melhor e incorporar a própria sexualidade, e se for para suas parceiras (e terapeutas) reagirem de modo construtivo às suas infidelidades.

12. A mãe de todas as traições?
Casos e outros delitos conjugais

> *Os grilhões do matrimônio são tão pesados que é preciso duas pessoas para carregá-los, às vezes três.*
> Alexandre Dumas, pai

"Pelo menos não fui trepar com outra pessoa", Dexter cospe. Não, não foi. Mas há anos vem espezinhando a esposa, Mona, depreciando-a e zombando de seu medo de voar. Inclusive adquiriu o hábito de levar os filhos em viagens envolvendo vários aviões, deixando-a presa em terra. Embora um bom pai e um provedor constante, constantemente fez questão também de mantê-la no escuro acerca das finanças do casal. Ela sempre tem muito dinheiro na conta, ele insiste, mas pelo seu tom fica claro que a acha inábil. Não é surpresa que ela se sentisse solitária e inferior — até que, depois de 22 anos vivendo sob esse ditador benevolente, conheceu Robert, dez anos mais novo que ela. Nos últimos seis meses, Mona descobriu a gentileza e percebeu que na verdade tem coisas interessantes a dizer.

Um filete de confiança começou a escorrer. Acostumado a uma esposa mais frágil, Dexter notou uma resiliência anormal a suas críticas, o que o lançou em um estado desconhecido de insegurança e suspeição. Ele pôs um GPS no carro dela e o resto é óbvio. Armado de uma nova indignação, ele usa o caso de Mona para reforçar sua causa e se sente justificado ao redobrar a dose de insultos, que agora incluem "puta!" e "piranha!".

O *zeitgeist* dos Estados Unidos de hoje é inequívoco: a infidelidade é a pior coisa que pode acontecer a um casamento. A quebra de confiança que provoca supera a gravidade da violência doméstica, de gastar todas as economias da família no jogo e até do incesto. Em uma pesquisa Gallup de 2013, 91% dos adultos americanos responderam que a infidelidade é "moralmente errada".[1] As pessoas condenam a traição em índices muito mais altos do que os outros comportamentos moralmente duvidosos listados na pesquisa, dentre os quais a poligamia (83%), a clonagem humana (83%), o suicídio (77%) e, o que é mais interessante, o divórcio (24%). Ao analisar a pesquisa na revista *The Atlantic*, Eleanor Barkhorn observou: "É difícil pensar em qualquer outra prática relativamente comum e tecnicamente legal que a grande maioria desaprova". Situações como a de Mona, entretanto, me levaram a questionar a suposição de que a infidelidade é a mãe de todas as traições.

Trabalhar nas trincheiras da terapia de casais me preveniu contra imputar superioridade moral a um cara como Dexter pelo simples fato de ele não ter pulado a cerca. Seu tipo de fidelidade beira a sede de vingança e codependência, e os anos que passou maltratando a esposa também significam traição com T maiúsculo. Aliás, são inúmeros os parceiros com conduta abaixo do padrão que se entusiasmam em vilipendiar quem trai e reivindicar o posto de vítima, certos de que o preconceito cultural está a seu lado. Mas quando concedemos à traição um status especial na hierarquia dos delitos conjugais, corremos o risco de deixar que ela ofusque comportamentos odiosos que talvez o tenham precedido ou até ensejado.

A traição vem em diversas formas, e a traição sexual é só uma delas. Volta e meia encontro essas pessoas para as quais a fidelidade sexual é a fidelidade mais fácil de manter, ainda que quebrem seus votos diariamente de tantas outras maneiras. A vítima do caso não é sempre a vítima do casamento.

Por que Mona não foi embora e pronto? Ela pensou nisso, até mesmo verbalizou a ideia inúmeras vezes. Mas Dexter sempre aproveitava as ocasiões para rir dela. "Aonde você iria? Quem é que vai querer uma cinquentona inútil e acabada que nem você?" O vínculo de Mona com Robert cultivou a força de que ela precisava para descobrir que havia uma alternativa àquela jaula, algo de que sequer suspeitava. Agora que Mona está entrando com o pedido de divórcio, as táticas de intimidação de Dexter não ditam mais todos os seus passos. Uma amiga a ajudou a achar um advogado bambambã que vai expor as finanças escondidas atrás de sua aparente magnanimidade.

Trazer um terceiro para perturbar uma relação insalubre pode ser um ato de covardia, mas também pode ser uma fonte de coragem. Às vezes precisamos da experiência verdadeira de estar com outro para provar uma vida mais doce e ter coragem de ir atrás dela.[2] Para quem vive no lodo dos suplícios emocionais que representam o sadismo conjugal comum — negligência, indiferença, intimidação, desrespeito, rejeição e desdém —, a infidelidade pode ser um gesto de autopreservação e autodeterminação. A fidelidade, em uma relação destrutiva, vez por outra é mais semelhante à fraqueza do que à virtude. Não se deve confundir estar paralisado com ser fiel. Para os que convivem com o abuso físico, trocar as mãos que batem por mãos que acariciam é um ato de resistência audacioso. No nível pessoal bem como político, uma ruptura pode ser a porta necessária que se abre para uma nova ordem social.

Meu ponto aqui não é transferir a culpa, mas salientar as múltiplas dinâmicas de poder e impotência que permeiam relações. "Quem traiu quem primeiro?" é uma pergunta legítima que muitos têm medo de fazer.

Rodrigo não teve coragem de pedir desculpas. Sabia que tinha magoado Alessandra ao prolongar uma viagem de negócios por um tipo de negócio mais pessoal. Mas, sempre que começava a dizer "Me desculpa", ele pensava nos anos de agressiva falta de interesse que a esposa havia aperfeiçoado, e a sensação de que sua atitude se justificava surgia dentro de si. "Quem realmente devia pedir desculpas?", ele interpela.

Julie me contou por escrito que o marido era "emocionalmente infiel há vinte anos". Mas não se referia a outra mulher. "Ele me deu bolo em shows, jantares, férias — sempre priorizando o trabalho. Minha irmã diz que pelo menos ele não me traiu, mas o trabalho dele é mais exigente do que qualquer amante. Agora conheci um cara com tempo de sobra para mim, e *sou eu* a infiel?"

A intimidade deslocada existe em modelos diversos. "O namoro principal do Russ era com a metanfetamina", declara Connor. "Passei anos implorando para ele diminuir o ritmo e procurar ajuda, mas era claro que o barato era mais agradável do que a minha companhia. E agora ele está chateado por eu ter encontrado um cara que tem interesse em mim de verdade."

Por que uma forma de atenção desviada é uma quebra incontestável de confiança e outra é amaciada com palavras bonitas? Embora pareça que todos estavam procurando sexo, também procuravam intensidade, apreço, olhares longos — todas as outras formas de penetração que não implicavam relação sexual. Chame de intimidade, chame de ligação humana — é o que nos dá a sensação de que somos relevantes.

Se a primeira questão que essas conjunturas tipicamente suscitam é "Por que não foram embora?", podemos prever que a questão seguinte será "Eles tentaram conversar sobre isso?". Em uma época de comunicação democrática entre casais, acreditamos na cura pela fala. E temos que admitir, não há nada como uma boa conversa franca para nos sentirmos ouvidos. Mas quando nossos lamentos caem em ouvidos moucos, a solidão é pior do que estar sozinho. É menos sofrido comer sozinho do que se sentar diante de alguém que o ignora.

Muitos parceiros desesperados tentaram todas as variações da fala. Começaram tranquilos e com consideração; terminaram com raiva e derrotados. Quando por fim param de implorar e levam embora a angústia de seus corações surrados, os parceiros indiferentes passam enfim a prestar atenção. Poderiam ter lidado com a situação de outra maneira? É claro que sim. Mas nada como o sistema de alarme contra adultérios para abalar um casal calcificado.

A REBELIÃO DOS REJEITADOS

Ser traído faz a pessoa se sentir insignificante, mas ser insignificante por anos a fio pode levar a pessoa a trair. Quando os filhos são pequenos e carentes e o pai está mais uma vez no bar assistindo a um jogo com os amigos, o apreço extraconjugal pode ser um tônico. Quando seu casamento se torna Administração Domiciliar Ltda. e vocês só conversam sobre logística, a poesia de um caso levanta o ânimo da prosa monótona do cotidiano. Quando todo dia seu companheiro se entoca com o engradado de cerveja às seis da tarde, você tem tempo à beça para entrar na internet e procurar um cara que queira outro tipo de diversão. Quando você está cansado de brigar por todas as mínimas bobagens, um colega que gosta do seu senso de humor faz com que você se lembre de que já foi mais do que uma mala sem alça. O rol de ressentimentos, microagressões e rejeições que instigam nossa necessidade de buscar alívio em outro lugar é longo e variado. A melancolia conjugal suplica uma fuga. E mais ainda se o casamento em questão é desprovido de intimidade física.

Pode parecer óbvio que transferir secretamente nossos desejos para fora do leito conjugal infringe nosso compromisso. Mas como pensar sobre essas situações quando o leito conjugal poderia muito bem ter uma placa de NÃO ENTRAR na cabeceira? Não estou falando de um declínio geral na frequência, chegando a uma vez por semana ou até por mês. Certo grau de desejo minguante é natural no decorrer de uma relação, e diferenças na libido são de se esperar e gerenciar. Estou falando de parceiros constantemente impassíveis às iniciativas sexuais dos companheiros por anos ou até mesmo décadas, ainda que continuem afetuosos e próximos. Ninguém quer o retorno do estupro no casamento ou do sexo por dever, mas também precisamos reconhecer que quando um parceiro toma a decisão unilateral de que não haverá (ou haverá pouquíssimo) sexo, não se trata de monogamia — é celibato imposto.

Como lidar com a perda do erótico? Pode ser um pouco reducionista focar apenas nos males sexuais, mas passei a respeitar o poder da privação sexual pelo que ela é. Nossa cultura tende a minimizar a importância do sexo para o bem-estar do casal. Ele é visto como opcional. Formar um casal com companheirismo tem inúmeros méritos, e há um monte de gente que cultiva relações afetuosas sem sofrer de agonia sexual. Mas quando a falta de sexo é deplorável, e não por acordo mútuo, ele pode deixar uma lacuna insuportável em uma relação de resto satisfatória. E quando não somos tocados há anos, somos mais vulneráveis à gentileza de estranhos.

Marlene me conta que, para ela, um caso seria mais fácil do que aguentar a recusa absoluta do marido às suas iniciativas sexuais. "Eu não tinha nem o triste consolo de saber que ele desejava outra pessoa. Não existiu uma terceira pessoa em quem botar a culpa toda."

Já recebi incontáveis cartas de amantes esfomeados mundo afora, todos desesperados, enraivecidos, tristes, derrotados, inseguros, solitários, invisíveis e intocados. E, ao contrário dos estereótipos, não são todos homens. Não são apenas mulheres que fingem ter dores de cabeça.

Isabelle conta nos dedos de uma das mãos as vezes em que ela e Paul transaram durante os dez anos de casamento, e nem precisa usar todos os dedos. "Semanas depois do casamento, ele perdeu o interesse", ela relata. "Repassei todas as causas que conseguia imaginar: ele está me traindo, ele é gay, ele é um daqueles garotos que sofreram abusos do padre?" Ela tentou conversar, fazer terapia e iniciar o ato sexual de todas as formas aventureiras que pôde, mas em vão. O silêncio de Paul é desconcertante. Ele já fez exame de testosterona (normal) e tentou Viagra (foi um sucesso no aspecto físico, mas ele ficou enojado). Isabelle afirma ter continuado com ele mesmo assim porque é um homem bom e ela leva o compromisso do casamento a sério. Mas há pouco tempo conheceu um homem na igreja. "Ainda não aconteceu nada", ela me diz, "mas estou à beira do precipício."

Brad se sente à mercê do estado de espírito "não me sinto sexy" de Pam. "Toda noite, o iPad dela está entre nós dois, feito um escudo contra o sexo. Comprei lingerie e pedi que ela usasse para mim, mas quatro semanas depois a lingerie está na cadeira, ainda embrulhada. Ela só quer ficar de conchinha, o que significa 'você me acalma e depois a gente dorme'. Não posso ficar em uma relação em que fico tão frustrado sexualmente, mas ela me diz que não pode fazer nada! Ela acha que não basta para mim, embora eu diga todo dia que só quero ela."

"Depois que a camisinha falhou e Louise ficou grávida pela quarta vez, eu queria dar fim à gravidez, mas ela se negou", Christophe relembra. "Sou um homem responsável, então sabia que teria de continuar ali para cuidar das crianças e dela. Mas no desejo dela de ser a mãe que nunca teve, ela esqueceu completamente que era esposa. Somando tudo, ela amamentou por sete anos. É muita oxitocina! Saí de cena totalmente. Nada de carinho, nada de beijo, nada de sexo. Tive meu primeiro caso quando minha segunda filha tinha dezoito meses. Com ou sem outras, nossa vida sexual é uma seca há anos. Acho uma afronta que ela insista que foi minha infidelidade que matou nosso casamento."

Samantha só queria um parceiro com quem envelhecer. "Nunca imaginei que sentaria com o meu marido em uma cadeira de balanço e remoeria a culpa pela traição." Mas após dez anos como esposa fiel, o casamento se deteriorou. "Eu mudei. Ele começou a dormir em outra cama — porque ele roncava, não conseguia dormir, as costas doíam. Implorei que ele voltasse, mas ele disse que tem um monte de casais que dormem em camas separadas. Nossa vida sexual se reduziu a rapidinhas de cinco minutos, que eram totalmente insatisfatórias para mim. Eu cuidava de tudo sozinha — o dinheiro, a casa, os filhos. Claro, ele estava em casa toda noite, mas era ausente."

No Craiglist, Samantha conheceu Ken, também casado e frustrado. Depois conheceu Richard no Ashley Madison, mesma história. "E aqui estou eu. Uma mulher casada com um amigo colorido que é casado e mora perto e um namorado à distância também casado." Às vezes ela fica chocada consigo mesma; às vezes sente culpa. Mas não tem vontade de parar. "Não posso voltar para a apatia."

Pessoas que estudam os casamentos sem sexo decidiram que menos de dez vezes por ano é o mesmo que nada. Vai saber como chegaram a esse número! De 15% a 20% dos casais parecem estar nessa categoria. Portanto, se você faz sexo onze vezes por ano, considere-se abençoado. Se quer ver o destino de que escapou por um triz, dê uma olhada no popular fórum do Reddit chamado DeadBedrooms (são dezenas de milhares de membros). O analista de big data Seth Stephens-Davidowitz informa no *New York Times* que as pesquisas por "casamento sem sexo" no Google são mais numerosas do que as relacionadas a qualquer outra questão conjugal.[3]

Está claro que muitas pessoas estão lamentando a morte de eros. E existem ainda mais indivíduos que podem até cumprir as exigências no tocante à frequência sexual, mas que não têm nenhuma satisfação. Suas queixas caem na minha caixa de entrada todo dia.

"Meu companheiro demonstra pouco interesse pelo meu corpo além do coito. Nas preliminares, ele parece estar tentando dar partida em um carro a manivela. Momentos depois de irmos para a cama, ele põe o joelho entre as minhas pernas e verifica a umidade. Tentei conversar com ele inúmeras vezes, sendo delicada e fazendo montes de elogios, sobre o que eu gosto e o que me excita. Resultado: ele me disse que ninguém nunca reclamou. Depois de anos disso, me preocupa a possibilidade de que eu esteja deixando meu medo de ficar sozinha ser mais forte do que meu amor-próprio."

Willa continuou transando com Brian, mas sentia pouco prazer ou conexão. "Era apenas uma coisa que eu precisava fazer, e menos prazerosa do que a maioria das tarefas domésticas. Aí um dia me passou pela cabeça que talvez eu não detestasse sexo; eu só detestava sexo com o meu marido. Pulei a cerca para testar a teoria. E, como você deve imaginar, não estava enganada."

Gene conta: "Eu adoraria brincar, ir devagar, mas ela simplesmente pega meu pau e põe dentro dela. Ela me faz gozar para acabar logo". O que esses parceiros extenuados deveriam fazer?

Passo muitas horas ajudando casais que perderam o fogo a reacender o desejo. Começamos pelas causas mais comuns que podem estar por trás do bloqueio sexual — violência dos pais, abuso sexual precoce, racismo, pobreza, doenças, perdas, desemprego e assim por diante. Esses múltiplos desabonos deixam as pessoas com a sensação de que vivem em um mundo onde confiança e prazer são muito perigosos. Exploramos o padrão sexual delas, como sua história emocional se expressa na fisicalidade do sexo. "Me diga como você foi amado e vou saber muito sobre como você faz amor" é uma das questões que me guiam. Desenterrar esses problemas ajuda a soltar os bloqueios sexuais.

Intervenho nos estorvos relacionais do casal, ajudando os dois a resolverem queixas acumuladas. Ensino a eles como transformar as críticas em pedidos e as frustrações em feedback, e a serem francos e vulneráveis um com o outro. Quando esses nós são desfeitos, os casais podem aprender a usar a imaginação para cultivar o prazer. Eu os instigo a parar de falar de sexo com tamanha seriedade, preferindo tirar proveito da jovialidade, acumulando expectativa e mistério dentro e fora do quarto. Além disso, tenho um manual de intervenções para ajudar as pessoas a se reconectarem com o sensorial, o sensual, a santidade da intimidade. Isso envolve muito mais do que apenas conversas. Colaboro com educadores sexuais, terapeutas especialistas em trauma, praticantes de Tantra, especialistas em educação sexual somática, professores de dança, consultores de moda, acupunturistas, nutricionistas — qualquer um que possa ajudar. A sexualidade cruza com todas essas modalidades.

Alguns conseguem fazer a maré virar. Mas outros, apesar do empenho, são incapazes de retomar o ímpeto erótico. Será que esses casais devem aceitar que não se pode ter tudo — que às vezes o sexo é o preço que se paga para preservar a família? Ou seria ele uma parte tão fundamental da vida que sua ausência justificaria o desmantelamento de um casamento de resto amoroso?

Até que ponto uma relação pode ser boa se a intimidade sexual foi embora? Não estou falando apenas de sexo, o ato: preliminares, penetração, orgasmo, adormecer. Refiro-me à energia sensual, erótica, que separa uma relação romântica adulta daquelas entre irmãos ou melhores amigos. Será que é inevitável um casamento sem sexo nos levar à infidelidade?

Contanto que ambos estejam satisfeitos com a situação, o amor pode florescer e a estabilidade abundar. Mas quando uma pessoa está cheia de vontades não atendidas que se estendem de uma fase da vida até a seguinte, ela se torna um mato seco esperando uma centelha. Dada essa dupla ordem de fidelidade sexual e abstinência sexual, não precisamos nos surpreender quando a ânsia de desejo enfim se liberta em uma explosão.

Para Matt, parece que já faz séculos, embora ele não consiga identificar exatamente quando o sexo desapareceu. Ele e Mercedes, casados há dez anos, se conheceram aos trinta e poucos anos e se casaram logo depois. No começo, transavam porque a sensação era boa. Depois passaram a transar para fazer bebês: Sasha, que agora tem sete, e Finn, de quatro anos. Em seguida, não transavam *por causa* dos bebês. Depois disso o sexo era mecânico, porque pouco era melhor do que nada. E depois eles simplesmente não transavam. Quando os conheci, Finn dormia com a mãe na cama king size e Matt se espremia no sofá da sala. Mercedes queria querer, mas não sentia tanta falta assim. A bem da verdade, nunca gostou muito de sexo. E agora tinha outras prioridades.

Estava claríssimo que eles haviam se organizado em torno do desejo dele e a recusa dela. No princípio, ele ia atrás e a ela cabia o papel de reagir. Ela recebia bem as iniciativas do marido. Aos poucos, seu interesse deu lugar à resistência, e as vontades dele se transformaram em carência. Foi um desestímulo tão grande que ela se afastou ainda mais. Quanto mais ele implorava, mais contrariada ela ficava. E quanto mais fechada ela ficava, mais pegajoso ele se tornava. Em uma clássica dinâmica perseguidor-distanciador, um reforçava no outro o exato comportamento que abominava.

Na segunda-feira, Matt declarava claramente suas vontades. Na quarta, dava apenas indiretas para não sobrecarregá-la ou acionar sua sensação de inadequação sexual. Na sexta-feira, a tocava com tanta delicadeza que, se ela não reagisse, poderia fingir não ter feito nenhuma investida.

De vez em quando, Mercedes mergulhava na reflexão. "O que há de errado comigo? Para você basta apertar um interruptor, enquanto eu luto para produzir uma faísca." Em alguns momentos, Matt a incentivava. "Olha!", ele dizia. "Foi tão bom da última vez! Você vai acabar gostando." Infelizmente, essas tentativas bem-intencionadas deram errado. "Não me trate com condescendência... não é sexy!" Em seguida, ele tentava a compaixão. "Lamento que você se sinta dessa forma. Quem dera fosse mais fácil para você." Ela agradecia pela compreensão, dava-lhe um beijo delicado, virava para o lado e apagava o abajur. Deprimido, ele se refugiava em outro quarto para se aliviar diante do computador.

Inevitavelmente, a exasperação de Matt crescia. Por que era tudo de acordo com os termos dela? Ela não sabia que o torturava? Ressentido e ansioso, ele tentou conter a raiva, porém mais um ano se passou e ele ia explodir. "Estou cansado do seu papo furado! É injusto e egoísta!" Ele sabia que não iria transar depois dessa declaração, mas, já que não ia transar de qualquer jeito, que importância tinha? Pelo menos ele estava botando para fora. Se Mercedes havia sentido alguma culpa por forçar a abstinência, agora sentia ter feito o certo. "Que audácia me dizer uma coisa dessas!", ela retrucava. "Você está achando que vai me excitar assim?"

Duas vezes por ano, a complexa coreografia de recusa sexual era interrompida: no aniversário de casamento e no aniversário dele. "Mas ela basicamente ficava deitada e me fazia um favor", ele diz. "Sexo por caridade" não era nem de longe o que Matt queria.

Mercedes não ficava imperturbável pela situação deles. Sabia o que as mulheres de sua família mexicana diriam: "Você é a esposa, cabe a você satisfazer as necessidades dele". Mas ela preferia conversar com as amigas americanas, e o conselho que recebia era mais a seu gosto: "Você não tem que transar se não quiser". "É um egoísmo da parte dele fazer você se sentir culpada por uma coisa que foge ao seu controle." "E é bom que ele não esteja pulando a cerca!"

Temendo que ele fizesse exatamente isso, Mercedes começou a terapia inúmeras vezes. Para ser franca, o casal se esforçou. Descartaram traumas do passado, dor crônica, questões de confiança e outras explicações. Porém, Mercedes valorizava o sexo apenas para fins de procriação; fora isso, não via sentido. Era uma mulher sensual que adorava muitas coisas — em especial, dançar —, mas nunca desenvolvera o gosto por fazer amor, tampouco entendia por que deveria fazê-lo. "Ele é vegetariano, e eu aceito que ele não goste de comer carne. Qual é a diferença entre uma coisa e outra?"

Durante anos, Matt "simplesmente convivia com isso". Tentou diminuir suas expectativas, se satisfazer sozinho, adotar o triatlo e mergulhar no trabalho. Todas essas medidas foram insuficientes para preencher o golfo de solidão ou neutralizar o sentimento progressivo de emasculação desencadeado por anos de rejeições sexuais. E então conheceu Maggie, uma triatleta madura, vivaz, casada há quase uma década com um homem cujas mãos acariciavam apenas o controle remoto. O desejo da moça, compatível com o dele, trouxe de volta a sensação de esperança e vitalidade.

Matt não se propôs a trair a esposa, mas não aguentava mais a lassidão erótica. Ele está fascinado com o ardor, as horas de preliminares, a sensação de atemporalidade. E me garante que a relação com Maggie não diminui seu compromisso com Mercedes. Não é mais fiel, mas é mais leal do que nunca. Depois de catorze meses nesse refúgio sexual, os dois amantes estão felizes por terem achado uma forma de sair do encarceramento sexual sem ter de separar as respectivas famílias. Não é uma situação incomum.

QUANDO O CASO PRESERVA O CASAMENTO

Por mais bizarra que pareça, a perspectiva de Matt e Maggie tem lógica. Muitos têm casos não para sair do casamento, mas para ficar nele. "São mais três anos e as crianças vão embora", minha paciente Gina me diz. "Isso me permite ficar em casa com um sorriso no rosto. Não vai ser um divórcio amigável — ele é orgulhoso e possessivo demais. Quero que meus filhos saiam de casa antes de dar esse passo." Em uma conferência recente na Califórnia, uma mulher me disse que a realidade exige que ela e o marido continuem juntos — têm um filho deficiente que precisa dos dois genitores e das duas rendas. São bons amigos, mas não vai muito além disso. Ela sai para "dançar" duas vezes por semana. "Ele nunca pergunta", ela disse, "e isso mantém minha sanidade."

Da última vez que pegou Martin se masturbando com vídeos pornôs, Daphne descascou uma longa lista de epítetos degradantes. Isso não o deteve, só o fez esconder melhor. Como não dividem o quarto há dois anos, não foi muito difícil. Mas ele teve de esperar uma viagem dela a outra cidade para ir ver as meninas de Koreatown. "Ajuda visual", ele as chama. Sabe que a esposa não aprovaria, mas seu raciocínio é o seguinte: "O que ela preferiria? Que eu ficasse em casa e fantasiasse com a minha secretária de vinte anos debruçada na minha mesa? As dançarinas estão fazendo o trabalho delas. Minha secretária poderia se tornar uma sedução de verdade. Para Daphne, é tudo a mesma coisa. Mas acho que o que estou fazendo protege o nosso casamento. O que ela esperava, que eu ficasse sem?"

Enquanto Martin é asperamente pragmático acerca de suas digressões extraconjugais, Rachel Gray é poética. Em um casamento de 23 anos com um homem com quem tem pouquíssima química mas muitos princípios, amigos e interesses em comum, ela me mandou um verso que compôs sobre os motivos para seus inúmeros casos.

Through periods of doubt
When his lights are out,
Mine are flaming through the day.
You saw it right away.
Dance with me. I'm not confused,
Feeling taken for granted, and used.
Embrace me tightly, fill part of what's missing,
Like the rote lovemaking without kissing.
You want it too for reasons of your own.
Let's keep in touch. Call my cellphone.
I may spin away but I won't let go.
My heart says yes, but my head says no.
A gentle hug will pull me back in
For another dance. Is it such a sin?*

Matt também não acha que é um grande pecado. Ele fica dividido quanto à reação que Mercedes teria se soubesse, mas não está preparado nem para terminar o caso nem o casamento. Depois de encontrar o que lhe faltava, não sente mais a necessidade de escolher. O caso é um estabilizador, uma maneira de tirar a pressão de sua relação principal, não destruí-la. O terceiro funciona como um esteio que ajuda a manter o casal equilibrado. Isso lhe possibilita evitar a barganha faustiana de perder a família ou perder a si mesmo. Como destaca o analista Irwin Hirsch, "às vezes a infidelidade oferece um espaço emocional que permite que relações familiares, sexuais e amorosas imperfeitas persistam ao longo do tempo".[4]

Os psicólogos Janet Reibstein e Martin Richards descrevem essa "visão segmentada" como "uma reação compreensível à experiência verdadeira do casamento".[5] As infladas expectativas que temos acerca do casamento moderno,

---

* "Em momentos de incerteza/ Quando as luzes dele estão apagadas,/ As minhas ardem durante o dia./ Você percebeu logo de cara./ Dance comigo. Não estou confusa,/ Me sentindo ignorada e usada./ Me abrace forte, preencha parte do que falta,/ Como o amor rotineiro sem beijos./ Você também quer, por suas próprias razões./ A gente se fala. Liga para o meu celular./ Talvez eu rodopie para longe, mas não vou me soltar./ Meu coração diz sim, mas a cabeça diz não./ Um abraço gentil me trará de volta/ Para outra dança. É um pecado tão grande assim?" (N. T.)

argumentam, tornam inevitável que "uma grande parcela de pessoas casadas sinta que o casamento foi uma decepção sob um ou outro aspecto". Quando partes do casamento funcionam muito bem e outras não, uma reação é extrair essas partes que não funcionam. E em geral é o sexo. Isso alivia o fardo posto sobre um parceiro só, o de saciar todas as nossas necessidades.

Esse tipo de arranjo é muito comum quando um parceiro tem uma preferência sexual ou fetiche que o outro não compartilha ou até acha repugnante, ou quando a diferença de idade é de dois dígitos. Também é mais frequente quando um é deficiente ou convive com uma doença crônica. Relutando em ir embora mas indisposto a ficar sem, o insatisfeito discretamente leva as necessidades para outro canto.

Sonny conhece muito bem essa estratégia: "Para ir direto ao ponto, eu amo a minha mulher, ela é linda, mas nunca senti aquele desejo de homem das cavernas de trepar com ela", ele explica. "O sexo entre nós é bom, normal, mas ela não participa de nenhuma depravação comigo — ela chega a rir da ideia de dominação. Tentei ficar bem com isso, mas acabei me dando conta de que BDSM não é só uma coisa que eu gosto — faz parte de quem eu sou." Portanto, Sonny foi para outro canto com o homem das cavernas dentro dele — a um website em que se oferece como "sugar daddy" para a "sugar babe" que aceita suas fantasias mais primitivas, desenfreadas. Ele não planejou essa divisão de sua personalidade — pai dedicado à família e mestre do calabouço com a namorada. Mas se resignou, já que considera a melhor solução.

É típico que tais arranjos sejam tácitos, sobretudo para casais heterossexuais. As pessoas geralmente estabelecem acordos secretos consigo mesmas em vez de optar por uma discussão mais aberta com os cônjuges. Poderiam aprender bastante com seus pares gays e com a comunidade poliamorosa, que não acham inevitável que a inatividade sexual dê ensejo à inatividade conversacional. Muitos dos casais gays com que trabalho provavelmente negociaram a monogamia ou sua inexistência, em especial se ela se tornou uma abstinência de fato. A não monogamia consensual significa que ambos têm igualdade de opinião na decisão de saciar desejos frustrados fora de casa. Em comparação, a infidelidade é uma decisão unilateral, em que *uma* pessoa negocia secretamente o melhor negócio para si. Elas podem imaginar que seja o melhor negócio para todos os envolvidos — salvaguardando o casamento e destruindo a inércia sexual —, mas ainda assim se trata de uma imposição de poder sobre um cônjuge desprevenido. É claro, conforme um homem contestou, "se toda noite ela diz não, eu tive direito a opinar? Quem é que anda tomando decisões unilaterais aí?".

Ele tem razão. Portanto, quando recusadores me dizem que estão consternados com o sexo extraconjugal do parceiro, delicadamente redireciono o foco do que o parceiro *fez* para o que eles mesmos *não* fizeram. É fácil ver a traição da parte da pessoa que pula a cerca com seus desejos contrariados. É mais desafiador entender como o parceiro desinteressado pode ter sido um colaborador inconsciente. Uma conversa mais sincera tem de incluir todos os lados da história.

DIVÓRCIO OU SUAS ALTERNATIVAS?

A relação de Matt com Maggie cumpriu seu objetivo enquanto foi secreta, mas, quando Mercedes descobriu, as regras mudaram. Na terapia, começamos focando nos destroços da revelação. Como nenhum dos dois quer o divórcio, travamos um diálogo sobre compromisso e confiança que expande as definições de lealdade e fidelidade para além do crivo estreito da exclusividade sexual.

Esse casal ilustra um típico beco sem saída. Compartilham anos de histórias ricas, tanto felizes como tristes. Lembram-se com carinho de quando foram morar no primeiro apartamento, de um quarto, e de transformar a área de serviço em quarto de bebê, e se orgulham de terem trabalhado muito para conseguir morar em uma casinha alugada com quintal ensolarado. Apoiaram as carreiras um do outro, revezando-se no sono, nas tarefas e nos cuidados com os filhos para que ambos conseguissem promoções. A morte de três pais, dois nascimentos, um aborto espontâneo e um susto com câncer chegaram e passaram enquanto eles continuavam firmes. Esperanças e sonhos foram tecidos juntos — uma casinha no mato para passar as férias, uma viagem à África, um cachorrinho com que os filhos poderiam brincar. Até hoje, dividir um café fumegante no quintal é um prazer diário. Eles se amam de todas essas maneiras. Só não fazem mais amor.

Será que casais como esse devem escolher entre destruir todo o edifício do casamento ou nunca mais fazer sexo? Na nossa cultura de casamento-é--para-tudo, se divorciar ou engolir o sapo tendem a ser vistos como os dois únicos caminhos legítimos — então não surpreende que muitos optem pela terceira alternativa, velada mas cada vez mais popular: a infidelidade. Como observa Pamela Haag, "preferimos quebrar as regras do casamento que já não funcionam mais direto a permitir que sejam revistas".[6]

O casamento está carente de novas opções. Vamos logo jogando a culpa do término das relações na infidelidade, mas em muitos casos talvez o fator mais destrutivo seja a teimosia de insistir na exclusividade sexual a todo custo. Talvez alguns desses casais continuassem juntos se estivessem dispostos a tratar de suas diferentes necessidades sexuais e o que isso significaria para a estrutura do casamento. Essa conversa envolve o enfrentamento do ideal romântico: a monogamia.

Não me entenda mal: a não monogamia dificilmente é um bálsamo para todas as feridas ou uma proteção contra a traição. Mas quando vejo as pessoas sofrendo e se sentindo forçadas a tomar decisões que são dolorosas para todos os lados, quero pelo menos conseguir oferecer outra possibilidade. Sou filha de uma costureira e há muito tempo considero meu trabalho similar ao dos ajustes do alfaiate. Não tento vestir todos os casais com o mesmo traje.

Para a maioria, a menção de relações sexualmente abertas dispara alarmes. Poucos assuntos no âmbito do amor comprometido provocam uma reação tão visceral. E se ela nunca mais voltar? Ele não pode valorizar as coisas boas que temos e aceitar que não dá para ter tudo? E se ela se apaixonar? Casamento é concessão. A ideia de que se pode amar uma pessoa e fazer sexo com outra faz alguns estremecerem. Temos medo de que transgredir um limite enseje a possível ruptura de todos os limites. Pode ser verdade. Mas, como muitas pessoas descobrem, casamentos fechados não são nenhuma defesa contra desastres.

Além disso, resisto a ser conivente com falsas premissas. Muitas pessoas fingem estar se empenhando para reacender o desejo. Gostam da ideia, mas na verdade não querem a realidade. Querem a família, o companheirismo ou a vida que construíram juntos: não querem de fato deitar e rolar com o outro. Quando os sinais são inequívocos, será que a não monogamia não é um resultado mais benigno do que o divórcio? A falta de vontade de sequer cogitar a possibilidade acaba demolindo inúmeras parcerias afetivas e famílias felizes, estáveis.

Casais como Matt e Mercedes podem resolver se separar — talvez agora, talvez depois, talvez nunca. Mas eu esperaria que qualquer decisão que tomem seja resultante de uma reflexão cuidadosa sobre suas respectivas necessidades e a possibilidade de traçar um círculo grande o suficiente para conter ambos com integridade. Tenho certeza de que, para todos os envolvidos, isso seria preferível à reincidência adúltera. Quando uma segunda infidelidade acontece, as pessoas logo dizem, "quem trai uma vez, trai outras", como se fosse uma confirmação de uma falha de caráter. Mas às vezes uma explicação mais certeira é que a questão principal nunca foi encarada.

A condenação por atacado de um caso nos distrai muito facilmente das questões verdadeiras que há por trás dele. Também cria uma hierarquia fixa de ofensas relacionais. Até hoje, a rejeição emocional e sexual não ganha a mesma divulgação que as aventuras lascivas. Quando tratamos a infidelidade como a mãe de todas as traições, resistimos coletivamente a um ajuste de contas necessário, como casais e como cultura, com a complexidade do casamento.

13. O dilema da amante
Conversas com a outra

Vera dá uma olhada no espelho e olha pela janela. A mesa está posta com elegância, o champanhe está no gelo, e a salada de tomate, colhido fresco da horta, tem um brilho convidativo. Ele disse que chegaria uma hora atrás, mas ela se permite telefonar. Anda de um lado para o outro do apartamento de um quarto, pequeno mas decorado com elegância, voltando à vidraça para ver se o carro dele não está chegando. Mesmo após três décadas, ela ainda espera a emoção de quando o vê aparecer na rua de baixo. Radiante, empolgada e um pouquinho nervosa, ela se parece com qualquer outra mulher apaixonada.

Mas não é qualquer outra mulher. Ela é a outra mulher. Também conhecida como destruidora de lares. Ladra de homem. Amante. Secretária. Puta. São rótulos culturais conferidos a mulheres como ela desde Lilith. Vera odeia esses rótulos, e por isso ela e Ivan, o amor de sua vida, tomam medidas elaboradas para esconder a relação de trinta anos. No final, levará o segredo para o túmulo. A única que sabe é a filha dela, Beth. E aos 55 anos, depois de enterrar os dois protagonistas e guardar as provas, Beth entrará em contato comigo para contar a história da mãe.

"O amante de longa data da minha mãe, o Ivan, era um homem casado rico e poderoso. Eles tinham um apartamento em um bairro proletário da cidade, onde se encontravam três vezes por semana, com uma horta pequena que gostavam de cultivar. Quando ela morreu de repente, aos 77 anos, fui a responsável por fechar o ninho de amor deles e ajudar Ivan, então com 85 anos, a lidar com o luto. Não havia mais ninguém para secar suas lágrimas, já que ninguém sequer sabia. Alguns anos depois, fui ao funeral dele, embora ninguém de sua família fizesse ideia de quem eu era."

Beth descreve a mãe como uma grande beldade — dinâmica e aventureira. Abandonada pelo primeiro marido quando estava grávida, ela havia se casado de novo, mas deixara a relação quando ele se tornara abusivo. "Ela era durona e independente, comprava casas quando não davam empréstimos a mulheres. Ela nos tirou desse casamento ruim."

"Um belo e grande amor" é como Beth define a relação da mãe com Ivan. "Fiquei feliz por ela ter tido isso depois de todo aquele azar com os homens. Ivan já era casado há décadas quando se conheceram, e sabia que não se separaria. Tinha acabado de perder a filha mais velha e não conseguia se imaginar impondo outra perda à esposa." Vera acreditava que a esposa de Ivan sabia da relação, mas jamais admitiu. Homem responsável e generoso, Ivan garantiu sua segurança financeira.

"Sob diversos aspectos, o arranjo era bom para ela, porque tinha bastante liberdade", conclui Beth. "Ela podia ir ao ninho de amor, ficar toda sexy, deixar que ele a achasse maravilhosa, preparar um almoço delicioso e tomar uma garrafa de vinho, e depois voltar para casa sozinha." Mas a filha única e confidente às vezes gostaria de não ter tido tamanha intimidade com o esquema deles.

"Absorvi todos os detalhes de como um caso dessa natureza se desenvolve e é mantido: as mentiras contadas à esposa; as desculpas dadas para ganharem tempo juntos; a disfunção sexual alegada no casamento; a investigação sexual curtida com a amante. Que a mãe nunca podia usar perfume porque poderia deixar rastro nele. Que pagam o aluguel em dinheiro e assinaram o contrato sob nome falso.

"Tive informação demais. Como a história de que Ivan foi para o check-up anual com a esposa e o médico perguntou sobre sexo. Quando Ivan disse que não faziam sexo, o médico lhe ofereceu uma receita de Viagra, e a esposa virou para ele e disse: 'Ah, querido, você não vai querer começar com isso de novo, não é?'. Quando a consulta acabou, Ivan puxou o médico para o canto e lhe disse que na verdade fazia bastante sexo e que gostaria da receita. Eu não precisava de todos esses detalhes, mas agora cabe a mim guardá-los."

À medida que Vera envelhecia, ia ficando muito mais difícil para ela "estar do lado de fora da vida dele, olhando para dentro". Sofria conflitos éticos —

não quanto a Ivan, mas a ser cúmplice da enganação de sua esposa. De vez em quando tinha a impressão de ter sacrificado seus melhores anos por ele. Tinha de aparecer sozinha em todos os Natais em família, tirar férias sozinha e se apresentar para o mundo como uma mulher sozinha.

Arrisco algumas perguntas. "E como isso fez você se sentir? Levou-a a acreditar no poder do amor? A perceber o poder da enganação? Deixou-a ciente da astúcia das mentiras?"

Ela dá um sorriso irônico. "Sim, sim e sim. Por um lado, eu tinha plena consciência da dor da minha mãe, mas também de sua sensação de que a grama era mais verde do lado dela. A esposa de Ivan tinha toda a pompa do sucesso, mas vivia com um marido emocionalmente ausente que não queria encostar nela. O melhor lado dele ficava para a minha mãe, que retribuía na mesma moeda. Então, sim, isso me levou a acreditar no poder do amor. O que eu só percebi ultimamente foi como essa história se infiltrou no meu próprio casamento, de 26 anos." Sou lembrada novamente de que a infidelidade lança suas sombras bem além do triângulo de amantes.

"Em épocas de estresse conjugal, fico logo com suspeitas e desconfio a um ponto que não é necessariamente justo ou justificável. Eu ouço as mentiras que Ivan contava para a esposa, os sussurros da minha mãe sobre uma mudança de plano repentina, as histórias que bolavam para ficar juntos. Tenho a sensualidade da minha mãe e quero o tipo de amor que ela tinha, mas tenho medo de acabar na posição ocupada pela esposa do Ivan."

"Como você se sente a respeito do Ivan?", eu lhe pergunto.

"Foi muito difícil para mim, ficar sentada no funeral dele com quinhentas pessoas e ouvir os elogios a ele como grande homem de família. O pior momento foi quando alguém se levantou e dividiu a lembrança de que ele tinha o costume de apontar para a esposa e dizer: 'Ela não é linda? Não é maravilhosa?'. Ele dizia exatamente a mesma coisa para a minha mãe. Ela lhe deu amor por trinta anos, e pagou um preço alto. Ele nunca teve de pagar nada além do dinheiro que dava para ela. Quero que a história dela seja contada. Ela merece!"

SAINDO DAS SOMBRAS

A mãe de Beth não me contou sua história diretamente, mas muitas outras pessoas sim. Quando souberam que eu estava escrevendo um livro sobre infidelidade, comecei a receber mensagens que começavam com "Sou a amante de um homem casado..."; "Sou a típica outra..."; "Sou a terceira pessoa de um triângulo...". Elas dividiam suas histórias, suas esperanças, seus temores e as pontadas de culpa. E me convidaram a mergulhar em seus dilemas.

"Quanto tempo devo esperar?"

"Eu deveria obrigá-lo a escolher?"

"Como lidar com o ciúme? A solidão? As frustrações?"

"Será que o casamento dele vai sempre ditar os horários do nosso amor?"

"Será que um dia vou poder ter um filho dele?"

"Fico me perguntando se ele só quer sexo. Será que um dia ele vai me escolher?"

"Tenho a sensação de que estou quebrando a irmandade — traindo outra mulher."

"Ele está mentindo para ela. Como posso ter certeza de que não está mentindo para mim?"

"Sou uma boa pessoa com princípios morais e caráter, mas pareço estar quebrando todas as minhas regras pessoais. Você poderia me ajudar?"

"Como continuar fingindo para a família que sou solteira?"

"Como manter minha dignidade?"

"Como terminar? Como não terminar?"

Todas essas perguntas vinham com um pedido: não nos exclua dessa história. Mensagem após mensagem, as amantes garantiam sua relevância para esta pesquisa — afinal, é um tema que não existiria sem elas.

Boa parte da literatura clínica acerca dos casos é diádica, apesar de os casos na verdade serem triangulares. A amante mal é mencionada, e na terapia é ou ignorada ou depreciada. A maioria dos terapeutas visa fechar o laço em torno do casal o mais rápido possível, e a amante é tratada mais como patógeno que como pessoa. Os sentimentos dela são irrelevantes para a cura. Como é raro que terapeutas de casais recebam o parceiro infiel sozinho, também não há espaço para que se fale de questões como as formas de terminar o caso com delicadeza ou o sofrimento ou a saudade que se sente da amante. "Corte-a da sua vida" é o refrão comum. "Corte todo o contato imediatamente."

Quanto ao público em geral, a tendência é sermos muito mais duros com "a outra" que com o marido traidor. Quando Beyoncé lançou o álbum *Lemonade*, cujo tema é a infidelidade, o volume da revolta on-line direcionada à identificação e humilhação da misteriosa "Becky de cabelo bom" foi muito maior do que o voltado para seu marido errante, Jay-Z.

Uso o pronome "ela" porque são praticamente só as mulheres nessa posição que me procuram. Não são aventuras de pouco tempo, transas de uma noite só ou amizades coloridas casuais. São amantes de longa data que passaram anos, às vezes décadas, solteiras ou envolvidas com homens casados. Para que você não as associe imediatamente à típica femme fatale, a jovem sedutora pouco mais velha do que a filha, permita-me apresentar a outra "a outra" — geralmente divorciada ou viúva, na faixa dos cinquenta, sessenta ou setenta anos, inteligente, bem-sucedida e realista. Não são mulheres simplesmente ingênuas, solitárias, desesperadas, que aceitam o amor da forma que ele vier. Na verdade, são pragmáticas a respeito das razões para escolher não apenas viver com um segredo mas *ser* um segredo. Esse parece ser um tipo de sofrimento mais tipicamente feminino, e não é por acaso que os epítetos aplicados a elas não tenham equivalentes masculinos. Não nos referimos a eles como "ladrões de mulheres" ou "o outro". Além disso, até pouco tempo atrás, pouquíssimas mulheres tinham dinheiro suficiente para conseguir pagar o aluguel do *nid d'amour* (ninho de amor) e a casa da família!

Conheci inúmeros homens que são amantes de mulheres casadas (ou homens casados, aliás). Mas ainda não conheci um homem que ficasse solteiro e desse seu amor à esposa alheia durante trinta anos, na esperança de que ela largasse o marido e formasse uma família com ele. Se um homem solteiro entra no triângulo, é mais provável que seja por não querer um compromisso mais sério. Estou pensando em Greg, que se alegrava ao ver a amante casada uma vez por semana durante dois anos, mas tinha pavor de que um dia ela aparecesse na sua porta de mala e cuia. "Nunca quis que ela pedisse o divórcio. Claro, a gente falava disso, mas eu achava que era só papo." Era bem conveniente para ele ter uma relação de meio período.

Esse negócio de ser amante de longa data me intriga — por que ela faz as escolhas que faz, o que consegue com elas, o preço que paga, como racionaliza sua posição. Podemos pensar o que bem entendermos sobre a ética de seus atos, mas ela tem um papel central na peça e também merece compaixão.

A narrativa do caso é digna de atenção, pois não é sempre claro qual das duas relações, senão nenhuma, terá futuro. O caso era para ser apenas isso — um caso? Ou seria uma história de amor à espera de viver à plena luz do dia? O que são os múltiplos vínculos? Há crianças no meio? Quais promessas foram feitas, quanto tempo investido, esperanças adiadas? Na terapia, algumas perguntas são feitas diante do casal: "Como você se refere a ele ou ela? Você usa um nome? Um apelido? Ou é simplesmente 'a mulher' ou 'o cara'?". Mas outras são reservadas ao parceiro envolvido, a sós.

"Você conhece a amante?", volta e meia me perguntam. Se o casal tem o objetivo de se reconciliar, não. Mas muitas amantes me procuram sozinhas para dividir suas angústias. Algumas foram enroladas com promessas falsas — levadas a crer que o casamento era desprovido de sexo, de emoção, ou que estava à beira do divórcio. Outras se tornaram adúlteras involuntariamente, por causa de homens que alegavam não ser casados. Há outras ainda que descobriram não serem as únicas. De vez em quando, o casal que tem o caso me procura. Suas perguntas são, entre outras: "E se o nosso destino era ficarmos juntos? E se os nossos casamentos foram um erro? Podemos dar as costas para a chance de ficar com o amor de nossas vidas? Será que um dia vamos ter paz sabendo que ao ficar juntos magoaremos tanta gente?". Não tenho respostas simples para essas questões. O que posso fazer é dar espaço aos dilemas dolorosos que vivem e reconhecer que os casamentos dos dois não são as únicas relações que merecem a terapia da compaixão.

"A NOSSA CONEXÃO VALE AS CONCESSÕES?" AS PONDERAÇÕES DE UMA AMANTE

"Nunca fui amada com tanta intensidade, com tanta afeição, em uma relação emocional e sexualmente sincera. Tampouco fui tão bem tratada."

É assim que Andrea, uma arquiteta divorciada de Vancouver, com 59 anos, descreve o romance de sete com Michael, um construtor imobiliário. Ele é casado há trinta anos, ela acrescenta. "Estou querendo orientação", escreve, "mas a literatura me parece batida e simplista. Estou sendo usada, diz a literatura, os homens não são dignos de confiança, e eu deveria largá-lo. Alguns amigos falam a mesma coisa — como se eu fosse uma mulher ingênua que não sabe se defender. É uma ofensa à minha inteligência e autocrítica."

Assim começa uma conversa longa e interessante por e-mail. Essa mulher conduz boa parte de sua relação on-line — ela e Michael chegam a trocar cinquenta mensagens por noite, conta. Ela aceita de bom grado a oportunidade de introspecção por escrito.

Andrea é pragmática acerca do casamento do amante, talvez por ela mesma ter passado 25 anos em uma união infeliz com um homem que se afastara dela, tanto sexual como emocionalmente. "Eu gostaria que ele não fosse casado? Sem sombra de dúvida. Assim como ele. Mas ele ama e respeita a esposa, e não quer lhe causar dor, ainda que a ligação deles esteja morta. Trinta anos transformam até uma relação apática em um aconchego. Eu me identifico. O conforto de um sapato velho, o medo de fazer grandes mudanças na vida. Fiz racionalizações parecidas."

"Sem dúvida, deve ser difícil para você aguentar isso", reajo. "E quanto aos seus sentimentos?"

Andrea conhece suas inseguranças. A sensação de ser inconsequente, subordinada à esposa. A crítica alheia. O isolamento de ser um segredo. Mas ela diz que é confortada pelo fato de poder conversar com Michael sobre tudo isso, bem como pelas declarações de amor que ele lhe faz todos os dias. "Como desperdiçar todo esse amor bom porque ele também respeita e ama a mãe dos filhos dele?"

Para muitas mulheres na mesma situação, qualquer menção ao casamento equivale a fazer pressão, o que poderia perturbar o delicado equilíbrio do triângulo. Então chegam ao ponto de ficarem exaustas de tanto pisar em ovos no tocante ao assunto. Por fim, partem para os ultimatos, os prazos, as ameaças: "Se você não se decidir, eu decido por você".

Andrea sabe que nem coação nem manipulação nem raiva vão levá-la muito longe. "A verdade é que não o quero se ele se sentir forçado ou pressionado: só o quero se for escolha dele. Portanto, não peço que ele largue a esposa: presumo que ele não vá fazê-lo, pois foi o que ele me falou desde o princípio. E não pergunto se ele transa com ela — apenas suponho que sim, pelo menos de vez em quando. Posso escolher ficar ou ir embora, mas tenho de aceitar os fatos. Existe um poder no ato de tomar uma decisão, de olhos bem abertos." Quando pensa na situação dessa forma, se sente menos impotente.

Pergunto-me se ela consegue ser sempre tão filosófica. No fundo, será que acha que, se ele a amasse de verdade, superaria os obstáculos para ficar com ela? Uma hora depois, outro e-mail me espera.

"É claro que tenho fantasias com ele terminando o casamento e vindo ficar comigo", ela escreve. "Volta e meia me pergunto se não estou subestimando minhas próprias necessidades, e a minha resposta é sim. Quase todo dia eu travo um diálogo interno do que estou ganhando, o que eu não estou ganhando." Suas respostas oscilam dependendo da insegurança que esteja sentindo, mas em última análise ela conclui que vale a pena.

Ela também se questiona, será que sequer gostaria de estar com ele em tempo integral? Ela não sente necessidade de ser casada. Além do mais, ela confessa, "fico me perguntando se conseguiria mantê-lo interessado, se me entediaria com ele, se ele seria fiel. Acho que nós dois nos preocupamos com a possibilidade de sofrer o triste destino de inúmeros casamentos. Então, vendo por esse lado, talvez eu não esteja minimizando minhas necessidades."

Pergunto o que a ajuda a lidar com a situação. Ela se ocupa com o trabalho e os amigos, e gosta sobretudo de passar o tempo com os amigos homens, especialmente se já manifestaram algum interesse romântico. O fato de Michael tê-la apresentado a alguns de seus melhores amigos faz com que se sinta mais legítima.

O triângulo de Andrea é um tipo de configuração — ela é uma mulher solteira e o amante é casado. É diferente quando ambos têm as respectivas relações "oficiais". Pergunto se ela cogitaria se envolver com outro homem. Ela admite que volta e meia pensa que seria mais fácil se fosse casada ou tivesse um namorado: "Isso nos deixaria quites. Uma forma de suportar a situação e aumentar minha autoestima é ficar aberta a outras possibilidades. Tenho um perfil em um site de namoro". No final das contas, porém, seu coração é de Michael. "Abrir mão da nossa ligação maravilhosa a fim de sentir o equilíbrio de poder não me parece valer a pena."

"Alguma coisa mudaria se você fosse a amante confessa da vida dele, em vez de a amante secreta?" é a minha pergunta seguinte. Ela responde que nunca refletiu sobre o assunto porque não achava possível. "No começo da nossa relação, depois das primeiras confissões de amor, ele disse que estava pensando em contar para ela, e eu falei: 'Não faz isso! Ela vai te obrigar a escolher'. Sei que ele sente uma forte lealdade por ela, ainda que necessidades importantes não sejam saciadas. E ele tem certeza de que ela não estaria disposta a dividi-lo. Eu decidi que, contanto que tenha a certeza de que sou o único alvo de seus sentimentos românticos e sexuais, consigo dividir o tempo e a atenção dele com ela, mesmo que seja uma luta."

Toda mulher nessa situação acaba fazendo uma distribuição mental de recursos — negociando o que a esposa e a família ganham contra o que ela ganha. Muitas amantes chegam ao ponto de exigir exclusividade sexual de seus parceiros casados: "Ele mora com ela, toma o café da manhã com ela, divide uma conta de banco com ela e sai em público com ela. Como sexo é basicamente a principal coisa que ele faz comigo, pelo menos *isso* deveria ser só nosso". Outras definem certos lugares ou horários em que ele é só delas. "A esposa dele passa um mês por ano no Canadá, visitando a família. Esse tempo é nosso."

O balancete de Andrea é mais ou menos assim: "Ela ganha a lealdade dele, a família, o apoio financeiro, o companheirismo diário, os feriados, os amigos em comum. Eu ganho tudo que me foi negado no meu casamento — uma profunda ligação emocional, sexual e intelectual, romantismo, respeito mútuo, confiança e alegria. Como dou mais valor a essas coisas do que a todas as coisas que ele dá à esposa, acredito que eu fique com a melhor parte dele. Talvez ela ache que fica com a melhor parte". É claro que a esposa de Michael não teve a oportunidade de opinar sobre esses cálculos. "Mas eu tampouco tenho controle sobre a distribuição dos recursos", Andrea se apressa em retrucar.

Toda amante soma justificativas — é um casamento infeliz, eles não fazem sexo, já estão mesmo para se divorciar, só mais um ano e os filhos todos saem de casa.

É claro, existe também o lado da esposa nessa história. Ela negociou o próprio acordo, que não incluía uma amante. Talvez sua libido tenha diminuído por causa da ausência emocional do marido. Ela estava disposta a tolerar o vácuo de intimidade em troca da lealdade dele. Descobrir, então, que até sua lealdade era dividida a enfurece. Já é bastante sofrido saber que ele teve outras parceiras românticas, mas quando é uma relação paralela de longa data, com seus próprios compromissos, rituais e hábitos, dói ainda mais.

De vez em quando Andrea pensa na esposa de Michael. "Nunca senti hostilidade por ela. Me compadeço de sua situação. Quase esbarrei nela uma vez, no mercado, e senti a consciência pesar. Mas, de modo geral, não sinto culpa." E ela sabe? "Ela nunca disse nada para ele. Mas como é possível não ter percebido depois desse tempo todo? Portanto, acredito que seja uma cegueira proposital. Se eu achasse que ela sabe e sofre, me sentiria péssima, e provavelmente terminaria." Andrea acaba de exprimir uma das justificativas mais comuns — e convenientes.

Ao se comparar com as amigas, ela vê confirmada a conclusão de que conseguiu a melhor parte do negócio. Muitos vivem atrás da "máscara da satisfação conjugal" — parecem contentes em público, mas dormem em camas separadas. "Não acho que estão melhores do que eu", ela diz. "Estamos todos tropeçando por aí à procura da felicidade. Todo mundo faz concessões, e, em certa medida, todos nos fiamos em racionalizações para levar nossos relacionamentos adiante."

O PREÇO DE SER A MULHER SECRETA

Está claro que Andrea prefere ser a outra adorada à esposa evitada. Sim, há as desvantagens, mas há também os benefícios. Nisso, ela lembra minha paciente Rose, cuja mãe aguentou um casamento sem sexo e fez a filha jurar que nunca ficaria com um homem que não a desejasse. Um amante casado cumpria todos os requisitos — Rose e Tad se encontram uma ou duas vezes por semana há três anos, e o desejo dele nunca esmoreceu. Ser a amante combinava com Rose — nas palavras da romancista Susan Cheever, "eu tinha a minha liberdade e era a fantasia de outra pessoa".[1] A falta de segurança e compromisso público, na opinião dela, têm sido um preço que vale a pena pagar — até agora.

Rose tentou se desvencilhar de Tad várias vezes, mas ele sempre a puxou de volta. Ela quer minha ajuda para se desligar, mas primeiro precisa entender o que tem ganhado com o arranjo. Para evitar ser a esposa rejeitada, ela se tornou a amante perseguida. "Há outras maneiras de você evitar o destino triste da sua mãe", eu lhe digo.

Apesar dos benefícios, já vi inúmeras vezes o forte impacto que essas ligações secretas geram sobre aquele que é a parte segreta. Sim, a amante ganha a luxúria sem a lavanderia, mas vive sem legitimidade — uma posição que inevitavelmente corrói sua autoestima e confiança. Ela se sente especial porque ele não mede esforços para vê-la, mas desvalorizada porque continua invisível para os outros. Ela vacila entre se sentir adorada e ignorada. Frequentemente, questões psicológicas de autoestima, abandono na infância e apego inseguro a mantêm enredada. A visão de si como "insuficiente" é compatível com sua propensão a achar que migalhas são mais que o bastante.

Na Suécia, conheci Ingrid, que capta essas dicotomias com perfeição. Durante anos, ela lutou para terminar um caso de longa data cheio de idas e voltas. No ano passado, ela imaginou ter rompido para sempre, mas ele a reconquistou. Nos últimos seis meses, eles têm se visto diariamente, antes e depois do trabalho dele. Ela descreve o amor dos dois como "uma comunhão quase religiosa", mas também cobiça o laço mundano de picar os legumes para o jantar. Ultimamente, ele tem sussurrado palavras românticas sobre se casarem e morarem juntos, o que exacerbou suas esperanças mas também as ansiedades. "Quando era claro que éramos amantes, e só isso, eu ainda tinha a minha própria vida para viver, livre de falsas esperanças e livre para sair com outras pessoas. Mas, agora, estou viciada no sonho dele e fiz dele o meu sonho também."

Ingrid sente vergonha e raiva de si por ter sido ludibriada, mas teme que, se terminar a relação, jamais viverá esse tipo de euforia erótica ou amor outra vez. "Eu simplesmente não entendo por que ele não larga a esposa!", ela declara, fazendo uma lista dos diversos adjetivos desagradáveis que o amante já usou para falar do casamento. "No nosso país, somos especialistas em 'divórcio amigável', e dinheiro e guarda não são problemas. Então por que ele continua com ela? Mas é o que ele faz. E tenho certeza de que ainda vai estar com ela aos 75 anos, e ainda vai dizer que não a ama e que me ama."

"Do que você precisa?", eu pergunto.

"Algum tipo de vingança pela minha dor e a dor que ela infligiu às pessoas que dependem de mim", ela responde francamente. "Do ponto de vista irracional, quero berrar para o mundo que ele trai a família há dez anos. Mas também quero restabelecer um pouco da minha dignidade aos olhos de todas as pessoas na minha vida que já questionaram o amor dele por mim, as intenções dele, a sinceridade. Quero me sentir escolhida por ele e quero que o mundo fique sabendo."

A ilegitimidade da relação é insuportável para Ingrid. "Tenho essa ideia de que vou estar no funeral dele e não ter o direito de lamentar ou de receber o afeto das pessoas por causa da minha perda. O que vai acontecer quando ele morrer e não houver testemunhas do nosso amor profundo? Nossa história vai se dissolver e virar um nada no instante em que ele partir, e eu vou ficar sozinha."

É uma imagem comovente e bastante precisa. Penso em Beth, comparecendo silenciosamente ao funeral do companheiro secreto da mãe ao longo de trinta anos. Penso em Andrea, que fica feliz só por alguns amigos de Michael saberem seu nome. Penso em Roxana, que se fantasiou de enfermeira para poder visitar o amante no pronto-socorro depois que ele sofreu um infarto. E penso em Kathy, que me escreveu dizendo que só descobriu a morte do namorado casado pelo jornal da cidade. Todas essas mulheres convivem com a dor de serem marginalizadas. Seja lá como julguemos seus atos, também podemos reconhecer seu sofrimento.

No caso de Ingrid, espero ajudá-la a se desvencilhar. Percebo a ressonância direta entre o enredo de sua relação ilícita e a falta de reconhecimento que viveu quando criança. Ela me contou que era muito próxima do pai quando menina, mas, à medida que crescia, ele se distanciava, física e emocionalmente, o que a deixava com vergonha. "A única vez que o abracei depois de adulta foi quando ele estava em coma, no leito de morte", ela diz. "Eu queria a expressão de seu amor, mas a única língua que ele falava era do dinheiro." Ingrid acabou acreditando não ser digna de amor.

"Isso mudou em algum momento?", indago.

"Logo antes de morrer, meu pai terminou uma autobiografia, em que deixou claro para o mundo todo a importância que eu tinha para ele." Ingrid se interrompe, as lágrimas se formando nos olhos. Ela também vê a ligação: agora gostaria que o amante fizesse a mesma coisa — dissesse ao mundo que a ama, mas sem morrer.

"Sob diversos aspectos, meu amante cura as feridas do passado me dando o amor pelo qual sempre ansiei", ela reflete. "Mas ele também reacende minha necessidade de reconhecimento. Acho que essa relação é tanto reparo como repetição." Ingrid está abalada e grata. Talvez agora finalmente consiga romper esse padrão destrutivo.

FIM DE CASO

Ingrid teve maturidade para cortar a relação transgressora. Mas muitas outras mulheres se veem presas em um circuito de espera durante décadas, observando suas esperanças (e muitas vezes sua fertilidade) evaporarem. Um termo usado por Terry Real é bem adequado a tais casos: ambiguidade estável. São relações de status indefinido mas padrões bem estabelecidos, das quais é difícil sair mas igualmente difícil depender. Ao continuarem em um estado difuso, as pessoas evitam tanto a solidão como o compromisso. A bizarra mistura de regularidade confortadora e incerteza é cada vez mais comum na era do Tinder, mas há muito é característica de casos extraconjugais.

Lia, uma mãe solteira com dois filhos pequenos, divorciada duas vezes, recentemente se mudou do Tennessee para Nova York e iniciou um romance com um rapaz casado que é terapeuta ocupacional de seu filho caçula. Ela não se culpa muito pelo envolvimento — "Eu estava me sentindo só, não tinha amigos, e ele me deu atenção e me venceu pelo cansaço" —, porém se sente mal pela incapacidade de terminar. Faz um ano que vive um círculo vicioso: "Ele é um doce comigo e as crianças o adoram. Tenho medo de acabar sozinha. Mas eu mereço coisa melhor — uma relação plena, não migalhas. Mas como eu vou saber se vou encontrar alguém? Talvez não encontre. Talvez ele seja o cara certo. Mas não vou ficar sentada, esperando que ele largue a esposa". Suas ruminações crônicas a acompanham enquanto ela examina sem vontade os perfis no Match.com.

Não existe solução fácil para o dilema de Lia. Apesar de sua situação atual ser carregada de incertezas, uma coisa é certa: o amante jamais lhe dará o que ela almeja. Terminar a relação a empurrará para a incerteza verdadeira, mas também para as escolhas e possibilidades. Ela precisa se desvencilhar da sensação de impotência e recuperar seu poder e sua força. Sentirá dor, mas também orgulho e a possibilidade de um futuro melhor.

Às vezes estou trabalhando com o parceiro casado, mas ao mesmo tempo fico pensando na mulher aprisionada, esperançosa de que através dele eu consiga libertá-la. Jim, de 53 anos, casado e com três filhos, vem se encontrando com Lauren, de 28, há quase sete anos. Quando o caso começou, ela era estagiária na firma dele; agora é uma jovem artista empenhada em criar uma boa reputação para si. Ela almeja que seu futuro inclua uma família, e inclua Jim.

Ao recebê-lo, no entanto, vejo claramente que ele não tem nenhum estímulo para fazer grandes mudanças. Ele tem tudo: um casamento funcional e uma vida confortável, com a amante e a vida sexual agitada em paralelo. O mais importante é que já teve sua vez na paternidade e não está ávido por repeti-la. Ele tem exatamente o equilíbrio que quer, e já aprendeu a mantê-lo assim.

Sempre que ela manifesta sua infelicidade, ele a ganha com gestos românticos extravagantes. O tempo passa. Ela começa a se sentir usada e o pressiona a largar a esposa. Ele faz promessas para acalmá-la, mas ela sabe que são promessas vazias, portanto recua e passa a conhecer outros homens. Com receio de perdê-la, ele joga a isca outra vez. Sabe exatamente como atraí-la — alugando uma quitinete nova para ela, pagando sua próxima exposição. Em uma atitude egoísta, ele ganha tempo — tempo que o relógio biológico dela jamais irá recuperar.

"Você tem de libertá-la", digo. Ele insiste em dizer que não a impede e que nunca prometeu abandonar a família. Tenho certeza de que, tecnicamente, é verdade — ele avisou que não vai embora. Mas ele também fala que a ama?

"É claro", ele responde. "Eu amo mesmo!" Eu acredito. Mas é por isso que ele precisa terminar. Essas palavras doces que sussurra para ela na paixão pós-coito se traduzem em esperança na mente dela. Os sonhos e desejos da amante quase nunca existem no vácuo — são alimentados por declarações de amor e queixas de infelicidade conjugal. Cabe a Jim afrouxar o triângulo para ela conseguir se soltar. Vou ajudá-lo a fazer isso com cuidado e a lamentar sua perda. É fácil tachar homens como Jim de egoístas e arrogantes, mas em geral eles estão apaixonados demais e também precisam de uma testemunha para seu luto.

Seja feito pessoalmente ou por escrito, o rompimento deve ser responsável, maduro, delicado e claro. Instruo Jim sobre os mínimos detalhes do que dizer, analisando diversas iterações. Ele tem de reconhecer a reciprocidade de seus sentimentos, apreciar a intensidade do que viveram juntos, se desculpar pelas falsas promessas, estabelecer limites claros e lhe dar uma sensação de encerramento. São os elementos essenciais de uma despedida. Não é que não a ame, mas sim que, devido ao fato de amá-la, ele a está deixando. E depois de fazê-lo, é preciso que seja definitivo; ele não pode deixar nenhum fio de esperança no qual ela possa se agarrar. É impossível que não seja sofrido, mas já faz uma diferença colossal Lauren saber que não é a única de coração partido.

Essa abordagem é diferente da adotada por muitos terapeutas, que aconselham um término mais abrupto. A recomendação típica é cessar a comunicação, apagar os contatos dela, desfazer a amizade no Facebook e não mencionar seu nome. Mas ver as consequências dessa prática me levou a buscar formas de intervenção mais humanas. Já confortei inúmeras mulheres que foram ignoradas por homens cujos terapeutas (ou esposas) insistiram que eles acabassem histórias de amor de longa data sem nem dar um tchau.

"Ele nunca disse nada, só que ele me adorava e que eu era incrível, e de repente... silêncio", relembra Jill. "Procurei na internet se ele ou a família tinham sofrido um acidente ou coisa do tipo. Ele fez muito mais estrago do que se tivesse simplesmente dado as caras e dito: acabou."

O caso de Casey com Reid teve uma morte mais lenta — o tipo de rompimento conhecido como "latente". "Ele começou a sentir culpa, depois a se afastar. Passou a mandar menos mensagens. Se atrasava para os nossos compromissos. Falava da esposa em tom de admiração." No fim, Casey terminou ao saber que a esposa dele estava grávida. "Eu sabia que uma hora ou outra ele iria desaparecer."

Kat está furiosa porque Joel acha que pode simplesmente ir embora e voltar à vida normal. "Que covarde! Se pelo menos ele tivesse a decência de me falar." Como ela conhecia muitíssimo bem o cotidiano do amante, fez questão de aparecer no restaurante preferido dele quando ele estava jantando com a esposa, no jogo de beisebol do filho, na cafeteria antes do trabalho. "Ele pensou que eu ia sumir assim?", diz enfurecida.

Darby pelo menos recebeu uma mensagem do amante casado com quem estava havia dez anos, mas isso não a apaziguou. "Preciso ficar no escuro por um tempo", ele declarou, e foi o que fez. Dois anos depois, a escuridão dentro dela ainda pesa. "Tive depressão, até pensamentos suicidas", ela conta. "Meus amigos dizem que preciso seguir em frente, mas é difícil porque ele não encerrou a história. Minha mãe me diz: 'O que você espera de um homem que traiu a esposa?'. Vai ver que ela tem razão, mas eu esperava pelo menos ser tratada como um ser humano."

Se a dolorosa revelação de um amor paralelo for ensejar um futuro mais franco — para qualquer uma das relações envolvidas —, a outra mulher precisa ser tratada como ser humano. Precisa ter voz e um espaço onde dignificar sua experiência. Se o caso tem de ser rompido para o casamento sobreviver, é necessário que seja com cuidado e respeito. Se a amante tem de romper para readquirir a autoestima e a integridade, ela precisa de apoio, não de críticas. Se for para terminar o casamento e o amor secreto sair das sombras, será preciso ajudá-lo a fazer a transição complicada rumo à legitimidade. Sem a perspectiva do terceiro, é impossível irmos além da compreensão parcial da maneira como o amor traça seu caminho tortuoso pela paisagem de nossas vidas.

Parte IV

Para sempre

14. Monogamia e seus dissabores
O casamento repensado

> *They'll say you are bad*
> *or perhaps you are mad*
> *or at least you should stay undercover.*
> *Your mind must be bare*
> *if you would dare*
> *to think you can love more than one lover.*
> David Rovics, "The Polyamory Song"*

"A frequência da infidelidade não é prova de que a monogamia não faz parte da natureza humana?"

Essa pergunta sempre se repete. Hoje vem de uma moça que se aproximou do microfone durante uma oficina. "Será que a gente não evitaria muita dor, sofrimento e mentira da infidelidade se simplesmente acabasse com a tirania artificial da monogamia?", ela indaga. "Por que a gente não tem casamentos construídos em torno da não monogamia consensual e resolve o problema da traição?" Vejo diversas cabeças manifestando concordância.

---

* "Dirão que você é ruim/ ou talvez que é louco/ ou pelo menos que você deveria se esconder./ Sua mente deve ser estéril/ se você tem a ousadia de/ pensar que pode amar mais de uma amante." (N. T.)

Um homem na casa dos quarenta se levanta para replicar. "Olha, acho que tudo bem se as pessoas quiserem pular de cama em cama. Mas não vamos fingir que isso é casamento! Por que não continuar livre e solteiro? Casamento de verdade quer dizer compromisso de verdade."

"Por que o compromisso tem de ser reservado a uma só pessoa?", outro homem contrapõe. "Conseguimos ter compromisso com vários amigos e vários filhos. Por que não vários amantes?"

"Não é a mesma coisa", argumenta o defensor da monogamia. "A Bíblia diz que o amor e o sexo são sagrados. Não se pode espalhá-los por aí."

"Mas é o que todo mundo está fazendo!", exclama a mulher que começou o debate agora acalorado. "Só que eles mentem. A diferença é que alguns aceitaram que a monogamia vai contra a nossa natureza, e somos francos com nós mesmos e com nossos parceiros."

Entendo a lógica por trás do argumento: se a monogamia não é natural, impô-la às pessoas não lhes dá alternativa que não trair. Se você não quer que mintam, deixe-as livres e ninguém se machuca.

No tocante à discussão sobre características inatas versus aprendidas, partilho da opinião da ativista e acadêmica Meg-John Barker, que enfatiza que nossos estilos de relacionamento são "não uma questão de natureza ou aprendizado, inatismo ou construção social. A maneira como formamos relações é influenciada por uma rede complexa de aspectos biológicos, psicológicos e sociais que seriam impossíveis de desenredar".[1] Natural ou não, o que importa para nós é que atualmente muitos homens e mulheres parecem achar a monogamia, traduzida em exclusividade sexual e emocional obrigatória, bem difícil de manter. Portanto, talvez seja o momento de darmos uma nova olhada no tópico.

Temos, porém, de tomar o cuidado de não confundir a conversa sobre monogamia com a conversa sobre infidelidade. Não são a mesma coisa. Temos de fazer algumas distinções importantes. A infidelidade é apenas um tipo de não monogamia — a variedade não consensual. Há muitas outras formas de não monogamia consensual — em que os parceiros negociam explicitamente os limites sexual e emocional da relação. No entanto, não é fato que a não monogamia consensual seja uma proteção contra traições, ciúme ou mágoas. Você pode até imaginar que casos não aconteçam em relações abertas, mas acontecem.

ONDE HÁ REGRAS, HAVERÁ TRANSGRESSORES

Assim como em qualquer comércio ilícito, quando o adultério é legalizado, o mercado negro sofre uma derrocada. Mas nunca deixa de me intrigar o fato de até mesmo quando temos liberdade de olhar para outros parceiros sexuais, ainda somos seduzidos pelo poder do proibido. A monogamia pode ser ou não natural dos seres humanos, mas a transgressão é, sem dúvida.

Toda relação, da mais rigorosa à mais leniente, tem limites, e limites são um convite aos transgressores. Quebrar as regras é emocionante e erótico — sejam essas regras "uma pessoa para a vida toda" ou "sexo tudo bem, mas nada de se apaixonar" ou "sempre use camisinha" ou "ele não pode gozar dentro de você" ou "você pode trepar com outras pessoas, mas só comigo olhando". Portanto, há infidelidade à beça em relações abertas, com todo a confusão decorrente. Se o desejo de transgredir é a força motriz, abrir o portão não evitará que aventureiros pulem a cerca.

"Sempre tivemos uma política aberta para aventuras", diz Sophie, "mas avisei a ele: não com as minhas alunas ou amigas. E o que foi que ele fez? Não só escolheu uma das minhas meninas como se apaixonou seriamente por ela."

"Fazemos distinção entre sexo por amor e sexo por diversão", Dominic me conta. "Nick era livre para caçar. Eu não conseguia sequer me identificar com a palavra 'traição' até descobrir que ele tinha estabelecido uma relação emocional com um cara da Nova Zelândia. Isso devia ser só para nós."

A não monogamia ética repousa nos princípios da confiança e transparência. Mas a maldade humana também dá um jeito de conseguir o que quer. Pense em Marcel, um treinador esportivo de 41 anos. A esposa, Grace, professora de ciências na mesma escola, volta e meia durante os dez anos de casamento propunha uma estrutura conjugal mais flexível, mas, até se ver atraído por uma mulher na metade do caminho de uma escalada em rocha, ele era terminantemente contra. Agora a ideia passava de repulsiva a atrativa, então ele pediu o "de acordo" de Grace, que foi concedido. "Senti uma enorme dívida de gratidão para com ela", ele diz. "Finalmente entendi o que ela vinha tentando me dizer aquele tempo todo."

Daquele dia em diante, Marcel e Grace concordaram em ter um casamento aberto baseado em sinceridade e comunicação. Quando Grace pediu a permissão dele para dormir com outro, foi um desafio, mas ele deixou, se pegando "surpreendentemente excitado" ao vê-la se vestir para o encontro. "Senti um imenso orgulho do compromisso que fizemos um com o outro, da distância que percorremos", ele recorda.

O orgulho de Marcel estava prestes a sofrer uma queda, no entanto, pois um amigo deixou escapar que Grace começara um caso secreto depois do novo acordo de emancipação. Ao confrontá-la, sua surpresa se transformou em choque por causa dos inúmeros encontros que confessou — antes e depois da renegociação. "E eu ali pensando que nós éramos muito 'avançados'! Que ingenuidade! Por que, depois de eu concordar com a abertura, ela agiu pelas minhas costas?"

A resposta é claríssima. Como observam Katherine Frank e John DeLamater, "a exortação a 'sempre usar proteção' aumenta a emoção do sexo sem preservativo; a promessa contra o sexo no leito conjugal é atirada no canto como o manto de lã, tornando-se parte da aventura. [...] o objetivo da 'não monogamia responsável' pode acabar alimentando a rebeldia e a erotização".[2] No âmbito do erótico, a liberdade negociada não é nem de longe tão estimulante quanto os prazeres roubados.

Você pode estar pensando: "Eu bem que falei... casamento aberto não funciona". Neste momento, Marcel e Grace continuam juntos, e continuam abertos. Mas o idealismo dele minguou e ele já não vê a flexibilidade como uma blindagem contra a traição.

ABRINDO A MONOGAMIA SEM DESPEDAÇÁ-LA

Fora as traições e mentiras, vejo a conversa sobre não monogamia ética como uma tentativa corajosa de enfrentar os principais paradoxos existenciais com que todos os casais se debatem — segurança e aventura, união e autonomia, estabilidade e novidade. A discussão sobre monogamia volta e meia parece tratar de sexo. Para mim, ela faz uma pergunta mais fundamental: uma nova configuração de compromisso pode nos ajudar a atingir o que o filósofo francês Pascal Bruckner chama de "união improvável de pertencimento e independência"?[3]

Iris, de trinta e poucos anos, produto de um casamento igualmente longo e infeliz, não tem nenhuma intenção de se prender. Ela quer uma "relação intencional". "Quando formos para casa, quero saber que é por escolha espontânea e não obrigação." Ela vê seu acordo com Ella como uma reafirmação de confiança. "Somos dedicadas, mas não somos donas uma da outra. Respeitamos a independência e individualidade da outra."

Barney, agora na casa dos cinquenta anos, se casou e se divorciou duas vezes, e já foi a mais sessões de terapia do que seria capaz de contar. "As pessoas me dizem que tenho problemas com intimidade e compromisso, mas não é verdade. Mais leal do que eu, impossível, mas já está na hora de ser sincero: não sou monogâmico. Não quero ficar tentando agradar todo mundo. Prefiro ser autêntico e estabelecer uma relação viável, que seja cristalina desde o princípio."

"Sempre quis ter uma conexão significativa com muita gente, e sou bissexual", explica Diana, uma advogada exuberante na faixa dos trinta anos. "Para mim, não basta fazer sexo a três de vez em quando, no aniversário do namorado — quero uma relação séria que abarque todos os meus amores. A monogamia me dá a sensação de que estou entregando a alguém o controle sobre a minha sexualidade, e isso vai contra os meus valores de feminista."

Seu companheiro principal nos últimos treze anos, Ed, um cientista que também é bi, pensa parecido. "Nenhum dos dois sente que nosso elo é ameaçado pelo nosso apreço por novidade e variedade. Ambos amamos o fato de que o outro é um ser sexual, e nenhum de nós ousaria aniquilar esse desejo no outro." Porém, esses pais dedicados jogam de formas diferentes. Diana tem alguns amantes regulares que "são como se fizessem parte da nossa família estendida". Ed, por outro lado, é mais propenso a buscar novos vínculos. Com novos parceiros vêm novos riscos. Assim, quando Ed tem um encontro com amantes, questões de saúde são prioritárias. Para garantir escolhas seguras, Diana já fez averiguações e bancou o cupido. São essas as regras do jogo que fazem funcionar essa união inovadora.

Para esses reformistas românticos, a convenção leva a constrição e desonestidade. Eles querem veracidade, escolha e autenticidade. E um vínculo com os parceiros que não os desligue deles mesmos e de outras pessoas. Querem fazer uma peça de tapeçaria juntos sem perder os próprios fios.

Os não monogâmicos de hoje — pelos menos os que se sentam no meu sofá — são bem diferentes dos pioneiros do amor livre das décadas de 1960 e 1970. Alguns são filhos de divorciados e desiludidos. Não estão se rebelando contra o compromisso per se; estão procurando jeitos mais realistas de fazer seus votos durarem, e concluíram que essa busca inclui outros amantes. A forma que assume pode variar tremendamente — de casados que se dão "autorizações" de vez em quando a praticantes de swing que se divertem com outros juntos, fazendo sexo a três ou a quatro, a complexas redes poliamorosas que reconfiguram a vida amorosa e familiar.

Confiança, lealdade e apego ocorrem em formatos diversos. Conforme diz a teórica do feminismo Shalanda Phillips, "experiências como essas põem em questão a integridade da monogamia como construto estável, não rejeitando-a por completo, mas desmontando-a de dentro para fora".[4] Em vez de simplesmente descartar a monogamia, esses inconformistas almejam uma definição mais holística, maleável, do termo, que não mais repouse sozinha no pedestal da exclusividade sexual. Por isso, alguns observadores, inclusive a psicóloga Tammy Nelson, o caracterizaram como um movimento não pela *não* monogamia, mas pela "nova monogamia" — uma mudança na forma como a arquitetura do compromisso é delineada e construída.

É óbvio que essa não é a primeira vez que as regras conjugais são postas em dúvida. Ao longo das últimas centenas de anos, várias comunidades experimentaram novos modelos. A comunidade gay, em especial, esteve na vanguarda dessa iniciativa. Como o modelo heteronormativo sancionado não lhes era acessível até pouco tempo atrás, eles assumiram a responsabilidade de ser criativos e vêm praticando formas de relacionamento não exclusivas com muito sucesso. Agora, na nossa era de igualitarismo e inclusão, cada vez mais os heterossexuais buscam essa mesma autorização. Um estudo recente publicado no *Journal of Sex & Marital Therapy* revelou que uma em cada cinco pessoas atualmente solteiras já experimentou alguma forma de relação aberta.[5]

Encontro muitas pessoas envolvidas nesse projeto de redesenhar a silhueta do amor. Casais vivem me pedindo para ajudá-los a mergulhar nesse novo terreno de conexões plurais. Existem poucos guias sociais por enquanto. Estamos todos na base do improviso. Quando eu estava estudando para me tornar terapeuta, uma relação era, por natureza, o envolvimento de duas pessoas. Eu nunca encontrava as palavras "tríade", "quadra" ou "grupo poliamoroso", já que sistemas alternativos de relacionamento não tinham legitimidade. E no entanto tudo isso faz parte da minha profissão hoje em dia.

Certos pares têm interesse em abraçar uma multiplicidade de parceiros íntimos desde o início; outros, após décadas de exclusividade, sentem curiosidade a respeito de como traçar novas linhas em torno da união consolidada. E há também aqueles que, na sequência de um caso, se perguntam se abrir as portas da relação seria uma reação mais madura à crise do que fechar as portas para décadas de companheirismo.

Todos estão tentando abarcar o imponderável: será que o amor pode ser plural? A possessividade é intrínseca ao amor ou é apenas vestígio do patriarcado? O ciúme pode ser transcendido? O compromisso e a liberdade podem coexistir?

Jamais vai dar certo!, talvez você esteja pensando. *Casamento já é tão complicado. Vai destruir a família! Faz mal às crianças!* Mas as pessoas faziam exatamente essas previsões na década de 1980, com os pioneiros do casamento entre pessoas de diferentes religiões, raças e culturas e a fusão de famílias com o segundo casamento. E também com todos os outros marcos da revolução sexual que definiram o último meio século. Talvez devêssemos dar aos inovadores conjugais um tempo para descobrir. Afinal, a velha monogamia funciona tão bem assim?

Se a originalidade relacional parece uma grande bagunça, garanto, após ouvir milhares de histórias de infidelidade, que a bagunça dos casos faz muitas dessas situações soarem até metódicas. Sofrimentos conjugais e crises familiares como resultado da infidelidade são tão danosos que cabe a nós procurar novas estratégias coerentes com o mundo no qual vivemos. Não estou sugerindo que a dissolução da monogamia é a solução para todo mundo. Mas é óbvio que o modelo atual não é nem de longe um padrão universal. Portanto, respeito os dissidentes da monogamia e sua contribuição para a criação de novos exemplos de relacionamento.

REDEFININDO A FIDELIDADE

A fim de elaborar uma crítica construtiva da monogamia, precisamos olhar além da questão prosaica de quantos parceiros sexuais uma pessoa pode ter e embarcar em um exame mais profundo da fidelidade. Conforme argumenta o colunista de sexo Dan Savage, é reducionista fazer da exclusividade sexual o único marcador de devoção. Ele gosta de ilustrar a ideia com a história de uma mulher que foi casada cinco vezes e o acusou de não ser comprometido porque ele e o marido, com quem está há vinte anos, não são exclusivos. "Quem de nós é mais comprometido?"

Sentado no meu consultório, pós-caso, com a esposa, Amelia, Dawson ecoa uma frustração semelhante. "Fui fiel a você durante 25 anos. Os primeiros 24 foram de monogamia feliz. O último ano foi feliz, com o acréscimo de outra mulher. Ainda assim, minha lealdade nunca vacilou. Sempre estive ao seu lado. Quando o seu irmão passou um ano morando com a gente, se recuperando do alcoolismo, quando você teve câncer de mama, quando seu pai morreu, eu sempre fiquei do seu lado. Mil perdões. Não era minha intenção te magoar. Mas quando você mede minha dedicação só por onde enfio meu pau, é como se o resto não valesse de nada."

Para muita gente, a exclusividade sexual é indissociável de confiança, segurança, compromisso e lealdade. Parece inimaginável conseguirmos manter essas virtudes em uma relação mais permeável. Entretanto, como postula o psiquiatra Stephen B. Levine, mudar de valores é parte integral da experiência de vida.[6] Agimos assim com nossos valores políticos e religiosos, bem como os profissionais. Então, por que não com os sexuais? Ele nos convida a admitir que nossos valores se desenvolvem à medida que amadurecemos e "passamos de uma compreensão das questões éticas e morais em termos absolutistas, em preto e branco, à inclusão da ambiguidade cinzenta da maioria das questões".

E se considerássemos a fidelidade uma constância relacional que abrange respeito, lealdade e intimidade emocional? Ela poderia abarcar ou não a exclusividade sexual, a depender do acordo entre os envolvidos. Ao considerarmos uma redefinição, tratemos de reconhecer quem já está engajado no projeto.

Os pluralistas românticos de hoje fizeram mais ponderações sobre o significado de fidelidade, sexualidade, amor e compromisso do que muitos casais monogâmicos fazem na vida, e em consequência disso são muitas vezes mais próximos uns dos outros. O que me impressiona em muitas de suas versões alternativas de vinculação é que não são nada frívolos. Ao contrário do estereótipo das pessoas entediadas, imaturas, com fobia de compromisso que se entregam a folias libertinas, esses experimentos de vida são baseados em comunicação refletida e respeito zeloso. Se tem uma coisa que eles me ensinaram, é que existe um valor imenso em travar conversas francas sobre o tema da monogamia e da natureza da fidelidade, quer resultem em um casamento aberto, quer não.

NAVEGANDO PELA ESCALA DA MONOGAMIA

Em uma cultura que dá tamanha importância à monogamia e atribui consequências terríveis à sua quebra, seria de imaginar que esse fosse um tópico primordial de deliberação. Mas, para muitos, o simples fato de trazer a questão à baila parece arriscado demais. Se precisamos falar disso, é uma confissão de que o amor não domou irrevogavelmente nossos desejos itinerantes. "Estou namorando o cara faz só alguns meses e ontem ele me perguntou, em um tom casual, se eu realmente curtia a monogamia. O recado é bem claro: ele não gosta de mim tanto assim."

Além disso, se você achou que a infidelidade era um assunto polarizador, a monogamia é mais ainda. É um daqueles típicos impasses entre "a favor ou contra". As pessoas logo recorrem às noções de "fechado" e "aberto", presas a uma perspectiva binária. Ou você está dormindo só com o cônjuge ou está dormindo com todo mundo. Não existe gradação — você não pode ser predominantemente monogâmico, ou 95% fiel. Dan Savage tentou aparar as arestas com o termo "monogamista", que significa permanecer emocionalmente comprometido com o outro, mas criar espaço para o terceiro, seja ele uma fantasia, flerte, casos, ménage à trois, surubas ou encontros pelo Grindr. Tyrone, meu paciente, gosta do termo porque, nas palavras dele, "atesta que há uma fidelidade fundamental na nossa parceria de quinze anos, mas também contém um pouco de leviandade e flexibilidade, o que é ótimo".

A monogamia pode ser tudo, menos monocromática, sobretudo na era digital. Hoje em dia, negociamos nossa marca pessoal. Decidimos se é permitido fantasiar com outra pessoa enquanto se faz amor com o companheiro, orgasmos extracurriculares, curtir lembranças da juventude selvagem, pornografia, trocar mensagens de cunho sexual, mexer em aplicativos etc. Em outras palavras, a monogamia existe em uma escala. Quando perguntar às pessoas se são monogâmicas, sugiro que você primeiro lhes pergunte como definem a monogamia.

Tammy Nelson faz a pertinente observação de que a maioria dos casais vive com dois contratos de monogamia separados. O acordo explícito é a declaração oficial, como os votos de casamento, e define as regras evidentes da parceria. Em contraposição, o acordo implícito é tácito e "talvez nunca seja inspecionado abertamente antes da cerimônia de compromisso, ou até mesmo depois".[7] Trata-se de um reflexo dos princípios culturais, religiosos e pessoais.

Nelson afirma que, ao contrário da crença geral, os casais tendem a ter visões implícitas bem diferentes acerca da monogamia, e que "frequentemente uma súbita colisão entre os contratos implícitos de cada parceiro causam uma crise conjugal". Na nossa área, essa colisão é geralmente chamada de caso. Portanto, preferimos dizer o que a sociedade aprova e o que o nosso parceiro quer ouvir, e guardamos segredo da verdade. Não por sermos mentirosos por natureza, mas porque a cultura em que vivemos proporciona pouco espaço para tal franqueza.

Até agora, a monogamia tem sido o padrão, e se baseia na premissa (por mais infundada que seja) de que, se amamos de fato, não devemos mais sentir atração por outros. É por isso que em geral é preciso haver uma aventura ou traição para que a conversa seja iniciada. Depois que a ficção é rachada e paramos de protegê-la, podemos começar a produzir juntos uma narrativa mais genuína. Mas seria bom se a conversa não fosse sempre provocada pela crise. Partindo da experiência de homens gays, Savage sugere que a monogamia seja "por adesão". Se as pessoas tivessem mais oportunidades de escolher, ele explica, talvez algumas não tivessem aderido, e então não se meteriam em apuros por adultério. Em vez de penalizar quem é reprovado no teste padronizado de monogamia, deveríamos admitir que a dificuldade do teste é desproporcional. Savage é um bom adepto do pragmatismo, mas também é mais filosófico do que sua conduta irreverente revela. Ele ressalta um ponto ao mesmo tempo óbvio e profundo. Ter sentimentos e desejos por outros é natural, e temos a opção de colocá-los em prática ou não.

A ECONOMIA DA SOMA

Amor e sexo são recursos finitos, havendo um montante disponível? Ou será o sexo com outras pessoas um investimento arriscado com grande retorno, rendendo dividendos eróticos inesperados? No passado, o temor que norteava a monogamia era de que o homem acabasse alimentando filhos que não eram dele. Agora que a contracepção e os testes de paternidade podem dar conta disso, do que temos medo? Para muitos, trata-se do seguinte: o compromisso íntimo de hoje em dia é baseado em amor. A austeridade do dever foi substituída pelas emoções oscilantes. Se nos aproximarmos demais, um de nós pode se apaixonar por outro e ir embora. É puro receio de que afrouxar as garras sobre a monogamia, ainda que pouco, possa desfazer o elo mais forte.

O que os vanguardistas estão tentando me dizer (e talvez dizer a si mesmos) é que o oposto é verdadeiro. Eles acreditam que, submetendo-se às restrições da monogamia, estarão mais propensos a fugir. Quanto mais liberdade têm, pensam eles, mais estáveis serão suas relações.

Para Kyle e Lucy, isso parece ser verdade. A história deles começou como uma aventura da mente. Kyle é um engenheiro de quarenta e tantos anos que vive em Minneapolis. Ele sempre teve a fantasia de convidar uma terceira pessoa a entrar na sua relação — para ser mais específica, um homem para transar com sua esposa enquanto ele assiste. Um dia, tomou coragem de sussurrar sua ideia de preferência no ouvido dela enquanto faziam amor. Vê-la excitada com suas palavras lhe deu a sensação de que estava "na beirada do casamento". A brincadeira sexual durou oito anos. Então Kyle passou a desejar algo menos efêmero. Além de achar a ideia de um terceiro excitante, ele a considerava uma blindagem contra o adultério. "Sei que é difícil ser fiel e continuar interessado em uma pessoa a vida inteira. Mas deve haver um jeito melhor do que a típica 'traição'."

Um dia, no nono ano, Lucy, uma decoradora vivaz e mãe de dois filhos, conheceu um estranho charmoso no trem e entabulou conversa. Ele a convidou para ir à ópera. Ela mandou mensagem para Kyle — "Eu deveria ir?" —, e ele respondeu: "Sim, mas compre um ingresso a mais para mim". Naquela noite, relembra, "me sentei logo atrás deles, anônimo. Estava animado para ver se ele tocaria nela".

Poucos meses depois, Lucy foi cantada por um homem mais novo — sexo sem compromisso. "Eu a incentivei a ir em frente", diz Kyle. "Desde então, a nossa vida sexual, que vinha definhando depois do nascimento das crianças, está a todo vapor." Lucy precisava da certeza de que ele realmente aprovava, portanto faziam amor antes de ela sair. Quando ela voltava, Kyle tinha de saber de todos os detalhes, e ela só se sentia confortável para contar se estivessem fazendo amor de novo. Deram um passo adiante no mês passado, quando Lucy foi a um hotel com o amante e Kyle reservou o quarto ao lado para poder escutar. "Quando ele foi embora, ela veio me encontrar."

Kyle e Lucy gostam do barato da transgressão — não contra o outro, mas juntos, contra as normas culturais. Noventa e cinco por cento do tempo, são exclusivos; de vez em quando, abrem a porta. O método mantém o ideal da relação diádica e da fidelidade, ainda que de forma heterodoxa. É uma digressão limitada que parece segura e pode ser uma defesa contra puladas de cerca. A diversão com outros atiça o ardor que têm um pelo outro.

No meu estudo sobre desejo, há uma pergunta que carreguei comigo mundo afora: "Quando você se sente mais atraído pelo parceiro?". Uma das respostas mais comuns é "Quando outros se atraem por ele ou ela". O olhar triangular é muito erótico, e por isso histórias como a de Kyle e Lucy são muito menos incomuns do que você deve imaginar. Abrir a relação nem sempre diminui a intimidade do casal; às vezes, serve para reforçá-la. A fantasia de convidar um terceiro vem sob diversas formas — imaginar, interpretar, observar, participar, aguardar em casa, escutar atrás da porta, curtir o relato minucioso.

"A monogamia e a não monogamia se retroalimentam e têm uma conexão inextricável", escreve a terapeuta Dee McDonald.[8] Seu foco são os praticantes de swing, mas eu expandiria a observação para muitos casais inclusivos: sexo com outros não diz respeito apenas a estar com outros. "Talvez seja mais exato considerar este um método bastante complexo, quiçá perigoso, de provocar e estimular o parceiro principal." McDonald aborda uma questão pertinente: quando os casais interagem fisicamente com outros enquanto interagem psicológica e emocionalmente entre si, "Quem está fazendo sexo com quem?".[9]

Casais que se valem de outros para fazer uma reinicialização libidinal são bastante comuns, mas nem sempre duradouros. Após uma década de casamento que incluiu sexo recreativo em várias configurações, Xavier e Phil estão se conformando com a sombria percepção de que sua vida sexual inteira foi terceirizada, deixando um fosso entre os dois.

Segundo diversos padrões, os dois rapazes têm sorte. Incluídos na família do outro, construíram um lar e um grande círculo de amizades. Interessam-se pela carreira um do outro — Xavier, a quintessência do hipster barbudo, tem uma fábrica de chocolate vegano, e Phil é fundador de um espaço de coworking para jovens empreendedores.

Parte de um grupo de rapazes gays, eles fazem muito sexo, muitas vezes na presença um do outro, mas raramente um com o outro. "Mesmo no nosso aniversário, quando convidamos uma pessoa para fazer sexo a três, mal nos tocamos", Xavier me conta. "Como é para vocês?", indago. Virando-se para Phil, ele diz: "Tenho a impressão de que você se esforça para eu não me sentir excluído, mas não é a mesma coisa que me sentir incluído". Durante um tempo, a energia sexual de seus encontros coletivos mascarava a falta de energia entre eles, mas o assunto se tornou inevitável. Phil protesta, declarando que não é tão ruim assim — ele acha que é só uma fase, um fluxo natural. "Não estou tentando te substituir", ele insiste. Mas Xavier está nervoso. "Não estamos escolhendo outras pessoas além de um ao outro — estamos escolhendo outras pessoas em vez de um ao outro." Infelizmente, para o casal, a terceirização do sexo gerou uma recessão em casa.

Fechar as fronteiras não é uma opção que Xavier e Phil queiram cogitar. Mas sugiro que restringir as viagens por um tempo talvez os ajude a recuperar a vitalidade. A não monogamia consensual requer diversidade sexual e intimidade, cruzamentos e barreiras. Eles deram preferência à variedade em vez da proximidade, e isso está desgastando a relação.

Reservar as atenções sexuais um para o outro não é o único jeito de estreitar um vínculo. Mas quando decidimos que o sexo não será uma divisa a nos isolar dos outros, convém pensarmos em outros marcadores de que o outro é especial. O filósofo Aaron Ben-Ze'ev faz distinção entre dois modelos de relacionamento, um definido pela exclusividade, o outro pela singularidade.[10] O primeiro se concentra no que é proibido com outros, já o segundo se concentra no que é especial na pessoa amada. Um enfatiza as consequências negativas; o outro, as possibilidades positivas. Peço a Xavier e Phil que ponderem: "Se sexo é algo que vocês partilham com outros, o que é excepcional para vocês dois?". Explorar juntos essa questão os ajuda a recuperar o denominador comum sem abrir mão da liberdade.

MANUAL DA NÃO MONOGAMIA

Para que o compromisso adquira novo sentido além da exclusividade sexual, temos de falar em limites. Os não monogamistas não se entregam a um salve-se quem puder sexual. Muitos criam acordos de relacionamento explícitos com precisão semelhante à de um documento jurídico. Dentre as características comuns, há cláusulas sobre franqueza e transparência; onde e com que frequência os encontros com outros amantes podem ocorrer; quem podem ser esses amantes e quais atos sexuais podem ou não ser praticados com eles;

graus de envolvimento emocional; além de, claro, regras sobre proteção. Ally, Tara e Richie são uma tríade que vive e dorme junta, e todos são livres para se divertir com os outros. "Nossa única regra", explica Ally, "é usar camisinha com parceiros externos. Já que nós três temos laços fluidos, se uma pessoa se arriscar, todos corremos perigo."

"Fluido" é um termo importante nessas discussões, e não somente em referência à espécie corporal. Os limites nesses contratos carnais são mais fluidos do que as rígidas restrições da monogamia tradicional, feitos para serem inclusivos e adaptáveis. Essa distinção era bem captada sobretudo pelo acadêmico e ativista Jamie Heckert, que destaca a diferença entre limites e divisas:

> Se divisas são construídas como verdades inquestionáveis [...] limites são a verdade no momento, para as pessoas específicas envolvidas em uma situação específica [...] Se divisas reivindicam a autoridade inquestionável e rígida da lei, os limites têm fluidez, abertura às mudanças; mais um barranco, menos um canal de pedras. Divisas exigem respeito, limites o ensejam. Divisas separam desejáveis de indesejáveis, limites respeitam a diversidade de desejos.[11]

Os limites variam enormemente de uma relação para outra, e também podem variar entre os parceiros. O Parceiro A pode não ver problema no Parceiro B fazer sexo com outra pessoa, mas preferir que não haja beijo, enquanto o Parceiro B talvez se sinta à vontade com o Parceiro A fazendo o que bem quiser. O Parceiro C não quer saber de muita coisa — só uma mensagem para não ser pego de surpresa. O Parceiro D quer ouvir pessoalmente, sendo abraçado, nos mínimos detalhes. Essas preferências divergentes atestam o que a popular autora contemporânea Tristan Taormino chama de "mito da igualdade" — a suposição comum nas relações convencionais de que os parceiros têm as mesmas necessidades e desejos.[12] Igualdade, explica, se tornou sinônimo de simetria, levando casais a anularem as prováveis diferenças existentes entre suas necessidades sexuais e sensibilidades emocionais. Nesses novos contratos, não é preciso simetria, e sim concordância.

Alguns casais são um passo além, com o privilégio da pluralidade sendo aplicado apenas a um parceiro enquanto o outro continua exclusivo. Celine me conta: "Eu sempre soube que conseguia compartimentalizar, mas meu marido, Jerome, não consegue. Sou monogâmica no aspecto emocional. Posso dar minhas escapadas porque isso não representa um risco para a nossa relação, mas ele é um verdadeiro romântico. Ele se apaixona por '*le grand amour*'. Conheço ele: fui seu último caso. Foi três décadas atrás, mas ele não mudou nada. Se ele se apaixonasse por outra, iria querer recomeçar — casamento, filho etc. Então é perigoso demais". Como Jerome também se conhece, concordou com o arranjo assimétrico. "No começo, foi difícil para ele aceitar", Celine diz, "já que ele queria minha atenção toda voltada para ele, mas acho que ele gostou das vezes que voltei com uma energia que vinha de dentro. Não precisei contar os detalhes."

Jax, um produtor de música de 34 anos, só se assumiu aos vinte e tantos anos. Quando foi morar com Emmett, o primeiro namorado sério, não estava preparado para viver com uma nova série de restrições. "O Emmett é mais velho e passou anos se divertindo — ele está pronto para sossegar. Eu o amo, mas não estou. Além disso, sou submisso e o Emmett não quer me dominar, então concordamos que posso ir saciar minhas necessidades de submissão em outro lugar." Jax e Emmett, bem como Celine e Jerome, praticam o que Michael LaSala chama de "monogamia do coração".

Embora acordos desiguais sejam bons para alguns, funcionam melhor quando baseados em preferências divergentes do que em desequilíbrio de poder. A licença sexual é um símbolo de poder na relação, assim como dinheiro, idade, experiência, autoconfiança e posição social. Tyler, um jogador de basquete bem-sucedido de vinte e tantos anos, me procurou com a namorada de seis meses, Joanie, que pouco antes abrira mão de sua vida em Nova York e se mudara para o outro lado do país para ficar com ele. Com apenas 21 anos, ela tinha se formado em Belas-Artes e estava "tentando descobrir quem quero ser". Era Tyler quem detinha todos os controles. Era sua cidade, seu dinheiro, sua carreira. Portanto, quando Joanie descobriu que ele continuava saindo com uma ex-namorada, não ficou nada feliz.

Tyler tentou dar uma roupagem boa ao flerte. "Não é que eu a tenha escolhido em vez de você", ele declarou. "Eu adoraria que nós três nos divertíssemos à beça juntos." Apesar de em tese Joanie não se opor a uma pessoa extra, se ressente por ele ter agido às escondidas e depois tentado fazer com que tudo ficasse bem.

Para mim, o que se destaca é o múltiplo desequilíbrio de poder no casal, o que torna a proposta bem menos equitativa do que Tyler gostaria de admitir.

A negociação acerca da fluidez fica comprometida por ela estar vulnerável demais. A não monogamia requer condições e responsabilidades iguais. O casal precisa de poder decisório compartilhado quando vai começar uma relação aberta. É preciso que ambos sintam que fazem a escolha a partir de uma situação paritária.

A não monogamia bem-sucedida quer dizer que duas pessoas cavalgam juntas o compromisso e a liberdade. Na relação de Joanie e Tyler, percebo que a polarização virá com facilidade, ela virando a protetora da união e ele o guerreiro da liberdade. Ele, com mais medo de se perder; ela, com mais medo de perdê-lo. O novo contrato só vai funcionar se servir para transpor esse dilema humano, não aguçá-lo.

Minhas preocupações se confirmam quando investigo mais a fundo e ele admite que na verdade imaginava a abertura reservada somente a si, já que a namorada não foi feita para sexo casual. "Ela se apega muito mais", ele explica, "então acho que não daria certo para ela." Já vi muitos homens se sentarem no meu consultório e contarem uma versão dessa história. O mais comum é que justifiquem essas conclusões com o fundamento questionável de que a diversidade sexual é mais "natural" para os homens do que para as mulheres. Muito conveniente! Em geral, eles se espantam quando ressalto que o arranjo "progressista" que buscam é, em última análise, bastante retrógrado — a poligamia. Não existe nada de radical em um homem impor a amante à esposa.

Minhas conversas com Joanie ressaltam que, até ter mais poder, ela jamais sentirá que pode escolher livremente. À medida que debatemos, vejo que ela começa a relaxar e confiar nos próprios instintos. Tyler também aceita meu desafio — principalmente quando lhe digo que não sei para que as mulheres "foram feitas", já que elas nunca tiveram permissão para descobrir. Deixo os dois com muito o que pensar e conversar. Desigualdade, gênero, poder e uma base sólida são todas considerações que precisam ser abordadas antes da discussão sobre a forma de abrir uma relação.

TESTAGEM INICIAL DE NOVAS FAMÍLIAS

A mudança cultural rumo a relações mais inclusivas não abrange apenas a expansão de fronteiras sexuais; é parte de um movimento social mais amplo reimaginar o que constitui uma família. As linhas outrora definidas por sangue e parentesco agora são empurradas por todos os lados à medida que as pessoas se divorciam, casam de novo, se divorciam outra vez, moram juntas, adotam, usam doadores e barrigas de aluguel e misturam famílias. Alice é conduzida ao altar pelo pai e o padrasto. Inga e Jeanine convidam o doador de esperma para ser o padrinho do filho. Sandy opta por uma adoção aberta e continua em contato com os gêmeos, criados por Jo e Lincoln. Madeleine vira mãe pela primeira vez aos 52 anos, graças a uma doadora de óvulos — uma experiência que até recentemente só era possível para os homens. Drew tem cinco irmãos de quatro casamentos, três casos, três religiões e três origens raciais. Hoje em dia, nada disso leva ninguém a erguer as sobrancelhas — então, que choque causa o fato de Drew crescer com uma postura cética acerca da monogamia à moda antiga?

Talvez não falte muito para nos sentirmos bem à vontade com um arranjo como o de Nila, em que a namorada, Hanna, fica com o marido e os três filhos para ajudar quando ela viaja a negócios. Ou Oliver, cujo namorado, Andres, o visita nos finais de semana enquanto a esposa, Cara, se muda para o quarto de hóspedes. A primeira reação do filho em idade universitária foi: "Ah, então papai tem um namorado? E você, também quer uma namorada, mãe?". Ou Kellie e Bentley, que estão indo morar com outro casal para formar uma quadra e criar os filhos juntos. Em cada um desses novos arranjos relacionais, vemos de perto a mudança das estruturas sociais herdadas para improvisações originais.

Essas novas formações acarretam novos dilemas. Em uma sessão em Londres, conheci um casal de quarenta e poucos anos casado há bastante tempo, Deborah e William, e a amante deles há dois anos, Abigail, que tem trinta e tantos anos e cujo relógio biológico bate alto. A união nada convencional foi uma bela história de amor, mas agora eles vivem um impasse. Abigail quer um filho; Deborah, mãe de três, está animada para ter mais um bebê na família, mas não quer que William seja o pai biológico. Isso é algo que reservaram só para eles. O problema é que William não quer que Abigail durma com outros homens. O que ela deve fazer? Ela congelou seus óvulos e está cogitando doadores, mas enfrenta uma questão existencial mais profunda: "Estou só me encaixando na vida deles ou estamos construindo uma vida juntos? Qual é o meu lugar nessa relação?". Abigail está ávida por legitimidade, mas nem sabe como é isso.

Muitas pessoas procuram um lugar seguro onde examinar sentimentos como ciúme sem terem de ouvir que a presença desses sentimentos é prova de que esses agrupamentos não funcionam. Outras buscam orientação sobre as complicações da franqueza escrupulosa que governa a vida na margem relacional.

Se tem uma pessoa que orbitou esse espaço, essa pessoa é Diana Adams. Advogada de cerca de 35 anos, Diana é uma defensora veemente de relações e famílias alternativas. Seu objetivo é armá-las do máximo possível de estabilidade jurídica, ajudando-as a estabelecer acordos claros e a resolver disputas que surgem. Na vida pessoal, ela e o parceiro Ed (que conhecemos no começo do capítulo) são membros ativos da comunidade poliamorosa.

Os poliamoristas (o termo em inglês foi integrado ao *Oxford English Dictionary* em 2006) enfatizam a criação de elos com sentido, em contraste com aqueles que buscam conexões casuais ou encontros divertidos de curto prazo. Não é "só sexo" o que dividem com muitos parceiros — é também amor, para não falar da vida doméstica. Os poliamoristas tendem a caracterizar o estilo de vida como uma iniciativa séria, que envolve cuidado, maturidade e muita conversa — por isso a piada nos círculos poli: "Os praticantes de swing transam. Os polis conversam".

Piadas à parte, o poliamor é um movimento crescente nos Estados Unidos e no mundo inteiro. Muitos dos que optam por esse estilo de vida o fazem com uma mentalidade empreendedora que aspira a uma maior liberdade de escolha, autenticidade e flexibilidade. Não é surpresa, portanto, que haja uma concentração especialmente alta de poliamoristas em incubadoras da cultura de startups, como o Vale do Silício.

Não raro me passa pela cabeça que o estilo de vida poliamoroso vai além de sexo e liberdade. Trata-se de um novo tipo de construção de comunidade. Sua rede flexível de afetos, inclusive de múltiplas figuras paternas e maternas, é uma tentativa de contrabalançar o isolamento sentido por inúmeros casais modernos presos ao modelo nuclear. Esses amantes diversificados estão à procura de um novo senso de coletividade, pertencimento e identidade — aspectos da vida que teriam recebido de instituições sociais e religiosas tradicionais.

O espírito individualista moderno, por mais atraente que seja, deixa muitos de nós acossados pela incerteza. O poliamor procura honrar esses valores inserindo-os no contexto comunitário.

Claro que é desafiador. Como afirma Pascal Bruckner, "a liberdade não nos livra das responsabilidades e sim as aumenta. Não alivia nosso fardo e sim nos oprime ainda mais. Ela resolve menos problemas do que multiplica paradoxos. Se esse mundo às vezes parece brutal, é porque ele é 'emancipado' e a autonomia de cada indivíduo colide com a dos outros e é por eles danificada: nunca as pessoas tiveram de carregar nos ombros tantas restrições".[13] A colisão de autonomias ameaça todo romance moderno, mas no poliamor pode se tornar um engavetamento de vários veículos.

Quando as regras são quebradas, as consequências repercutem na rede relacional. O transgressor deveria ser condenado ao ostracismo pela comunidade inteira? Se um de seus amantes o "trai", por exemplo, levando adiante uma relação secreta quando houve um acordo de transparência, será que os outros amantes também devem romper a relação? E como manter-se a par do status relativo de tantas relações diferentes? Uma amiga poli me contou que estava alegremente trocando mensagens de cunho sexual com o novo namorado, com o entendimento de que ambos eram livres para sair com outras pessoas. Então ela descobriu por um amigo em comum que ele tinha namorada, com a qual possuía o acordo de ser monogâmico. "Isso me atingiu feito uma chuva de tijolos. Ao mandar mensagem para mim, ele estava traindo. Participei da infidelidade sem meu consentimento, e isso me deixou arrasada."

Poliamoristas tendem a atribuir um grande peso moral ao compromisso com a transparência e a liberdade individual — na verdade, muitos parecem ter a firme convicção de que sua postura é mais virtuosa do que a dos monogâmicos que mentem e traem. Seus críticos ressaltam a natureza inerentemente privilegiada do estilo de vida, com sua aura de temos-direito-a-ter-tudo.[14] Além disso, é fácil subestimar o grau de autoconhecimento que uma ruptura de limites tão criativa exige. A liberdade nos enlaça com o fardo de termos de saber o que queremos. Seja o que for, o experimento poliamoroso é um desdobramento natural da propensão societária rumo à maior liberdade pessoal e expressão da própria personalidade.

Chegará um dia em que a forma grupal de casamento será aceitável, com tríades ou quadras dizendo "Sim"? Talvez. Mas, nesse meio-tempo, Diana Adams está mais interessada em obter o aumento das proteções sociais a famílias alternativas. Se o casamento entre pessoas do mesmo sexo foi uma vitória importante para os direitos dos gays e abriu uma conversa cultural sobre a definição de casamento e amor, diz ela, não devemos esquecer que o movimento também era "uma crítica queer à família nuclear e à tradicional sexualidade monogâmica".[15] O mesmo pode ser dito de quem se rebela contra a monogamia. Em vez de "amontoar gente no instituto do casamento", ela explica, "queremos, em última análise, que o governo se retire da atividade de decidir se você recebe dedução no imposto de renda, plano de saúde e status migratório de acordo com quem você está transando".

Suas ideias me lembram do finado psicólogo e ativista gay Michael Shernoff, que refletia criticamente sobre a mudança "de homens gays transformando radicalmente a sociedade americana" a homens gays "assimilando modos conservadores e heteronormativos".[16] Ele enaltecia a não monogamia consensual como "parte vibrante, normativa e sadia" da comunidade gay, e expressou preocupação com a possibilidade de que o advento do casamento gay pudesse consignar essa "tradição venerável, multigeracional", à categoria de adultério. "Casais que negociam com êxito a não exclusividade sexual", ele escreveu, "são, estejam ou não conscientes disso, genuinamente subversivos, de uma das formas mais construtivas possíveis [...] ao desafiarem a noção patriarcal de que existe apenas uma maneira 'adequada' e 'legítima' (heteronormativa) com a qual as relações amorosas devem e precisam ser conduzidas."

A monogamia já foi um assunto que nem se discutia no consultório do terapeuta, mas hoje em dia é de se esperar que eu pergunte a todos os casais: Qual é o acordo de vocês em relação à monogamia? Casamento sem virgindade já foi inconcebível. Assim como sexo sem casamento. Estamos nos aproximando de uma nova fronteira, em que sexo fora pode viver dentro do casamento. Nossa cultura está preparada para a noção herética de que uma relação pode ser reforçada por limites fluidos, e não destruída? Seria o fim da monogamia? Ou só mais um passo na sua longa história de redefinições?

15. Depois da tempestade
O legado de um caso

Como começar algo novo com todo esse ontem em mim?
Leonard Cohen, *Beautiful Losers*

Todo sofrimento prepara a alma para a visão.
Martin Buber

Depois que a tempestade passa e a crise acaba, o que acontece? O que podemos aprender examinando o caso em retrospecto? Sabemos que a ruptura é um momento decisivo na história do casal, com um dentre dois resultados: juntos ou separados. Mas isso não nos diz muito sobre a qualidade da futura união ou separação. Será que as observações colhidas do martírio sustentam o casal nos altos e baixos do casamento? Houve uma breve segunda lua de mel antes de a relação voltar à sua condição pré-caso? Ele tornou a trair? Ela nunca parou? Depois que já estavam longe do olhar benevolente do terapeuta, eles entraram com o processo de divórcio?

Rastrear o legado de longo prazo é a chave para desenvolver uma compreensão holística da infidelidade. Olhamos não só para os fatos, mas para as histórias que narramos — para nós mesmos e para os outros. O tempo altera a narrativa? Somos suscetíveis ao revisionismo? Abordei as pessoas com essas perguntas um, três, cinco ou dez anos após os fatídicos acontecimentos.

Um punhado não constitui prova estatística, mas seus depoimentos pessoais inspiram tanto minha forma de pensar como minha prática clínica.

As histórias que escutei abarcam todas as possibilidades. Casamentos desmoronaram, o caso uma ruptura irreparável. Para uns, um fim cataclísmico; para outros, encerramento mais complacente e graciosidade. Casamentos claudicaram, às vezes com brigas calorosas e outras vezes envoltos em silêncio. Casamentos saíram fortalecidos, a crise de infidelidade servindo de trampolim para mais intimidade, compromisso e sexualidade. E às vezes um novo casamento emergiu, com os ex-parceiros de caso virando os novos cônjuges. Como se vê, a infidelidade pode destruir uma relação, sustentá-la, forçá-la a mudar ou criar uma nova. Todo caso redefine a relação, e toda relação determinará qual será o legado do caso.

O CASO COMO RUPTURA

Um número bem alto de casos põe fim aos casamentos. Seja a quebra em si a gota d'água ou apenas a legitimação de uma saída há muito desejada, não há dúvida de que a infidelidade é frequentemente uma história que acaba na vara de família.

Lembro de Kate e Rhys como um casal que se empenhou na reconstrução. Mas, depois de cinco anos, a dor dela continua tão pungente como se fosse ontem. Ela me conta que o largou porque ele repetia a infração e "não havia jeito de um dia eu voltar a confiar nele". Mas a infidelidade de Rhys acompanhava Kate aonde quer que ela fosse, tornando-se um fantasma que assombrava suas futuras relações. Depois de afastar vários namorados com seu ciúme constante, ela se casou com um homem que viveu a mesma dor quando a ex-esposa o deixou por um amigo em comum. "Nós nos conhecemos pelo SurvivingInfidelity.com. Entendemos muito bem a mágoa do outro e sabíamos que um seria capaz de fazer o outro se sentir seguro", ela me diz.

No caso de Jaime e Flo, foi Jaime quem terminou o compromisso, mas ela também vive com o gosto amargo do ressentimento. "Tentei de tudo para reconquistar a Flo, para demonstrar o meu amor. Mas ela vivia me afastando, decidida a me fazer pagar. Estava mais interessada em me punir do que em refazer o elo comigo. Acabei desistindo. E agora ela põe a culpa em mim, por ser um covarde e não tentar. Ela conseguiu ser vítima duas vezes — do meu caso e do que ela chama de 'meu papo furado', embora ela tenha recusado todas as tentativas de botar as coisas em ordem. Admito que quebrei a confiança dela, mas ela destruiu o que ainda restava."

Quando estou trabalhando com a infidelidade, meu papel não é ser defensora pública do casamento ou partidária do divórcio. Mas às vezes o resultado inevitável é tão nítido para mim que sinto que seria mais bondosa se fosse direto ao ponto. Embora tenha sido uma década atrás, nunca me esqueci da primeira sessão com Luke e Anais, porque em pouco tempo me vi dizendo a eles: "O casamento de vocês acabou". Luke ficou em choque: estava determinado a fazer com que desse certo, embora Anais o rejeitasse na cama sistematicamente e tivesse vivido um caso de dois anos.

Ainda vejo seu rosto. Ele parecia um assassino de aluguel com a arma carregada. Disse isso a ele e sugeri que seria preciso guardar a arma na gaveta durante as nossas sessões. Quando o contatei, há pouco tempo, quis saber como ele via minha proclamação ousada em retrospecto. Luke lembrava de tudo muitíssimo bem. Trazendo o divórcio à baila com tamanha rapidez, relata, ele sentiu que eu tinha desistido dele e tomado partido da esposa. "Tive a sensação de que ela tinha me enganado, me levado para uma terapeuta que nem tentaria nos manter juntos. Quando contei para a minha prima, ela ficou tão espantada que falou para eu te demitir. Naquele momento, minha vontade era de jogar a mesinha de canto em você e a Anais pela janela. Mas você viu de cara o que eu levei meses para reconhecer — que já estávamos mortos quando chegamos lá e que eu merecia algo melhor."

Fiquei contente ao saber que ele acabou entendendo que, se eu estava tomando algum partido, era o dele. Na época eu sabia, por conversas que tive só com Anais, que a paralisia sexual dos dois provavelmente jamais mudaria. Sabia que ele se sentia só, humilhado e às vezes enfurecido pelo afastamento dela, mas não via saída. A infidelidade havia marcado e arruinado sua infância, e, agora que tinha uma filha pequena, manter a família junta era sua grande prioridade. Ele era um homem sob as garras da tripla traição — a rejeição, o caso e, o pior de tudo, a falta de arrependimento de Anais. Alguém precisava abrir para ele uma porta que não ousaria abrir sozinho.

Olhando para trás, ele diz, "foi brutal, mas você tinha razão. Acho que você sabia que, no meu caso, o melhor era puxar o band-aid. Eu estava completamente obcecado pelo fato de que ela não demonstrava a culpa que eu gostaria que estivesse sentindo".

Em certas situações, os parceiros jamais obterão o remorso que gostariam. "Você falou que eu precisava parar de bater a cabeça na parede", ele relembra. "Essa foi a chave. Ser informado de que ela talvez não fosse me dar uma sensação de encerramento foi útil, ainda que enlouquecedor no início." Em momentos assim, é crucial que sua capacidade de seguir em frente não dependa de o outro sentir a medida "satisfatória" de culpa e arrependimento. Agora, Luke já entende isso. "Passados todos esses anos, sei que ela jamais conseguiria pensar nas palavras certas, pois não funciona assim. Nunca vai ser 'o bastante'."

Luke também recordou que eu lhe garantira que haveria futuro. "Você falou que eu transaria com um monte de mulheres e que me sentiria elétrico porque estaria recebendo uma 'recarga' de alguém que me quisesse tanto quanto eu iria querê-la. Você tinha razão. Eu até me peguei dizendo um 'obrigado' silencioso e muito sincero a Anais e ao namorado dela. E quer saber? Eu tinha uma dor nas costas insuportável. Parou no dia em que Anais saiu de casa."

Perguntei a Luke se algo mudou em sua visão de mundo como resultado dessa experiência. "Quando Anais e eu nos separamos, primeiro as pessoas acharam que a gente tinha fracassado. Estavam enganadas. Passei a entender que ficar juntos a qualquer preço é a meta errada. O que conta é ser feliz. Nós já estávamos acabados, e agora posso viver outra vez."

Talvez Anais não tenha sido a parceira romântica certa para Luke, mas ele fez questão de dizer que ela foi "uma grande parceira para educar um filho". São amigos. Vão aos jogos de futebol da filha juntos e ele volta e meia a convida para almoçar depois da partida.

"E a confiança?", eu lhe pergunto.

"No fundo, ainda me dói", ele confessa, "mas vivi e amei de novo. As pessoas achavam que eu ia passar o resto da vida ferrado e sem conseguir confiar de verdade. Têm certa razão, mas é que confio de outro jeito. Antes, eu confiava demais e era ingênuo. Agora, sei que mesmo as melhores pessoas nem sempre agem certo e acabam fazendo besteira. Somos todos humanos e todo mundo é capaz de fazer o que a Anais fez, até eu mesmo."

"Você a perdoou?", indago. "Perdoei", ele responde, "embora a princípio parecesse impossível." Ele lembra que eu lhe disse que um dia ele entenderia que perdoar não é dar ao outro um passe livre. É um presente que se dá a si mesmo. Como era de se esperar, com o passar do tempo, ele entendeu. Como escreve Lewis B. Smedes, "perdoar é libertar o prisioneiro e descobrir que o prisioneiro era você".[1]

TERMINANDO UM CASAMENTO COM DIGNIDADE E ELEGÂNCIA

Como Luke declarou com grande clareza, nossa cultura considera o divórcio um fracasso, ainda mais quando provocado por infidelidade. A longevidade é vista como o indicador supremo da realização conjugal, mas muitas pessoas que ficaram "até que a morte nos separe" foram infelizes. Um casamento bem-sucedido não termina somente na casa funerária — principalmente em nossa época de expectativa de vida crescente. Às vezes a relação já deu o que tinha que dar, e, nesses casos, quando posso, tento ajudar o par a terminá-la com dignidade e integridade. Não vejo contradição em perguntar a um casal sobre o sucesso de seu término. Por isso meu contato com Clive e Jade.

A primeira vez que os vi, 22 anos atrás, estavam recém-casados e eu ministrava uma oficina para casais inter-raciais. Eram despreocupados, cheios de potencial. Duas décadas, três filhos e um caso depois, o casamento estava nas últimas, e eles me procuraram em busca de ajuda. Clive havia acabado de confessar sua relação secreta com Kyra. Ele estava morrendo de culpa, mas havia resolvido seguir em frente e construir uma vida com o novo amor. Jade estava desesperada, lutando para segurá-lo. Lembro dela se agarrando a cada palavra, gesto e sorriso de Clive, mas foi tudo em vão.

Eu sentia que era responsabilidade minha decodificar a mensagem que estava bem diante de nós: "Jade, ele não vai voltar. Sua tristeza faz com que ele sinta culpa, e a culpa se transforma instantaneamente em raiva de você por fazê-lo se sentir mal por estar fazendo-a se sentir mal. Ele pode até não ter ido embora, mas ele tampouco está aqui".

Eu disse para ele: "Você fica esperando até poder ir embora sem culpa, e isso nunca vai acontecer. Está na hora de você libertá-la". Ele vacilou entre paralisado e querendo correr o mais rápido possível, por medo de que, se não disparasse, ficaria empacado outra vez. Porém, achei que eles precisavam de tempo para as devidas despedidas. Sugeri uma cerimônia de separação.

Assim como temos cerimônias de casamento para marcar o começo de uma união, também precisamos de rituais para marcar o fim. Um casamento é o vínculo de uma vida inteira — história, memórias, hábitos, experiências, filhos, amigos, família, comemorações, perdas, casas, viagens, férias, tesouros, piadas, retratos. Por que jogar tudo isso fora e tratar a relação, nas palavras poéticas de Marguerite Yourcenar, como "um cemitério abandonado onde jazem, anônimos e desonrados, os mortos que eles deixaram de amar"?[2]

Rituais facilitam transições. Também honram o que foi. Clive e Jade outrora trocaram votos; agora os rasgam. Mas o simples fato de ele ter se apaixonado por outra mulher não significa que o passado inteiro dos dois foi uma fraude. Tal argumento é cruel e tacanho. O legado de duas décadas de vida compartilhada é maior do que o legado do caso.

Quando um casal alcança a linha de chegada, exausto após dois anos de idas e vindas — a confusão dele, as falsas esperanças dela, a culpa dele por deixá-la, ela o segurando —, é fácil subestimar o que estão deixando para trás. O objetivo da cerimônia que sugeri era não deixar o caso de Clive eclipsar todos os aspectos positivos do casamento que de resto era bom.

Às vezes cônjuges que estão indo embora relutam em mudar o foco para as coisas boas da relação porque têm medo de perder o ânimo. É como se sentissem necessidade de falar mal do que tinham para justificar a partida. O que não percebem é que, agindo assim, eles ao mesmo tempo rebaixam o próprio passado e todas as pessoas com quem o dividiram — deixando um rastro de filhos, pais, amigos e ex enfurecidos.

Precisamos de um conceito de casamento terminado que não o demonize — que ajude a criar ligação emocional e continuidade narrativa. Romper um casamento vai além de assinar os papéis de divórcio. E o divórcio não é o fim de uma família: é uma reorganização. Esse tipo de ritual atraiu a imaginação pública nos últimos anos, apelidado de "desunião consciente" pela escritora Katherine Woodward Thomas.

Convido casais a escreverem cartas de despedida um para o outro. Cartas que esmiúçam do que vão sentir saudades, do que lembrarão com carinho, pelo que se responsabilizarão, e o que desejam para o outro. Isso lhes permite honrar as preciosidades da relação, sofrer a dor de sua perda e assinalar o seu legado. Mesmo se feita de coração gelado, a carta pode proporcionar conforto.

Quando chegaram para a sessão seguinte, Clive e Jade estavam com as cartas em seus iPhones. Um clique e a leitura começou.

Intitulada "Do que vou sentir falta", a carta de Jade era uma lista de dez páginas, divididas em categorias, evocando saudosamente a tapeçaria multidimensional de sua história. Seus jeitos de falar — *Hola, chickly... Dame un beso...* o beeeebê. O começo — bilhetes amorosos, fitas cassete com várias músicas, salsa e mais salsa, parques para cachorros, parquímetros, a ópera. A comida que adoravam. Os amigos. Os lugares importantes para eles — de Martha's Vineyard a Paris, do Cornelia Street Café ao apartamento 5C. Os lugares onde gostavam de fazer sexo. Seus "primeiros"...

Ninguém mais partilhará dos sentidos particulares que essas coisas do dia a dia têm para eles. Ela listou as conexões de que terá saudades: "me sentir protegida, segura, linda, amada". Sua última categoria era simplesmente "Você": "Seu cheiro. Seu sorriso. Seu entusiasmo. Suas ideias. Seus abraços. Suas mãos grandes e fortes. Sua cabeça quase careca. Seus sonhos. Você, do meu lado".

Quando ela acabou de ler, estávamos todos em lágrimas e não havia necessidade de estragar a ternura com nenhuma verborragia sem relevância. Mas como é importante para quem escreve ouvir as próprias palavras, pedi a Clive que lesse sua carta para ela. Em seguida, ele leu as próprias páginas.

A dela era uma carta de amor; a dele era um adeus diplomático, agradecendo profusamente pela vida que tinham dividido, exprimindo seu pesar por ter falhado e garantindo a ela que sempre teria grande estima pelo elo deles. Ele foi bondoso e carinhoso, mas seu tom era pura formalidade. A primeira e a última frases deixam isso claro: "Obrigado por ser uma pessoa incrível e por ter sido uma força verdadeiramente maravilhosa na minha vida nos últimos 22 anos"... "Quero que você saiba que, apesar do desenlace, vejo a parte boa do nosso casamento, e sempre o lembrarei com carinho e o guardarei no fundo do meu coração."

Um ano depois, quando entro em contato com Jade, ela enfatiza como o ritual de desunião a ajudou a ver o que estava por vir. "No começo, a ideia me pareceu um pouco coisa de hippie, mas também fiquei orgulhosa e até compartilhei isso com alguns amigos. A gente estava fazendo alguma coisa certa apesar de todos os erros que vieram antes. Volta e meia eu me perguntava, como ele vai embora? Será que um dia ele vai acordar e dizer, 'O.k., tchau', e sair porta afora? A cerimônia de separação pôs fim às minhas ruminações.

Eu precisava desesperadamente de um jeito de aceitar que ele amava outra mulher e que estava terminado mesmo."

Alguns casos são histórias paralelas passageiras; outros são o começo de uma nova vida. O de Clive era do último tipo, e nenhuma espera da parte de Jade teria mudado isso. O tom da carta deixou isso claríssimo para ela. "Não era uma carta do gênero 'do que eu vou sentir saudades'", ela diz. "Era uma carta 'estamos terminados'. Ele disse umas coisas bacanas, mas definitivamente não era mais um homem apaixonado. Percebi naquele exato momento que, enquanto eu continuava sofrendo, continuava apaixonadíssima, ele já tinha partido. Doeu, mais do que você imagina, mas abriu os meus olhos."

Em seguida, falei com Clive, que lembrava da cerimônia como "emotiva e eficaz". A culpa foi transformada em gratidão, a negação substituída pela lembrança. Aos poucos, ele conseguiu ao mesmo tempo preservar seu vínculo com Jade e os filhos e o chamado de uma nova vida com Kyra. "Até então, não parecia verdade. O simbolismo lhe conferiu um carimbo de encerramento."

O fim catártico se provou o ritual certo para esse casal. Mas, infelizmente, muitos soltam uma longa lista de xingamentos em vez de uma lista de lembranças doces. Sempre que posso, tento ajudar as pessoas a criarem narrativas que lhes deem a sensação de serem fortes, não vítimas. Elas nem sempre abarcam o perdão, dão espaço para a raiva, mas a expectativa é de que seja uma raiva que mobilize em vez deixá-los presos na amargura. Precisamos seguir em frente na vida — ter esperança de novo, amar de novo, e confiar de novo.

O CASAMENTO QUE COMEÇOU COMO CASO

É claro, o legado de um caso não termina com a retirada das alianças de casamento. Esse pode ser o começo de uma nova vida para os amantes antes secretos. O caso finalmente foi oficializado e se torna a relação principal. O que a certa altura talvez parecesse uma união impossível é normalizado — às vezes após anos de espera até que os filhos saiam de casa, o cônjuge encontre um novo emprego, a sogra morra, a hipoteca seja paga, o divórcio seja enfim assinado. Para o bem ou para o mal, uma relação que começa como segredo será sempre influenciada por suas origens. Quando conheço casais que embarcam juntos em uma nova odisseia, quero saber em que medida seu passado afeta e molda o futuro.

Não há dúvida de que existe um enorme alívio quando uma história de amor finalmente pode sair das sombras. Mas isso é acompanhado de uma nova série de preocupações. Vez por outra, o caso estava melhor na clandestinidade, porque, quando vira casamento, a fantasia se perde. Lembro de Nicole e Ron arrebatados e decididos a ficar juntos, independentemente do preço. "Mas depois que ele disse 'Sim', foi 'Não'", Nicole me conta três anos depois. Ela está irritada porque, depois de longos cinco anos esperando na coxia, Ron finalmente é dela — e agora não encosta nela. Pior ainda, ela desconfia de que tenha um caso. Este é seu terceiro casamento. Ele parece ter o dom de transformar as esposas na mãe, sendo o sexo a baixa inevitável. Ele adora suas mamães; só não consegue ficar duro com elas. O desejo é repetidamente reservado à amante. Nicole já ocupou essa posição, mas agora também foi relegada ao posto assexual de esposa.

Para esses casos que sobrevivem ao altar, existe a pressão para "fazer valer o preço", nas palavras de Eric. Para ficar juntos, tanto ele quanto Vickie tiveram de derrubar fortalezas domésticas. No total, deixaram para trás quatro filhos, três netos, duas cidades, duas casas de praia, um piano de cauda, carvalhos ancestrais, um cachorro, dois gatos e dezenas de amigos. Se tanta destruição tem de acontecer para que eles possam existir, não é nenhum espanto que as expectativas sejam imensas. Há pouco tempo, quando entrei em contato com Eric, ele confirmou que estava sofrendo estresses que jamais imaginara em suas fantasias. Já faz três anos que se divorciou de Gabrielle, e, enquanto o filho mais velho aceitou a situação de má vontade, o caçula tomou partido da mãe. Será que Eric se arrepende de alguma coisa?, indago.

"Não", ele diz. "Amo a Vickie. Mas sinto falta da vida que deixei para trás. Sinto muita culpa, tristeza e solidão. Tenho saudades principalmente de ver meus filhos todo dia. Gostaria de poder ter uma conversa mais franca com Vickie sobre a minha vida passada. Mas é complicado. Ela vai logo interpretando que eu quero voltar com a Gabrielle."

"Você às vezes fantasia que volta?"

"Às vezes", ele admite.

Ironicamente, se antes o caso era um segredo no casamento, a nostalgia do casamento se torna um segredo no caso agora legitimado. É normal que seja difícil para os novos parceiros aceitar que as saudades da relação passada não necessariamente equivalem à vontade de retomá-la. A tristeza não deve ser uma ameaça. A fim de quebrar o padrão de mentiras internas, é essencial criar espaço para que todos falem do passado — inclusive da perda, do arrependimento e da culpa. Toda relação incorpora múltiplas histórias.

Enquanto o caso existia em um mundo isolado, protegido dos aspectos práticos da vida, o novo casamento é afundado em logísticas e complexidades. Como apresentar os filhos? Como se relacionar com a ex? O implante precisa de tempo para "vingar".

No Brasil, encontro Paolo e Rafael. Eles se conheceram na faculdade e se apaixonaram, mas, na comunidade católica, o amor entre homens era uma aberração. Eles se separaram e foram fazer o que se esperava deles: esposas, filhos, vidas respeitáveis. Duas décadas depois, se encontraram por acaso no aeroporto de Amsterdã. Pegaram suas bagagens e seus corações, iniciando um caso que durou dois anos antes de ser descoberto, deixando em choque as famílias e os círculos sociais. Não havia vilão a quem culpar — somente a dor lancinante de desfazer duas vidas para construir uma nova. Perderam amigos; alguns parentes se recusam a falar com eles; um divórcio foi mais amigável que o outro. Foram pichados de egoístas, mas arriscaram tudo por uma verdade que era negada havia tempo demais. O tempo confirmou a escolha dos dois.

AS MUITAS FACETAS DE CONTINUAR JUNTOS

Embora alguns casais que me procuram optem por se separar, a maioria entra na terapia com a intenção de continuar juntos, e é isso que fazem. Mas a união tem diversas facetas. Um dos meus pacientes me disse: "Poucos anos atrás, quando sofri um acidente de carro, me lembro de ter pensado no apoio que recebi dos amigos e da família. De perna quebrada, a dor é visível e todo mundo se compadece. Mas quando um casal resolve continuar junto depois de um caso, as pessoas acham que está tudo bem e você acaba vivendo com uma dor invisível".

Outros pacientes me contaram uma história bem diferente. "Quase afundamos, mas não aconteceu. Nossa relação é mais robusta hoje em dia. Uma pena a gente ter tido que viver tudo aquilo para chegar até aqui, mas eu não voltaria atrás."

No meu trabalho, identifiquei três resultados básicos pós-infidelidade para os casais que resolvem continuar juntos (com agradecimentos a Helen Fisher pela tipologia): os que ficam presos ao passado (os sofredores); os que se esforçam e deixam para lá (os construtores); e aqueles que ressurgem das cinzas e estabelecem uma união melhor (os exploradores).

Os sofredores

Em alguns casamentos, o caso não é uma crise transitória, mas um buraco negro enredando os dois em uma rodada interminável de amargura, vingança e autocomiseração. Mesmo cinco ou dez anos após acontecer, o caso ainda é o epicentro da relação. Esses casais roem o mesmo osso eternamente, volvem e revolvem as mesmas queixas, reiteram as mesmas recriminações mútuas, e culpam o outro pela agonia. Na verdade, é bem provável que acabassem com os mesmos conflitos se não houvesse infidelidade nenhuma. Por que continuam o casamento é uma questão tão intrigante quanto o porquê de não conseguirem ir além do antagonismo mútuo. Estão dividindo a cela do presídio conjugal.

Há marcas do caso em todas as discordâncias entre eles. Tais casais fazem cálculos de superioridade moral: remorso nenhum basta. Debbie, que continuou com Marc após uma série de explorações extraconjugais, sob a pretensa justificativa de preservar a família, sempre o leva a sentir que deu sorte por não ter sido expulso de casa, como se só ele fosse perder tudo que construíram. A cota de delitos de Marc foi cumprida anos atrás, e agora não lhe é permitido nenhum outro desvio. As súplicas dele para que ela deixe o passado no passado só alimentam seu sarcasmo. Quando pergunto se sente falta da intimidade deles, ela oferece uma resposta feita para protegê-la, mas no fundo contraproducente. "Eu quero fazer amor", declara Debbie, "mas seria como dizer que agora está tudo bem." Eles não fazem sexo desde o caso, três anos atrás. Infelizmente, os flertes de Marc ocupam mais espaço na cama hoje do que quando estavam acontecendo.

Marc pergunta a Debbie por que ela tem que falar dos casos sempre que está infeliz com alguma coisa. Em geral, ele diz, ela estraga o que poderiam ser momentos perfeitos entre os dois — o recital de piano da filha ou um jantar com amigos. "Momentos perfeitos não existem", ela zomba. "Você acabou com eles." Nesses casais altamente reativos, há pouco espaço para a neutralidade, já que os parceiros veem o chamado à autorreflexão como um ataque pessoal.

Casais como esse vivem em estado permanente de retração. Para o infiel, o cônjuge traído se torna a soma total de sua fúria vingativa. Para o cônjuge traído, o infiel se torna a soma total de suas transgressões, com poucas qualidades para redimi-lo. Casamentos assim podem até sobreviver, mas os protagonistas estão mortos no aspecto emocional. De qualquer modo, quando uma infidelidade passada vira o marco da vida de um casal, o que foi quebrado não pode mais ser colado. A relação usa um gesso permanente.

Os construtores

Pode-se encontrar o segundo padrão em casais que permanecem juntos porque valorizam o compromisso e a vida que criaram. Um se importa com o outro e eles querem preservar a família e a comunidade. Esses casais podem sobreviver à infidelidade, mas não necessariamente a transcendem. Seus casamentos voltam a uma versão mais ou menos pacata do status quo pré-bélico — do jeito que as coisas eram, sem que a relação passe por mudanças significativas.

Um caso é revelado na relação, e um caso revela muito sobre a relação. Joga luz sobre o seu edifício — as rachaduras, os desajustes, os carunchos, os afundamentos, mas também os fortes alicerces, as paredes sólidas e os cantos aconchegantes. Os construtores se concentram nessas forças estruturais. Não estão em busca de reformas maciças; simplesmente querem voltar à casa que conhecem e ao travesseiro onde podem descansar. No caminho, fazem as pazes, renovam os votos e fazem questão de fechar quaisquer vazamentos. Embora um vislumbre de paixão possa ser inebriante, eles estremecem diante da possibilidade de perder tudo. Em última análise, mentir e enganar é mais agoniante do que emocionante, e o fim do caso é simplesmente um alívio. Quando olham para trás, o episódio todo é uma anomalia que é melhor esquecer.

"Em certa medida, fiquei muito decepcionada comigo mesma por não conseguir largar meu marido, e me questionava se não estaria deixando o amor da minha vida", Joanna relembrou após encerrar o caso com Jaron. "Mas também me senti aliviada porque ia ficar e não destruiria a minha família."

Ela pondera que eles quase se divorciaram. Ela não achava que ele conseguiria perdoá-la. E precisava que ele a perdoasse para conseguir perdoar a si mesma. Quando o perdão chegou para os dois, foi "não com a fanfarra da epifania, mas com a dor de recolher suas coisas, fazer as malas e sair despercebido no meio da noite", nas palavras que pegou emprestadas de Khaled Hosseini.[3]

Lyle sente-se mais arrependido. Relembrando a breve paixonite por uma colega, ele diz: "Nunca quis um caso amoroso. Eu valorizava todas as coisas ótimas do meu casamento — amo e respeito a minha esposa — e não queria deixar meus filhos. Ainda carrego muita culpa. Dezoito meses depois eu estaria fazendo terapia com a próxima mulher. Mas também estou muito triste porque o sexo com a minha esposa tem sido sem graça durante todo o casamento — ela nunca teve muito interesse por sexo e não faz ideia do quanto isso é importante para mim. Essa parte me parece incorrigível. Mesmo assim, ainda prefiro ver pornô e ficar longe dos problemas a correr o risco de perder minha família".

Para os construtores, a frustração sexual e o que consideram desejos autocentrados de mais "satisfação" romântica não são incentivos fortes o bastante para desviá-los das recompensas mais significativas de longo prazo e as obrigações vitais para com a família e a comunidade. No fundo, esses casais dizem preferir a familiaridade à montanha-russa dos riscos representados pelo amor romântico e a paixão sexual. A autorrealização sem um ancoradouro ético parece oca. Eles privilegiam a lealdade e o amor profundo, duradouro. Fazer o que é certo restaura a sensação de integridade que vale bem mais que quaisquer tentações extraconjugais. Para os construtores, o compromisso é algo maior do que eles mesmos.

Os exploradores

Tenho tido um interesse especial pela terceira categoria de casais, aqueles para os quais o caso se torna um catalisador de mudanças. Esses exploradores passam a ver a infidelidade como um acontecimento que, apesar de causar uma dor insana, continha as sementes de algo positivo.

Quando se deparam com o colapso do mundo que conhecem, esses casais se concentram um no outro com um grau de intensidade que não vivenciavam havia anos. Não é raro que volte a entrar em combustão um desejo que é a potente mistura de angústia e cobiça. O medo da perda é a vela de ignição que o desencadeia. Eles estão intensamente envolvidos — com dor, porém vivos.

Os exploradores me ensinaram muito sobre o que há no cerne das relações resilientes. Madison e Dennis sempre me pareceram esse tipo de casal. A descoberta do caso dele os lançou no caos, mas lembro de ter percebido durante nossas sessões que eles tinham uma capacidade excepcional de expressar e aceitar um amplo leque de sentimentos sem exigir um "encerramento" prematuro. Sua tolerância à ambiguidade e incerteza abrira um espaço para a exploração, em que poderiam se reconectar de forma mais intensa.

Em comparação com os sofredores, que concebem o martírio em conceitos morais absolutos, o ponto de vista dos exploradores é mais fluido. Eles distinguem prontamente o errado do ofensivo, cimentando um caminho mais suave rumo à clemência.

Após alguns anos, quando entro em contato com Dennis e Madison, eles afirmam ter conseguido manter a desenfreada prática de swing sem que nenhum deles saísse batendo portas em direção a um advogado especialista em divórcio. A dor revelou novas facetas deles mesmos e do outro. O primeiro casamento dos dois estava terminado e jamais poderia ser trazido de volta, mas eles escolheram fazer um segundo. Nesse processo, foram capazes de transformar a experiência da infidelidade em uma jornada emocional prolongada.

Ao falar do caso, fica claro que o identificam como um acontecimento — não o definitivo — na longa história que têm juntos. Um sinal de que foram bem-sucedidos ao metabolizar as situações surge na linguagem: mudando de "você" e "eu" para "nosso". Madison não fala sobre "Quando você fez isso *comigo*". Ambos falam "Quando passamos pela *nossa* crise", remetendo a uma experiência conjunta. Hoje, eles escrevem roteiros em conjunto, dividindo o crédito pelo que produzem. O que começou fora da relação é agora abrigado dentro dela. Para Madison e Dennis, o caso virou um marco integrado à geografia de suas vidas juntos. Acima de tudo, eles sabem que não existe resposta clara, portanto podem discutir a traição com a aceitação fundamental de seus defeitos humanos.

A relação de Madison e Dennis parece mais substanciosa e mais interessante, mas também pode parecer menos segura. Eles acrescentaram novidade ao duradouro, mistério ao familiar, e risco ao previsível. "Não tenho nenhuma ideia de onde isso vai nos levar, mas com certeza não é ao tédio", comenta

Dennis. Se antes enfrentavam becos sem saída, agora não sabem onde vão acabar. Mas isso é algo mais empolgante do que assustador, e eles estão juntos nessa. A reparação é a reconstrução do par.

O QUE O CASAMENTO PODE APRENDER COM A INFIDELIDADE?

Algumas relações morrem, outras sobrevivem e revivem. Quais são as lições da infidelidade para todos nós que amamos? Espero que estas páginas tenham servido para ilustrar que casos são muitas coisas, mas na melhor das hipóteses podem ser transformadores para o casal. Comecei este livro com a analogia de que, enquanto muitos têm experiências positivas, que mudam suas vidas, em consequência de doenças terminais, eu recomendaria ter um caso tanto quanto recomendaria ter câncer. O que muitas pessoas querem saber, portanto, é o que podem aprender com os casos sem ter de necessariamente viver um. Trata-se de duas questões: como fortalecer nossa relação contra a infidelidade? E como trazer um pouco da vitalidade erótica do amor ilícito para nossas uniões oficiais?

A resposta é inesperada. O ímpeto de proteger seu casamento é natural, mas, se você adotar a abordagem comum "à-prova-de-casos", se arriscará a retomar a trilha estreita de restrições sufocantes. Proscrever amizades com o sexo oposto, censurar confidências emocionalmente íntimas a outros, rechaçar conversas no trabalho, cortar atividades on-line, banir pornografia, verificar o paradeiro do outro, fazer tudo junto, cortar relações com o ex — todas essas medidas de segurança nacional podem sair pela culatra. Katherine Frank é convincente ao argumentar que "a narrativa da segurança conjugal" gera sua própria morte.[4] Quando o casal tenta proteger a relação com várias formas de vigilância e autopoliciamento, se arrisca a criar uma armadilha para cair no exato oposto: a "erotização avançada das transgressões". Quanto mais tentamos suprimir nossas ânsias primitivas, mais vigorosa pode ser nossa rebeldia.

O filósofo-poeta irlandês John O'Donohue nos lembra: "É sempre assombroso como o amor pode atacar. Nenhum contexto é à prova de amor, nenhuma convenção ou compromisso impermeável. Mesmo um estilo de vida perfeitamente isolado, em que a personalidade é controlada, todos os dias organizados e todos os atos em sequência, pode para seu próprio desalento descobrir que uma centelha inesperada pousou; começa a arder até enfim se tornar inextinguível. A força de Eros sempre traz perturbação; no terreno oculto do coração humano, Eros tem sono leve".[5]

Nossos ideais românticos são entrelaçados demais com a crença de que um casamento perfeito deve nos deixar surdos contra os estrondos de eros. Rejeitamos nossos anseios ingovernáveis, considerando-os imaturidades das quais já deveríamos ter escapado, e dobramos a aposta no nosso conforto e segurança — que, como destaca Stephen Mitchell, não é menos ilusória do que a maioria de nossas fantasias ardentes. Podemos desejar constância, trabalhar por permanência, mas nunca existe garantia.

Em vez de nos protegermos com a falsa ideia de que *jamais aconteceria comigo*, temos de aprender a viver com incertezas, encantos, atrações, fantasias — tanto a nossa como a dos parceiros. Casais que se sentem à vontade para falar de maneira franca de seus desejos, mesmo quando não voltados para o outro, paradoxalmente se aproximam.

Os exploradores são um exemplo disso. Seus casamentos podem ser ou não "abertos" na estrutura, mas todos são abertos em termos de comunicação. Eles estão entabulando conversas que nunca tiveram antes da quebra: de mente aberta, vulneráveis, emocionalmente perigosas, que despertam a curiosidade sobre alguém ao mesmo tempo familiar e totalmente novo. Se aprovamos a liberdade do outro dentro da relação, talvez fiquemos menos propensos a buscá-la em outro lugar.

Além do mais, quando reconhecemos a existência do terceiro, confirmamos a separação erótica do parceiro. Admitimos que, por mais que queiramos, a sexualidade deles não gira em torno só de nós. Eles podem optar por dividi--la somente conosco, mas suas raízes são extensas. Somos os recipientes, não as únicas fontes, de seus desejos em desenvolvimento. Esse reconhecimento do outro como agente independente é parte do choque da infidelidade, mas também pode reacender a chama erótica em casa. Embora possa ser uma proposta assustadora, também é deliciosamente íntima.

E a confiança? A confiança é o cerne do desenho conjugal, e os casos são uma violação dessa confiança. Muitos sentem que, a fim de confiar, é preciso saber. Confundimos confiança e segurança, como um exame de risco racional para garantir que não vão nos magoar. Queremos a garantia de que nosso parceiro nos apoia e jamais seria egoísta a ponto de pôr suas necessidades acima dos nossos sentimentos. Exigimos certeza, ou ao menos a ilusão de certeza, antes de nos dispormos a ficar vulneráveis ao outro.

Mas há outro modo de encarar a confiança: como uma força que nos possibilita aguentar a incerteza e a vulnerabilidade. Citando Rachel Botsman, "a confiança é uma relação presunçosa com o desconhecido".[6] Se aceitarmos que a certeza que almejamos é algo que nunca teremos de fato, podemos redefinir a ideia de confiança. Sim, a confiança é construída e reforçada por ações no decorrer do tempo, mas, além disso, a confiança é um salto de fé — "um risco disfarçado de esperança", como escreve Adam Phillips.[7] O caso atira o par em uma nova realidade, e aqueles dispostos a se aventurar juntos descobrem que, para eles, a confiança não depende mais somente do previsível, mas é um envolvimento ativo com o imprevisível.

Também aprendemos com os casos que, para a maioria, o proibido sempre terá seu encanto. O desafio corrente para casais estáveis é encontrar formas de colaborar na transgressão em vez de transgredir contra o outro ou contra o vínculo que têm. Os atos ilícitos não precisam ser drásticos, imprudentes ou picantes, mas precisam ser autênticos. Posso oferecer sugestões e exemplos, mas o que funciona para um casal não tem graça para outro. Só você sabe quando finalmente está quebrando as próprias regras e saindo da zona de conforto. Só você pode perceber o que aciona a energia erótica — o élan vital — na sua relação.

Para Viola e Ross, foi criar endereços de e-mail secretos através dos quais conduziam conversas particulares, obscenas, durante reuniões, visitas dos amigos dos filhos e reuniões de pais e professores. Para Allan e Joy, era de vez em quando deixar os filhos com a mãe dela e sair sem hora para voltar. Dançar a noite inteira com a sensação de não ter limites é o oposto da disciplina da vida doméstica. Bianca e Mags não podem se dar ao luxo de sair, mas querem reafirmar que não são apenas mães. Assim, uma vez por semana põem os bebês para dormir, acendem velas, se arrumam e têm um encontro em casa. Chamam isso de "encontro no bar".

Alia voltou a cantar; Mahmoud, seu marido há dez anos, ia ver suas apresentações, mas não fazia contato — se sentava nos fundos da boate como qualquer observador casual e via a esposa pelos olhos de um estranho. Rita e Ben vão a surubas muito bem escolhidas, e lá falam apenas francês. Nate e Bobby adoram voltar de fininho para casa depois de deixar os gêmeos na pré-escola e fazer um café da manhã de adultos sem interrupções. Amber e Liam gostam de procurar on-line alguém atraente que possam convidar para ir à casa deles.

Rikki e Wes se deram permissão para flertar, chegando até o limite mas nunca pisando na linha. Quando homens passam cantadas nela, "alimentam meu ego", diz Rikki. Mas funciona para os dois. Ver garotas desejando Wes faz com que se sinta mais confiante quando ele volta para casa com ela. Renunciar aos outros reafirma a escolha de um pelo outro. Eles brincam com seus desejos itinerantes, porém canalizam essa energia para o casamento. Compromisso e liberdade se alimentam. Do compromisso surge a sensação de segurança e honestidade, e a capacidade de se sentir liberto e vivo com o outro intensifica o compromisso.

Todos esses casais de longa data escolheram não ignorar o fascínio do proibido, e sim subverter seu poder ao convidá-lo para entrar. Está claro que essas táticas fortalecem o vínculo, e, quando o vínculo é mais forte, eles são menos propensos a trair. "Seria divertido, mas não vale a pena" se torna a voz do limite interior. Isso tampouco quer dizer que a relação é "à prova de casos". E é exatamente por saberem disso que eles estão sempre acrescentando páginas novas a suas histórias de amor.

Nossos parceiros não nos pertencem: estão apenas emprestados, com a opção de renovar — ou não. Saber que podemos perdê-los não tem que minar o compromisso; na verdade, exige um envolvimento ativo que os casais de muito tempo geralmente perdem. A percepção de que nossos amados são eternamente misteriosos deveria nos arrancar da passividade, no sentido mais positivo.

A corrente da vitalidade, após desperta, é uma força quase irresistível. O que deve ser alvo de resistência é a curiosidade minguante, os compromissos frouxos, a resignação austera, as rotinas enxutas. De modo geral, a apatia doméstica é uma crise de imaginação.

No auge, os casos raramente sofrem de falta de imaginação. Tampouco falta desejo, abundância de atenção, romantismo e diversão. Sonhos compartilhados, afeto, paixão e curiosidade inesgotável — esses são ingredientes naturais vistos no terreno do adultério. Também são ingredientes de relações prósperas. Não é por acaso que a maioria dos casais eróticos tiram suas estratégias conjugais diretamente do manual da infidelidade.

Agradecimentos

O que me levou a escrever um livro sobre uma das facetas mais polêmicas de nossa natureza? Poucos acontecimentos abarcam de tal modo a amplitude do drama humano, e esse tem sido um inesgotável motivo de fascínio para mim desde que escrevi meu primeiro livro, *Sexo no cativeiro*. Foi lá na época feliz de inocência autoral, antes da radicalização da comunicação pela internet. Cerca de uma década se passou e hoje a produção ocorre em plena luz do dia. Dialoguei com meus leitores ao longo da criação do livro. Agradeço a todos vocês pelas contribuições esclarecedoras.

Alguns de vocês, no entanto, seguraram minha mão off-line. Para resumir, eu não conseguiria sem vocês. Isso porque eu penso enquanto escrevo. E falo enquanto penso. Portanto, fui abençoada com amigos queridos, colegas estimados e estranhos bem-vindos. Minha dívida de gratidão transcende estes humildes agradecimentos.

Ellen Daly, editora responsável e colaboradora, se alguma vez testemunhei um gênio em ação, foi você. Sua clareza no entendimento do meu ponto de partida e do ponto aonde eu precisava chegar me manteve no caminho certo. Vou sempre ouvir sua voz, meu GPS pessoal, recalculando a rota. Laura Blum, minha coeditora e musa poética, você é um dicionário de sinônimos ambulante. Não existe ninguém com quem eu goste mais de brincar com as palavras e refinar ideias do que você. Gail Winston, minha destemida editora na HarperCollins, obrigada por acreditar em mim outra vez. Sarah Manges, você e eu começamos esta aventura com uma proposta audaciosa. Sua contribuição editorial foi preciosa. Tracy Brown, minha agente literária, tenho confiança em você do fundo do coração, uma mercadoria rara, conforme estas páginas demonstrarão. Yuli Masinovsky, você sempre me lembra da importância de contar uma história, seja no papel ou na tela.

As melhores ideias raramente surgem em uma mente isolada, mas se desenvolvem em redes de pensadores curiosos e criativos. No decorrer destas páginas, citei muitos desses indivíduos cujas observações pioneiras — compartilhadas tanto em conversas como por escrito — me ajudaram a moldar as ideias deste livro. Agradeço em especial a Michelle Scheinkman, Ulrich Clement, Janis Abrahms Spring, Janet Reibstein, Tammy Nelson, Ellyn Bader, Meg John Barker, Helen Fisher, Marta Meana, Eric Klinenberg, Eric Berkowitz e Pepper Schwartz.

A fecundação cruzada que acontece quando estamos em um grupo de estudos interdisciplinar foi essencial para o aprimoramento de minhas perguntas e conclusões. Diana Fosha, Doug Braun-Harvey, George Faller, Natasha Prenn e Megan Fleming, obrigada por me fazerem prestar contas durante os primórdios deste projeto. Joshua Wolf Schenk, você tornou menos assustador o fato de eu ficar empacada.

Eu não teria a ousadia de permitir que este livro visse a luz do dia sem minha seleção de leitores exigentes. Seus comentários me mostraram as frestas e jogaram luz através delas. Katherine Frank, todo terapeuta que segura a pena deveria ter a sorte de ter a seu lado uma antropóloga cultural com a sua criatividade e percepção aguçada. Peter Fraenkel e Harriet Lerner, vocês são colegas queridos, além de críticos de objetividade e astúcia ímpar. Steve Andreas, Guy Winch, Harriet Lerner, Aviva Gitlin, Dan McKinnon, Ian Kerner, Margie Nichols, Carol Gilligan e Virginia Goldner, eu precisava do retorno abalizado de clínicos, professores e pensadores proeminentes. Jesse Kornbluth, Hanna Rosin, David Bornstein e Patricia Cohen, vocês são magos da caneta e seus comentários me ajudaram a falar uma língua compreensível para todos. Dan Savage e Terry Real, vocês são minhas almas gêmeas. David Lewis, Daniel Mandil, Irina Baranov, Blair Miller e Daniel Okulitch, nada passa despercebido às suas faculdades sagazes. Diana Adams e Ed Vessel, sou grata principalmente pela orientação que vocês me deram enquanto eu escrevia sobre a não monogamia. Olivia Natt e Jesse Baker, vocês acrescentaram uma valiosa perspectiva mais jovem com as opiniões que deram. Alissa Quart, trocar ideias com você sobre títulos é divertidíssimo.

Minha equipe. Malika Bhowmik, minha pesquisadora estagiária, para quem tiro o chapéu por um trabalho realizado com perfeição. Você pôs ordem no meu caos. E, por falar em ordem, Lindsay Ratowsky e Amanda Dieker, vocês tornaram possível que eu dedicasse meu tempo e atenção ao livro. No começo, também fui auxiliada por um quarteto de alunas talentosas: Brittany Mercante, Annabelle Moore, Nicole Arnot e Alexandra Castillo. Mal posso esperar para vê-las florescer em suas carreiras. Obrigada a todos os colegas que comparecem aos meus grupos mensais de formação e supervisão — não existe forma melhor de clarear os pensamentos do que lecionando. Jonas Bamert, sua pesquisa foi muito apreciada. Bruce Milner, você abriu sua casa bucólica em Woodstock e me ofereceu sossego e beleza para que eu pudesse escrever.

E agora, a família. Aos meus pais, que me ensinaram a me manifestar e cuja experiência angustiante com a traição me mostrou que existe sempre a esperança de cura — mesmo que apenas parcial. Jack Saul, meu marido, nós dividimos a aventura do amor e da vida. Você é meu interlocutor intelectual. Escrever um livro ocupa muito espaço e você reage com enorme generosidade. Adam e Noam, espero que estas páginas lhes ofereçam sabedoria que vocês possam usar em seus relacionamentos. Conversar com vocês sobre as provações e adversidades do amor para a geração do milênio me manteve atualizada e me trouxe muita alegria.

Não seria nenhum exagero destacar o papel dos meus pacientes e de todos vocês que me deixaram entrar em suas vidas particulares. A confiança de vocês foi essencial. É por meio de histórias como as suas que nos comunicamos e criamos sentidos. Durante minhas viagens, meu trabalho e minhas relações pessoais, tive conversas riquíssimas. Por elas posso oferecer meu agradecimento, embora não possa dar nome a todos. Foi muito bom não me sentir sozinha no decorrer desta árdua criação, e, agora que ela está pronta, espero ansiosamente para interagir mais com vocês.

Notas

2. A DEFINIÇÃO DE INFIDELIDADE: BATER PAPO É TRAIR? [pp. 28-42]

1. Susan H. Eaves e Misty Robertson-Smith, "The Relationship Between Self-Worth and Marital Infidelity: A Pilot Study", *The Family Journal*, v. 15(4), pp. 382-6.
2. National Opinion Research Center General Social Survey, citado em Frank Bass, "Cheating Wives Narrowed the Infidelity Gap over Two Decades", 2 jul. 2013, *Bloomberg News*. Disponível em: ‹https://www.bloomberg.com/news/articles/2013-07-02/cheating-wives-narrowed-infidelity--gap-over-two-decades›. Acesso em: 8 fev. 2018.
3. Rebecca J. Brand et al., "Sex Differences in Self-Reported Infidelity and Its Correlates", *Sex Roles*, v. 57(1), pp. 101-9.
4. Aziz Ansari e Eric Klinenberg, *Modern Romance* (Nova York: Penguin Books, 2015), p. 31. [Ed. bras.: *Romance moderno*. São Paulo: Paralela, 2016.]
5. Al Cooper, *Sex and the Internet* (Nova York: Routledge, 2002), p. 140.
6. Tenho uma dívida com Shirley Glass, cujos "três sinais de perigo" inspiraram a linha de pensamento que levou à minha própria tríade.
7. Julia Keller, "Your Cheatin' Art: The Literature of Infidelity", *Chicago Tribune*, 17 ago. 2008. Disponível em: ‹http://articles.chicagotribune.com/2008-08-17/news/0808150473_1_scarlet--letter-anna-karenina-adultery›. Acesso em: 8 fev. 2018.
8. Marcel Proust, *In Search of Lost Time*, v. VI (Modern Library, 2000). [Ed. bras.: *Em busca do tempo perdido*, v. 6. São Paulo: Biblioteca Azul, 2013.]
9. Cheryl Strayed, *Tiny Beautiful Things* (Nova York: Vintage, 2012), p. 136. [Ed. bras.: *Pequenas delicadezas*. Rio de Janeiro: Objetiva, 2013.]
10. Francesca Gentille, em correspondência particular com a autora.
11. Aaron Ben-Ze'ev, *Love Online: Emotions on the Internet* (Cambridge, Reino Unido: Cambridge University Press, 2012), p. 2.

3. OS CASOS NÃO SÃO MAIS COMO ERAM ANTIGAMENTE [pp. 43-56]

1. Stephanie Coontz, correspondência particular com a autora, mar. 2017.
2. Statistic Brain Research Institute, 2016. Disponível em: <http://www.statisticbrain.com/arranged-marriage-statistics>.
3. Anthony Giddens, *The Transformation of Intimacy: Sexuality, Love, and Eroticism in Modern Societies* (Palo Alto, CA: Stanford University Press, 1993), p. 14. [Ed. bras.: *A transformação da intimidade: Sexualidade, amor e erotismo nas sociedades modernas*. São Paulo: Unesp, 2011.]
4. Robert A. Johnson, *We: Understanding the Psychology of Romantic Love* (San Francisco: HarperOne, 2009), p. xi. [Ed. bras.: *We: A chave da psicologia do amor romântico*. São Paulo: Mercuryo, 2008.]
5. William Doherty, *Take Back Your Marriage: Sticking Together in a World That Pulls Us Apart*, 2. ed. (Nova York: Guilford Press, 2013), p. 34. [Ed. bras.: *Resgate seu casamento: Como proteger seu relacionamento das armadilhas do mundo moderno*. Rio de Janeiro: Verus, 2009.]
6. Alain de Botton, "Marriage, Sex and Adultery", *The Independent*, 23 maio 2012. Disponível em: <http://www.independent.ie/style/sex-relationships/marriage-sex-and-adultery-26856694.html>. Acesso em: nov. 2016.
7. Pamela Druckerman, *Lust in Translation: Infidelity from Tokyo to Tennessee* (Nova York: Penguin Books, 2008), p. 273. [Ed. bras.: *Na ponta da língua*. Rio de Janeiro: Record, 2009.]
8. "Knot Yet: The Benefits and Costs of Delayed Marriage in America", *In Brief*, <http://twentysomethingmarriage.org/in-brief>.
9. Hugo Schwyzer, "How Marital Infidelity Became America's Last Taboo", *The Atlantic*, maio 2013. Disponível em: <http://www.theatlantic.com/sexes/archive/2013/05/how-marital-infidelity--became-americas-lastsexual-taboo/276341>.
10. Janis Abrahms Spring, *After the Affair: Healing the Pain and Rebuilding Trust When a Partner Has Been Unfaithful*, 2. ed. (Nova York: William Morrow, 2012), p. 14. [Ed. bras.: *Depois do caso*. Rio de Janeiro: Record, 1997.]

4. POR QUE A TRAIÇÃO DÓI TANTO: SANGRANDO POR MILHARES DE CORTES [pp. 59-76]

1. Michele Scheinkman, "Beyond the Trauma of Betrayal: Reconsidering Affairs in Couples Therapy", *Family Process*, v. 44(2), pp. 227-44.
2. Peter Fraenkel, correspondência particular com a autora, jan. 2017.
3. Anna Fels, "Great Betrayals", *New York Times*, 5 out. 2013. Disponível em: <http://www.nytimes.com/2013/10/06/opinion/sunday/great-betrayals.html>.
4. Jessa Crispin, "An Interview with Eva Illouz", *Bookslut*, jul. 2012. Disponível em: <http://www.bookslut.com/features/2012_07_019157.php>.
5. Julie Fitness, "Betrayal and Rejection, Revenge and Forgiveness: An Interpersonal Script Approach", in M. Leary (Org.), *Interpersonal Rejection* (Nova York: Oxford University Press, 2006), pp. 73-103.

6. Maria Popova, "Philosopher Martha Nussbaum on Anger, Forgiveness, the Emotional Machinery of Trust, and the Only Fruitful Response to Betrayal in Intimate Relationships", *Brain Pickings*. Disponível em: <https://www.brainpickings.org/2016/05/03/martha-nussbaum-anger-and-forgiveness>.
7. Janis Abrahms Spring, *How Can I Forgive You?: The Courage to Forgive, the Freedom Not To* (Nova York: William Morrow, 2005), p. 123.
8. Steven Stosny, *Living and Loving After Betrayal: How to Heal from Emotional Abuse, Deceit, Infidelity, and Chronic Resentment* (Oakland, Califórnia: New Harbinger Publications, 2013).
9. Victor Frankl, *Man's Search for Meaning* (Nova York: Touchstone, 1984), pp. 74-5. [Ed. bras.: *Em busca de sentido*. Petrópolis: Vozes, 2017.]

5. LOJINHA DE HORRORES: ALGUNS CASOS PROVOCAM MAIS DOR QUE OUTROS? [pp. 77-89]

1. Brené Brown palestrando na conferência Emerging Women Live, San Francisco, out. 2015.

6. CIÚME: A FAÍSCA DE EROS [pp. 90-103]

1. Helen Fisher, "Jealousy: The Monster", *O Magazine*, set. 2009. Disponível em: <http://www.oprah.com/relationships/Understanding-Jealousy-Helen-Fisher-PhD-on-Relationships#ixzz3lwnRswS9>.
2. M. Scheinkman e D. Werneck (2010), "Disarming Jealousy in Couples Relationships: A Multidimensional Approach", *Family Process*, v. 49(4), pp. 486-502.
3. Ibid.
4. Giulia Sissa, *La Jalousie: Une passion inavouable* (Paris: Odile Jacob, 2015). Traduzido do francês para o inglês pela autora.
5. Ayala Malach Pines, *Romantic Jealousy: Causes, Symptoms, Cures* (Nova York: Routledge, 2013), p. 123.
6. Giulia Sissa, "Jaloux, deux souffrances pour le prix d'une", *Liberation*. Disponível em: <http://www.liberation.fr/livres/2015/03/11/jaloux-deuxsouffrances-pour-le-prix-d-une_1218772>. Traduzido do francês para o inglês pela autora.
7. Adam Phillips, *Monogamy* (Nova York: Vintage, 1999), p. 95. [Ed. bras.: *Monogamia*. São Paulo: Companhia das Letras, 1997.]
8. Roland Barthes, *A Lover's Discourse: Fragments* (Nova York: Macmillan, 1978), p. 146. [Ed. bras.: *Fragmentos de um discurso amoroso*. São Paulo: Martins Fontes, 2003.]
9. William C. Carter, *Proust In Love* (Yale University Press, 2006), p. 56.
10. Pines, *Romantic Jealousy*, p. 200.
11. Sissa, *Liberation*.
12. *The Erotic Mind: Unlocking the Inner Sources of Passion and Fulfillment* (Nova York: Harper Perennial, 1996), p. 60. [Ed. bras.: *A mente erótica*. Rio de Janeiro: Rocco, 1997.]
13. François de la Rochefoucauld, *Maxims* (Nova York: Penguin Classics, 1982), p. 41.

14. Annie Ernaux, *L'occupation* (Paris: Gallimard, 2003). Traduzido do francês para o inglês pela autora.
15. Helen Fisher, TED Talk, "The Brain in Love". Disponível em: <http://www.ted.com/talks/helen_fisher_studies_the_brain_in_love/transcript?language=en>.
16. David Buss, *Evolutionary Psychology: The New Science of the Mind*, 5. ed. (Psychology Press, 2015), p. 51.

7. AUTORRECRIMINAÇÃO OU VINGANÇA: A FACA DE DOIS GUMES [pp. 104-18]

1. Ayala Malach Pines, *Romantic Jealousy: Causes, Symptoms, Cures* (Taylor and Francis, 2013, edição para Kindle), pos. 2622-5.
2. Steven Stosny, *Living and Loving After Betrayal: How to Heal from Emotional Abuse, Deceit, Infidelity, and Chronic Resentment* (Oakland, Califórnia: New Harbinger Publications, 2013), p. 10.

8. CONTAR OU NÃO CONTAR? A POLÍTICA DO SEGREDO E DA REVELAÇÃO [pp. 119-35]

1. Michele Scheinkman, "Beyond the Trauma of Betrayal: Reconsidering Affairs in Couples Therapy", *Family Process*, v. 44(2), pp. 227-44.
2. Evan Imber-Black, *The Secret Life of Families* (Nova York: Bantam Books, 1999), p. xv. [Ed. bras.: *Os segredos na família e na terapia familiar*. Porto Alegre: Artmed, 1994.]
3. Stephen Levine, *Demystifying Love: Plain Talk for the Mental Health Professional* (Nova York: Routledge, 2006), p. 102.
4. Debra Ollivier, *What French Women Know: About Love, Sex, and Other Matters of the Heart and Mind* (Nova York: Berkley, 2010), p. 50. [Ed. bras.: *O que as mulheres francesas sabem: Sobre amor, sexo e traição*. São Paulo: Academia, 2010.]
5. Pamela Druckerman, *Lust in Translation: Infidelity from Tokyo to Tennessee* (Nova York: Penguin Books, 2008), p. 124.
6. Ibid.
7. Harriet Lerner, correspondência particular com a autora, mar. 2017.
8. Dan Ariely, *The (Honest) Truth About Dishonesty: How We Lie to Everyone – Especially Ourselves* (Nova York: Harper, 2012), p. 244. [Ed. bras.: *A mais pura verdade sobre a desonestidade*. Rio de Janeiro: Elsevier, 2012.]
9. Marty Klein, "After the Affair... What?", *Sexual Intelligence*, 164, out. 2013. Disponível em: <http://www.sexualintelligence.org/newsletters/issue164.html>.

9. ATÉ PESSOAS FELIZES TRAEM: UMA EXPLORAÇÃO DOS SENTIDOS DOS CASOS [pp. 139-55]

1. Octavio Paz, *The Double Flame: Essays on Love and Eroticism* (Nova York: Houghton Mifflin Harcourt, 1996), p. 15. [Ed. bras.: *A dupla chama: Amor e erotismo*. São Paulo: Mandarim, 1999.]

2. Lise VanderVoort e Steve Duck, "Sex, Lies, and... Transformation", in Jean Duncombe, Kaeren Harrison, Graham Allan e Dennis Marsden (Orgs.), *The State of Affairs: Explorations in Infidelity and Commitment* (Mahwah, NJ: Lawrence Erlbaum, 2004), pp. 1-14.

3. Anna Pulley, "The Only Way to Love a Married Woman", Salon.com, 21 jul. 2015. Disponível em: <http://www.salon.com/2015/07/21/the_only_way_to_love_a_married_woman>.

4. Francesco Alberoni, *L'erotisme* (Pocket, 1994), p. 192. Traduzido do francês para o inglês pela autora. [Ed. bras.: *O erotismo*. Rio de Janeiro: Rocco, 1987.]

5. Jack Morin, *The Erotic Mind: Unlocking the Inner Sources of Passion and Fulfillment* (Nova York: Harper Perennial, 1996), pp. 81-2.

6. Ibid.

7. Ibid.

8. Zygmunt Bauman, *Liquid Love: On the Frailty of Human Bonds* (Polity, 2003), p. 55. [Ed. bras.: *Amor líquido*. Rio de Janeiro: Zahar, 2004.]

10. UM ANTÍDOTO PARA O TORPOR: A SEDUÇÃO DO PROIBIDO [pp. 156-70]

1. Francesco Alberoni, *L'erotisme* (Pocket, 1994), p. 192.

2. Stephen Mitchell, *Can Love Last?* (Nova York: W. W. Norton, 2002).

3. Ibid., p. 51.

4. Pamela Haag, *Marriage Confidential: Love in the Post-Romantic Age* (Nova York: HarperCollins, 2011), p. 15.

5. Laura Kipnis, "Adultery", *Critical Inquiry*, v. 24(2), pp. 289-327.

6. Lise VanderVoort e Steve Duck, "Sex, Lies, and... Transformation", in Jean Duncombe, Kaeren Harrison, Graham Allan e Dennis Marsden (Orgs.), *The State of Affairs* (Mahwah, NJ: Lawrence Erlbaum, 2004), p. 6.

7. M. Meana, "Putting the Fun Back in Female Sexual Function: Reclaiming Pleasure and Satisfaction". Artigo apresentado na reunião anual da Society for the Scientific Study of Sexuality, Las Vegas, Nevada (nov. 2006).

8. Dalma Heyn, *The Erotic Silence of the American Wife* (Nova York: Plume, 1997), p. xv.

9. Ibid., p. 188.

10. K. Sims e M. Meana, "Why Did Passion Wane? A Qualitative Study of Married Women's Attributions for Declines in Desire", *Journal of Sex & Marital Therapy*, v. 36(4), pp. 360-80.

11. Ibid., p. 97.

11. SEXO PODE SER APENAS SEXO? A ECONOMIA EMOCIONAL DO ADULTÉRIO [pp. 171-90]

1. Jack Morin, *The Erotic Mind: Unlocking the Inner Sources of Passion and Fulfillment* (Nova York: Harper Perennial, 1996), p. 180.

2. Terry Real, em conversa com a autora, fev. 2016.

3. Irma Kurtz, *Mantalk: A Book for Women Only* (Sag Harbor, NY: Beech Tree Books, 1987), p. 56.

4. Ethel Person, "Male Sexuality and Power", *Psychoanalytic Inquiry*, v. 6(1), pp. 3-25.
5. Daphne Merkin, "Behind Closed Doors: The Last Taboo", *New York Times Magazine*, 3 dez. 2000. Disponível em: <http://www.nytimes.com/2000/12/03/magazine/behind-closed-doors-the-last-taboo.html>.
6. Janis Abrahms Spring, *After the Affair: Healing the Pain and Rebuilding Trust When a Partner Has Been Unfaithful*, 2. ed. (Nova York: William Morrow, 2012), p. 6.

12. A MÃE DE TODAS AS TRAIÇÕES? CASOS E OUTROS DELITOS CONJUGAIS
[pp. 191-206]

1. Eleanor Barkhorn, "Cheating on Your Spouse Is Bad; Divorcing Your Spouse Is Not", *The Atlantic*, 23 maio 2013. Disponível em: <http://www.theatlantic.com/sexes/archive/2013/05/cheating-on-your-spouse-is-bad-divorcing-your-spouse-is-not/276162>.
2. David Schnarch, "Normal Marital Sadism", *Psychology Today*, maio 2015. Disponível em: <https://www.psychologytoday.com/blog/intimacy-and-desire/201205/normal-marital-sadism>.
3. Seth Stephens-Davidowitz, "Searching for Sex", *New York Times*, 25 jan. 2015. Disponível em: <http://www.nytimes.com/2015/01/25/opinion/sunday/seth-stephens-davidowitz-searching-for-sex.html?ref=topics&_r=0>.
4. Irwin Hirsch, "Imperfect Love, Imperfect Lives: Making Love, Making Sex, Making Moral Judgments", *Studies in Gender and Sexuality*, v. 8(4), pp. 355-71.
5. Martin Richards e Janet Reibstein, *Sexual Arrangements: Marriage and Affairs* (Portsmouth, NH: William Heinemann, 1992), p. 79.
6. Pamela Haag, *Marriage Confidential: Love in the Post-Romantic Age* (Nova York: HarperCollins, 2011), p. 23.

13. O DILEMA DA AMANTE: CONVERSAS COM A OUTRA [pp. 207-22]

1. Susan Cheever, entrevistada no episódio 52 de "Dear Sugars", WBUR, 24 abr. 2016. Disponível em: <http://www.wbur.org/dearsugar/2016/04/24/dear-sugar-episode-fifty-two>.

14. MONOGAMIA E SEUS DISSABORES: O CASAMENTO REPENSADO
[pp. 225-44]

1. Meg-John Barker, "Rewriting the Rules". Disponível em: <http://rewriting-the-rules.com/love-commitment/monogamy>.
2. Katherine Frank e John DeLamater, "Deconstructing Monogamy: Boundaries, Identities, and Fluidities Across Relationships", in Meg Barker e Darren Langdridge (Orgs.), *Understanding Non-Monogamies* (Nova York: Routledge, 2009), p. 9.
3. Pascal Bruckner, *The Paradox of Love* (Princeton, NJ: Princeton University Press, 2012), p. 3. [Ed. bras.: *O paradoxo amoroso*. Rio de Janeiro: Bertrand, 2011.]

4. Shalanda Phillips, "There Were Three in the Bed: Discursive Desire and the Sex Lives of Swingers", in Barker e Langdridge (Orgs.), *Understanding Non-Monogamies*, p. 85.

5. M. L. Haupert et al., "Prevalence of Experiences with Consensual Nonmonogamous Relationships: Findings from Two National Samples of Single Americans", *Journal of Sex & Marital Therapy*, 20 abr. 2016, pp. 1-17.

6. Stephen Levine, *Demystifying Love: Plain Talk for the Mental Health Professional* (Nova York: Routledge, 2006), p. 116.

7. Tammy Nelson, "The New Monogamy", *Psychotherapy Networker*, jul.-ago. 2012. Disponível em: <https://www.psychotherapynetworker.org/magazine/article/428/the-new-monogamy>.

8. Dee McDonald, "Swinging: Pushing the Boundaries of Monogamy?", in Barker e Langdridge (Orgs.), *Understanding Non-Monogamies*, pp. 71-2.

9. Ibid., pp. 71-8.

10. Aaron Ben-Ze'ev, "Can Uniqueness Replace Exclusivity in Romantic Love?", *Psychology Today*, 19 jul. 2008. Disponível em: <https://www.psychologytoday.com/blog/in-the-name-love/200807/can-uniqueness-replace-exclusivity-in-romantic-love>.

11. Jamie Heckert, "Love Without Borders? Intimacy, Identity and the State of Compulsory Monogamy", in Barker e Langdridge (Orgs.), *Understanding Non-Monogamies*, p. 255.

12. Tristan Taormino, *Opening Up: A Guide to Creating and Sustaining Open Relationships* (Nova York: Simon & Schuster, 2008), p. 147.

13. Bruckner, *The Paradox of Love*, p. 5.

14. Monica Hesse, "Pairs with Spares: For Polyamorists with a Whole Lotta Love, Three, or More, Is Never a Crowd", *Washington Post*, 13 fev. 2008.

15. Diana Adams, em conversa com a autora, set. 2016.

16. Michael Shernoff, "Resisting Conservative Social and Sexual Trends: Sexual Nonexclusivity and Male Couples in the United States", artigo não publicado compartilhado com a autora.

15. DEPOIS DA TEMPESTADE: O LEGADO DE UM CASO [pp. 245-62]

1. Lewis B. Smedes, *Forgive and Forget* (Nova York: HarperCollins), p. 133. [Ed. bras.: *Perdoar e esquecer*. São Paulo: Claridade, 2002.]

2. Marguerite Yourcenar, *Memoirs of Hadrian* (Nova York: Macmillan, 2005), p. 209. [Ed. bras.: *Memórias de Adriano*. Rio de Janeiro: Nova Fronteira, 2015.]

3. Khaled Hosseini, *The Kite Runner* (Nova York: Riverhead Books, 2003), p. 313. [Ed. bras.: *O caçador de pipas*. Rio de Janeiro: Nova Fronteira, 2005.]

4. Katherine Frank e John DeLamater, "Deconstructing Monogamy: Boundaries, Identities, and Fluidities Across Relationships", in Meg Barker e Darren Langdridge (Orgs.), *Understanding Non-Monogamies* (Nova York: Routledge, 2009).

5. John O'Donohue, *Divine Beauty: The Invisible Embrace* (Nova York: Harper Perennial, 2005), p. 155.

6. Rachel Botsman, TED Talk: "We've stopped trusting institutions and started trusting strangers", jun. 2016. Disponível em: <https://www.ted.com/talks/rachel_botsman_we_ve_stopped_trusting_institutions_and_started_trusting_strangers>.

7. Adam Phillips, *Monogamy* (Nova York: Vintage, 1999), p. 58.

Índice remissivo

Adam, 22
Adams, Diana, 242-3
adultério: como antídoto para a morte, 158-9; como termo, 18; definição, 31; duplo padrão para, 45; economia emocional *ver* economia emocional do adultério; filhos resultantes de, 87-8; história do, como lugar do amor, 44; liberdade como proteção contra, 235; na França, 125; no mercado americano, 16; pensamento preto-no-branco sobre, 22; segredos e, 34; tabu contra, 15, 18, 175; trauma de, 60-2; *ver também* casos
África Ocidental, 125
Alberoni, Francesco, 147, 159
Alexander, Erin e Micah, 112-5
Alia e Mahmoud, 261
Alice, 241
Alison e Dino, 157
Allan e Joy, 261
Ally, Tara e Richie, 238
Amber e Liam, 262
ambiguidade estável, 219
América Latina, 91, 107
Amira, 126-8
amor romântico: cérebro e, 100; companheirismo emocional e, 39; evolução histórica do casamento e, 45, 50; identidade e autoestima ligado ao, 69; infidelidade e modelo de, 142; Johnson sobre, 49; suposição da monogamia no, 33, 55
Andrea e Michael, 212-8
Andreas, Steven, 135
Angela, 33
Anna, 103
Annie, 121
Ansari, Aziz, 30
Anton e Josie, 82
Antrim, Minna, 90
Apolo, deus grego, 162
à-prova-de-casos, 259
Ariely, Dan, 129
Arthur e Sara, 85
Ashlee e Lisa, 30
AshleyMadison.com, 30, 82, 158, 196
assimetria do ator-observador, 42
autocontrole, 114
autodescoberta, 142-52, 167
autonomia, 167
autorrecriminação, 104-6
aventura *vs.* segurança, 161-4
Ayo, Julia e Cynthia, 152-5

Bader, Michael, 177
Barbara, 22
Barker, Meg-John, 226
Barkhorn, Eleanor, 192
Barney, 229
Barthes, Roland, 93
Bauman, Zygmunt, 151
BDSM, 141, 203
Beauvoir, Simone de, 59
Bélgica, 125
Benjamin, 18
Ben-Ze'ev, Aaron, 36, 237
Beyoncé e Jay-Z, 211
Bianca e Mags, 261
Bíblia, 15
bissexualidade, 229; *ver também* relações gays
Blake, William, 119
boates de striptease, 30, 172, 182, 187
Botsman, Rachel, 261
Botton, Alain de, 52
Brad e Pam, 196
Braun-Harvey, Douglas, 190
Brent e Joan, 140
Brown, Brené, 78
Bruckner, Pascal, 228, 243
Buber, Martin, 245
Buddy, 104
Bulgária, 16
Buss, David, 102
Butch Cassidy (filme), 93

Camille e Amadou, 116-8
Carol, 133
cartas de amor, 132-3
casamento: casos com o fim de preservar o, 201-4; cume *vs.* pedra fundamental, 54; desejo feminino e, 164-7; exclusividade emocional e, 39-40; expectativas modernas quanto ao, 49-51, 64; Goethe sobre amor e, 43; igualdade para homossexuais, 53, 55, 243; infidelidade e *ver* infidelidade; intimidade no, 48-9; melancolia, 163; placar do, 107-8; problemas no, 140; que começou como caso, 252-4; repensando *ver* repensando casamento e monogamia; revelação de caso e, 61-2; sadismo no, 193; sem sexo, 194-201; transformação do, 44-7, 52-3
Casey e Reid, 221
casos: amizades e, 84; aspectos positivos de, 159-61; autodescoberta e, 142; carga erótica depois de, 96; com ex, 152; como experiências produtivas ou transformadoras, 19-20; como janela para o coração humano, 23-4; como termo, 37; como universos paralelos, 145, 151; comparados a outras traições conjugais, 191-206; continuar juntos apesar de, 25-7, 254-8; desonestidade e segredo, 29, 33-5, 119-20, 128; direito adquirido e, 52; discurso contemporâneo sobre, 17, 25-6; emocionais, 38-9; fases de recuperação, 61; femininos, 16, 28-9; ingredientes naturais de, 262; legado de *ver* legado de um caso; momento, 85; motivações para, 20-1; pessoas afetadas por, 19-23; preservação do casamento e, 201-4; relações abertas e, 22, 227-8; revelação de, 61, 121-2; sexo *vs.* desejo em, 36; significados dos *ver* significados dos casos; tecnologia digital e, 64-6; *ver também* adultério
celibato no casamento, 194-7
Celine e Jerome, 239
cérebro apaixonado, 100
César e Andy, 66
chamas antigas, reacender, 87, 152
Charlotte e Steve, 86
Charmaine e Roy, 35, 38
Cheever, Susan, 216
Christophe e Louise, 196
Cinquenta tons de cinza (James), 186
Ciro, 91
ciúme, 90-103; amor e, 91-6, 103; como afrodisíaco, 96, 101, 103; diferenças culturais na interpretação do, 91-2; em relações abertas, 113-4; evoluir a ponto de superar o, 102-3; exigência de detalhes, 97; gênero e, 102; inveja e, 98-100; mudanças históricas quanto ao, 92; origem do termo, 96; possessividade, 93-5

Clanton, Gordon, 92
Clinton, Bill, 28, 35
Clinton, Hillary, 25
Clive, Jade e Kyra, 249-52
Closer (filme), 97
Coelho, Paulo, 156
Cohen, Leonard, 245
compersão, 103
complexo de virgem-prostituta, 176
confiança: capacidade de ter, após o caso, 100, 248, 252; histórico familiar e, 78; incerteza e, 261; infidelidade como quebra de, 31, 80-1, 192-3, 247; medo de confiar, 110, 133, 198; não monogamia e, 227-8, 230, 232, 239; reconstrução, 74, 101, 120, 134-5; relaxar no sexo e, 176; sinceridade e, 188
Conrad, Joseph, 15
conselhos de amigos e parentes, 84
construtores, 256-7
consumismo, 51-3
Coontz, Stephanie, 44
Cooper e Aimee, 65
Cooper, Al, 31
crimes passionais, 107
culpa *vs.* vergonha, 72
cura pela fala, 194

dançarinos, 201
Danica, Stefan e Luiz, 156, 159-69
Daphne e Martin, 201
Darby, 221
Darlene, 89
Dawson e Amelia, 232
DeadBedrooms (fórum do Reddit), 197
Debbie e Marc, 255
Deborah, William e Abigail, 241
DeLamater, John, 228
Delia e Russell, 21
Depois do caso (Spring), 55
desconfiança, 81-3, 90, 94
desejo: agressão e, 176; feminino, 164-7, 171, 181, 190; incorreção política e, 186; masculino, 180-2; perguntas detetivescas *vs.* investigativas, 134-5; sexo *vs.*, 36; *ver também* eros; separação amor-desejo
desunião consciente, 249-52
Devon e Annie, 89
Dexter, Mona e Robert, 191-2
diagnósticos psicológicos, 140-1
Diana e Ed, 229, 242
diferença de infidelidade, 28
Dionísio, deus grego, 162
disfunção erétil, 172, 174
Ditta, 84
divórcio: alternativas ao, 204-6; condenação do adultério se comparado com, 192; consumismo e, 52; continuar juntos em vez de, 25-7, 254-8; desunião consciente, 249-52; discurso contemporâneo e, 17, 24-6, 249; estigma suprimido do, 25, 44; infidelidade como motivo para, 25-7, 44, 51, 246-7; leis sem determinação de culpabilidade, 47; papel do terapeuta e, 247, 249; vergonha e, 46
Doherty, Bill, 51
Dominic e Nick, 227
Drake, 85
Drane, Alexandra, 78
Drew, 241
Druckerman, Pamela, 52, 125
DSTs, 88, 172
Duck, Steve, 164
Dumas, Alexandre, 191
Dustin, Leah e Abby, 35
Dwayne e Keisha, 151
Dylan e Naomi, 105-6

economia emocional do adultério, 171-90; homem sensível, 184-6; masculinidade, 178-83; separação amor-desejo, 173-8; soluções criativas, 186-8; vício em sexo, 188-90
Edith, 89
efeito poste de luz, 144
Elias e Linda, 29
envolvimento emocional, 37-8
equação erótica, 148
Eric, Vickie e Gabrielle, 253

Ernaux, Annie, 99
eros: Alberoni sobre, 159; casamento e o reconhecimento de, 260-1; ciúme como a faísca de, 90-103; como energia vital, 157, 164; emudecimento ou morte de, 164, 197; Freud sobre, 158; poder de, 23; *ver também* desejo
erotismo, quatro pilares do, 97
Estados Unidos: ciúme negado nos, 91; condenação da infidelidade nos, 192; conversas sobre infidelidade nos, 16; mulheres incentivadas a irem embora nos, 25; poliamor nos, 242; reprovação ao sigilo e desonestidade nos, 34, 123, 125
estereótipos e preconceitos de gênero, 29, 70, 171, 183; *ver também* patriarcado
estudo de imagens por ressonância magnética, 100
ex, reestabelecer relação com, 87, 152
exploradores, 257-60

Facebook, 31-2, 110, 151, 221
Farrah e Jude, 21
fase da crise, 61, 68, 72, 74
fear of missing out (FOMO), 52
Fels, Anna, 67
feminismo, 47, 229-30
fidelidade, redefinição, 231-2
filhos e segredo, 127
filhos, ilegítimos, 87-8
Filipinas, 125
Fisher, Helen, 90, 100, 255
Foer, Jonathan Safran, 139
fofoca, 84
FOMO (*fear of missing out*), 52
Fraenkel, Peter, 67
França, 125
Frank, Katherine, 228, 259
Frankl, Viktor, 75
franqueza sexual, 187
Freud, Sigmund, 158

Gaia, 104
Garth e Valerie, 172-8, 188, 190

gaslighting, 82
Gene, 197
Gentille, Francesca, 36
Giddens, Anthony, 48
Gillian, Costa e Amanda, 59-69, 71-6
Gina, 201
Goethe, Johann Wolfgang von, 43
Goldner, Virginia, 139
Gray, Rachel, 201
Greg, 211
Grindr, 44, 53, 135, 233
Guy, 38

Haag, Pamela, 163, 205
Heather, Fred, Ryan e Blair, 40-2
Heckert, Jamie, 238
Helen, Miles e Maura, 87
Heyn, Dalma, 166
Hinge, 32, 53
Hirsch, Irwin, 202
histórias da origem dos casais, 63
histórico familiar, 78
Holly, 121
homem sensível e sexo, 184-6
Hosseini, Khaled, 257

identidade, 69-75, 142, 145, 176
igualdade, mito da, 238-9
Illouz, Eva, 70
Imber-Black, Evan, 124
individualismo, 46, 53, 56, 242
infidelidade: "a outra" e, 207-22; autopreservação e, 193; autorrecriminação e vingança, 104-18; casos em comparação com outras traições conjugais, 191-206; ciúme, 90-103; condenação da, 192; definição, 28-42; dor da traição, 59-76; e casamento, novas conversas sobre, 15-27; economia emocional do adultério, 171-90; intensidade da reação à, 77-89; legado de um caso, 245-62; na literatura e nas artes, 90-1, 140; prevalência de, 28-9; repensando casamento e monogamia, 225-44; sigilo e revelação, 119-35; significados de casos,

139-55; transformação do casamento e, 43-56; três elementos constitutivos da, 33; vivacidade e, 156-70; *ver também* adultério; casos; traição
Inga e Jeanine, 241
Ingrid, 217-8
Instagram, 53, 73, 82, 98, 121
internet e infidelidade, 30-1
intimidade: busca de, 194; definição atual de, 124; fidelidade e, 142; no casamento, 48-9; relutância sexual e, 176; renovação da, 135
inveja, 98-100
Iris e Ella, 228
Isabelle e Paul, 195-6

Jackson, 23
Jaime e Flo, 246
Jamiere e Terrence, 83
Jax e Emmett, 239
Jeff e Sheryl, 141
Jeremy, 121
Jess, Bart e Rob, 109-11
Jessica e Julian, 25-6
Jill, 221
Jim e Lauren, 219-20
Joachim e Dean, 30
Joanna e Jaron, 256
Johnson, Robert, 49
Jonah, Danielle e Renée, 172-3, 184-8, 190
Julie, 193
justiça restaurativa, 115-8

Karim e Cindy, 157
Kat e Joel, 221
Kate e Rhys, 246
Kathleen, Don, Lydia e Cheryl, 129-33
Kathy, 218
Keith, Joe e Noah, 157
Keller, Julia, 33
Kellie e Bentley, 241
Kevin, Taylor e Hunter, 80-1
Kipnis, Laura, 163
Kit e Jodi, 30
Klein, Marty, 135

Knot Yet, 54
Kurtz, Irma, 180
Kyle e Lucy, 235-6

La Rochefoucauld, François de, 98
Lailani e Cameron, 110-1
LaSala, Michael, 239
legado de um caso, 245-62; casamento que começou como caso, 252-4; construtores, 256-7; continuar juntos, 254-9; desunião consciente, 249-52; exploradores, 257-60; impeditivo, 246-8; sofredores, 255-8
lembranças encobridoras, 81
lembranças, perturbação de, 66-8
Lerner, Harriet, 127
Levine, Stephen B., 232
Lia, 219
liberdade erótica, 37
Lily, 23
Lina, 121
Lizzy e Dan, 85
Lou, 121
Ludo e Mandy, 38
Luke e Anais, 247-8
Lyle, 257
Lynn e Mitch, 83

Madeleine, 241
Madison e Dennis, 258
Manhunt, 30
Marcel e Grace, 227-8
Marcus e Pavel, 135
Maria e Kenneth, 43, 46, 54
Marlene, 195
Marnie, 128
Marrocos, 25
masculinidade, 178-83
massagem sensual (massagem com final feliz), 28, 77, 172, 184-7
masturbação: com pornografia, 30, 77-8, 185, 201; como traição, 37, 78; sexo virtual e, 30
Match.com, 219
Matt, Mercedes e Maggie, 199-205

Max, 34
McDonald, Dee, 236
Meana, Marta, 165-8
Megan, 120
Melanie, 34
mensagens de cunho sexual, 243
mente erótica, A (Morin), 97
merecimento, 17, 51-2, 148
Merkin, Daphne, 186
México, 16
Michelle, 53-4
Milan e Stefano, 70
Ming, 105
Mitchell, Joni, 67
Mitchell, Stephen, 114, 161-4, 260
mito da igualdade, 238-9
Mo, 84
monogamia: ciúme e, 91; como norma oficial, 15; como valor, 20; consumismo e, 52; conversas sobre, 16, 204-5; definições de, 47, 233; do coração, 239; em relações gays, 32; emocional, 38; ideal romântico e, 55; liberdade erótica e, 37; negociação da, 32; no casamento tradicional, 45; nova, 230; ou-um-ou-outro da, 164; Phillips sobre, 156; prostituição e, 171; repensando *ver* repensando casamento e monogamia
Monogamia (Phillips), 93
monogamista, como termo, 233
Morgan, Ethan e Cleo, 98-100
Morin, Jack, 97, 147, 174
Morissette, Alanis, 98
mortalidade, confronto com, 158-9; *ver também* vivacidade
mulheres: casamento tradicional e, 45-6; desejo e, 164-8; empoderamento das, 47

Na ponta da língua (Druckerman), 125
Nancy, 121
não monogamia: confiança e, 227-8, 230, 232, 240; consensual, 203, 205, 225-7, 237, 244; ética, 227-8; negociando limites e, 237-40; *ver também* relações abertas

narcisismo, 17, 20, 116, 141, 148
narrativa da segurança conjugal, 259
Nate e Bobby, 261
negação do trauma, 80
Nelson, Tammy, 49, 230, 233-4
Nicholas e Zoe, 141
Nicole e Ron, 253
Nila e Hanna, 241
ninfomania, 190
nova monogamia, 230

O'Donohue, John, 259
occupation, L' (Ernaux), 99
OkCupid, 110
Oliver, Andres e Cara, 241
Ollivier, Debra, 125
"outra, a", 207-22; concessões e vantagens, 212-8; fim de caso e, 219-22; histórias contadas por, 210-2

Pagliacci (ópera), 115
Paolo e Rafael, 254
Paris, França, 16
patriarcado, 45; *ver também* estereótipos e preconceitos de gênero
Paz, Octavio, 143
perdas e traumas de infância: abandonos, 100, 217-8; autorrecriminação e, 105; ciúme patológico e, 94; infidelidade dos pais, 71, 247; pais abusivos e bloqueio sexual, 175-6
perguntas investigativas *vs.* detetivescas, 134-5
Person, Ethel, 180
personalidades, diversas e perdidas, 151-5
Phillips, Adam, 93, 156, 261
Phillips, Shalanda, 230
Pines, Ayala Malach, 95, 113
poliamor: ciúme e, 103, 113, 154; como movimento de estilo de vida, 230, 242-4; compersão e, 103; negociação e, 203
poligamia, 116-7, 192, 240
política de não haver segredos, 124
política dos segredos-abertos, 123-4
Polly, Nigel e Clarissa, 93-7, 101

Popova, Maria, 74
pornografia: assistir com parceiro, 187; como alternativa ao adultério, 30, 201, 257; como transgressão, 77-8, 201; ética, 187; online, 30, 66, 185; preferência por, 172-3, 179, 182, 185
possessividade, 90-5, 103, 113
prescrever o sintoma, 102
privacidade, 35, 37, 125, 195
Priya e Colin, 143-50
prostituição e sexo transacional, 38, 77, 86, 89, 171-3, 182; *ver também* massagem sensual
Proust, Marcel, 35, 77, 90, 94
Pulley, Anna, 146

química sexual, 35-7

racionalizações, 129-30, 162
Real, Terry, 62, 175, 219
Reibstein, Janet, 202
relações abertas: casos secretos em, 22, 228; ciúme em, 113-4; desequilíbrios de poder e, 239; experimentação com, 230-1; limites negociados e quebrados em, 113, 153, 227-8; reação típica a, 205; *ver também* não monogamia
relações abusivas, 20, 191, 193
relações gays: casamento, 53, 55, 243; ciúme em, 103; definições de infidelidade em, 30; entre pessoas da geração do milênio, 53; infidelidade em, 70, 88; monogamia e, 32, 203, 230, 234, 236
relações homossexuais *ver* relações gays
religião, 46, 49, 70, 79, 140
repensando casamento e monogamia, 225-44; abertura da monogamia, 228-31; economia da soma, 234-7; famílias e poliamor, 240, 241-4; limites e transgressões, 227-8; não monogamia e negociação de limites, 237-40; percorrendo o espectro da monogamia, 233-4; redefinindo fidelidade, 231-2
Revolução Industrial, 45
Richards, Martin, 202
Rick, 86

Rikki e Wes, 262
Rita e Ben, 261
Rodrigo e Alessandra, 193
Roma, Itália, 91
Romantic Jealousy (Pines), 95
romantismo, 45
rompimento latente, 221
Rose e Tad, 216
Rovics, David, 225
Roxana, 218
Ruby e JP, 82
Rupert, 21
Russ e Connor, 193

Samantha, Ken e Richard, 196-7
Sandy, Jo e Lincoln, 241
Savage, Dan, 231-4
Scheinkman, Michele, 62, 91, 95, 124, 140
Schopenhauer, Arthur, 171
Schwyzer, Hugo, 54
Scott e Kristen, 172-3, 178-82, 184, 188, 190
Secret Life of Families, The (Imber-Black), 124
segurança *vs.* aventura, 161-4
Senegal, 69
separação amor-desejo, 173-8
sexo a três, 188, 229-30, 233, 235-6, 238-9
Sexo no cativeiro (Perel), 141
sexo virtual, 30-1, 36, 173
sexo *vs.* desejo, 36
Shakespeare, William, 104
Shannon e Corbin, 30
Shaun e Jenny, 108-9
Shernoff, Michael, 244
sigilo como elemento da infidelidade, 33-4, 83-4
sigilo e revelação, 119-35; até que ponto revelar, 133-5; diferenças culturais em, 124-8; dilemas da revelação, 121-2, 129-33; terapeutas e, 123-4
significados dos casos, 139-55; autodescoberta, 142-52, 167; diagnósticos psicológicos, 140-1; personalidades, diversas e perdidas, 151-5
silêncio erótico, 166-7

Silvia, Clark e Jason, 43-4, 47, 53
Simon, 82
Simplesmente amor (filme), 67
Sims, Karen E., 167
Sissa, Giulia, 91-2, 95
Skype, 30
Smedes, Lewis B., 249
Snapchat, 31, 39, 53
sofredores, 255, 256, 258
Sonny, 203
Sophie, 227
Spiegel, Lisa, 122
Spring, Janis Abrams, 55, 74, 123, 188
Stephens-Davidowitz, Seth, 197
Stoller, Robert, 176
Stosny, Steven, 75, 114
Strayed, Cheryl, 35
Stuart, 92
surubas, 172, 233
SurvivingInfidelity.com, 246
Susie, 22
swing, praticantes de, 113, 230, 236, 242
Sydney e Ang, 65

Taormino, Tristan, 238
teoria do sintoma, 140, 144, 155
terapeutas: colaboração entre, 198; diálogo entre, 18, 188; papel dos, 21, 60, 62-3, 109, 221, 247, 249; perspectivas/experiências pessoais de, 22; sigilo e, 123-4; teoria do sintoma e, 140, 144, 155
Thomas, Katherine Woodward, 250
Tim e Mike, 88
Tinder, 31, 53, 172, 219
Tom, 85
traição: circunstâncias econômicas e reação a, 88-9; ciúme *vs.*, 91-2; diversas formas de, 192; dor da, 59-76; e definições de infidelidade, 31-2
transferência da vigília, 74
transformação da intimidade, A (Giddens), 48
transgressão, poder sedutor da, 147-50, 261
transtorno de apego, 140-1

transtorno de desejo hipossexual, 190
transtorno de estresse pós-traumático, 94, 101
trauma intrusivo, 175
Tumblr, 36
Tyler e Joanie, 239-40
Tyrell, 34
Tyrone, 233

Underwood, Carrie, 107

van der Kolk, Bessel, 100
VanderVoort, Lise, 164
Vera, Ivan e Beth, 207-9, 218
vergonha *vs.* culpa, 72-3
vergonha, continuar juntos e, 24-7
Viagra, 23, 179, 196, 208
vício em sexo, 141, 188-90
Vijay e Patti, 70
vingança, 106-18; atos de vingança adequados, 115; empatando o placar, 107-9; fantasias de, 114-5; justiça restaurativa, 115-8; lutando contra ideias de, 112-4; traindo o traidor, 109-11
Viola e Ross, 261
Violet e Jared, 30
viuvez e traição, 22
vivacidade, 156-70, 262; aspectos positivos de casos, 159-61; confrontos com a mortalidade e casos, 158-9; desejo feminino e, 164-7; erótica e doméstica, reconciliação, 168-70; segurança *vs.* aventura, 161-2

Walk on the Moon, A (filme), 168-9
Werneck, Denise, 91
WhatsApp, 150
Willa e Brian, 197

Xavier e Phil, 236-7

Yourcenar, Marguerite, 250
Yuri e Anat, 121

Zac e Theo, 43, 53, 55

ESTA OBRA FOI COMPOSTA PELA ABREU'S SYSTEM EM INES LIGHT
E IMPRESSA EM OFSETE PELA RR DONNELLEY SOBRE PAPEL PÓLEN SOFT DA SUZANO
PAPEL E CELULOSE PARA A EDITORA SCHWARCZ EM MAIO DE 2018

A marca FSC® é a garantia de que a madeira utilizada na fabricação do papel deste livro provém de florestas que foram gerenciadas de maneira ambientalmente correta, socialmente justa e economicamente viável, além de outras fontes de origem controlada.